SALLY THORNE

O JOGO DO AMOR "ÓDIO!"

São Paulo
2023

Grupo Editorial
UNIVERSO DOS LIVROS

Copyright © 2016 by Sally Thorne. All rights reserved.

© 2017 by Universo dos Livros

Todos os direitos reservados e protegidos pela Lei 9.610 de 19/02/1998. Nenhuma parte deste livro, sem autorização prévia por escrito da editora, poderá ser reproduzida ou transmitida sejam quais forem os meios empregados: eletrônicos, mecânicos, fotográficos, gravação ou quaisquer outros.

Diretor editorial: **Luis Matos**
Editora-chefe: **Marcia Batista**
Assistentes editoriais: **Aline Graça e Letícia Nakamura**
Tradução: **Mauricio Tamboni**
Preparação: **Luís Protásio**
Revisão: **Juliana Gregolin e Francisco Sória**
Arte: **Aline Maria e Valdinei Gomes**
Capa: **Marina de Campos**

Dados Internacionais de Catalogação na Publicação (CIP)
Angélica Ilacqua CRB-8/7057

T413j

Thorne, Sally
 O jogo do amor/ódio / Sally Thorne ; tradução de Mauricio Tamboni. — São Paulo : Universo dos Livros, 2017.
 400 p.

 ISBN: 978-85-503-0266-9
 Título original: *The hating game*

 1. Literatura norte-americana I. Título II. Tamboni, Mauricio

17-1625   CDD 813.6

Universo dos Livros Editora Ltda.
Avenida Ordem e Progresso, 157 - 8º andar - Conj. 803
CEP 01141-030 - Barra Funda - São Paulo/SP
Telefone/Fax: (11) 3392-3336
www.universodoslivros.com.br
e-mail: editor@universodoslivros.com.br
Siga-nos no Twitter: @univdoslivros

Em memória de Ivy Stone.

AGRADECIMENTOS

Este livro é meu sonho se tornando realidade.

Tenho um esquadrão incrível de amigas que me impulsionaram a correr atrás desse sonho: Kate Warnock, Gemma Ruddick, Liz Kenneally e Katie Saarikko. Cada uma de vocês teve um papel fundamental no sentido de me apoiar, instigar e inspirar.

Agradeço a Christina Hobbs e a Lauren Billings por oferecerem ajuda em meus esforços como escritora e por me apresentarem à minha maravilhosa agente, Taylor Haggerty, da Waxman Leavell Literary Agency. Taylor, muito obrigada por me ajudar a realizar esse sonho.

Obrigada ao pessoal amigável e eficiente da HarperCollins, em especial minha editora, Amanda Bergeron, por me tornar parte da família.

Aliás, por falar em família, quero enviar meu amor aos meus pais, Sue e David, meu irmão, Peter, e meu marido, Roland. Rol, obrigada por acreditar em mim. E, muito embora Delia, minha pug, não saiba ler, ela sempre me ofereceu um apoio enorme e vou amá-la até o fim dos tempos.

Carrie, quem quer que você seja ou onde quer que esteja: essa palavra, *nêmesis,* foi um presente incrível. Você encorajou todo este livro. Por isso, sou muito grata pelo que fez.

CAPÍTULO 1

Tenho uma teoria: odiar e amar alguém são coisas perturbadoramente parecidas. Passei muito tempo comparando o amor ao ódio e apresento abaixo minhas observações.

Amor e ódio são viscerais. Só de pensar naquela pessoa, seu estômago já revira. No peito, o coração bate pesado e forte, quase visível debaixo da pele e da roupa. Seu apetite e sono ficam seriamente comprometidos. Qualquer interação faz o sangue ferver com um tipo perigoso de adrenalina e você se vê quase em uma reação que beira o limite entre lutar e fugir. Seu corpo parece prestes a perder o controle. Você é consumida, e isso a assusta.

Amor e ódio são versões espelhadas do mesmo jogo – e você *tem* que vencer. Quem me dera estar na solitária, mas infelizmente tenho um colega de cela. Cada tique-taque de seu relógio parece mais uma daquelas marquinhas na parede da cela que servem para contar os dias.

Estamos envolvidos em um dos nossos joguinhos infantis, os quais não requerem palavras. Como tudo o que fazemos, é um jogo terrivelmente imaturo.

A primeira coisa a saber a meu respeito: meu nome é Lucy Hutton. Sou assistente executiva de Helene Pascal, co-CEO da Bexley & Gamin.

Em um passado não muito distante, nossa pequena editora, a

Gamin Publishing, estava à beira do colapso. A realidade da economia deixava claro que as pessoas não tinham dinheiro sequer para pagar o financiamento de suas casas e, em meio a esse cenário, os livros tornaram-se um luxo. Livrarias fechavam por toda a cidade como velas se apagando. Preparamo-nos para o praticamente inevitável fechamento.

Na última hora, um acordo foi fechado com outra editora que também enfrentava dificuldades. A Gamin Publishing se viu compelida a entrar em um casamento forçado com o decadente império do mal, também conhecido como Bexley Books, administrado pelo próprio – e insuportável – senhor Bexley.

Com as duas empresas crentes de que estavam salvando uma à outra, elas arrumaram as malas e, depois do tal casamento, mudaram-se para uma casa nova. Nenhuma das partes estava, nem de longe, feliz com o rumo dos acontecimentos. Os Bexleys lembravam-se de sua mesa de pebolim e das partidas na hora do almoço com uma nostalgia tingida de sépia. Eles não conseguiam acreditar que os Gamins, os idealistas, tivessem sequer sobrevivido até hoje com sua baixa adesão aos principais indicadores de desempenho e insistência pueril de que literatura é arte. Os Bexleys acreditavam que números eram mais importantes do que palavras. Livros eram unidades. Venda essas unidades. Dê os parabéns à equipe. Repita o processo.

Os Gamins observaram horrorizados enquanto seus tempestuosos meios-irmãos praticamente arrancavam as páginas de Brontës e Austens. Onde Bexley tinha arrumado tantos almofadinhas, com aquele perfil muito mais voltado para Contabilidade ou Direito? Os Gamins ressentiam essa ideia de livros como unidades. Livros eram, e sempre seriam, uma entidade mágica, algo que deveria ser respeitado.

Um ano depois, só de olhar era possível saber, com base na aparência física, de qual das empresas um funcionário tinha vindo. Os Bexleys eram praticamente geométricos; os Gamins, escribas delicados. Os Bexleys eram tubarões em seus cardumes, sempre debatendo e tomando as salas de reunião para suas ameaçadoras "sessões de planejamento" – ou "sessões de tramar maldades", eu diria. Os Gamins amontoavam-se em seus cubículos como pombos sobre a torre do relógio, lendo manuscritos e, trabalhando em busca da próxima sensação literária. O ar à nossa volta era perfumado com chá de jasmim e cheiro de papel. Nosso garoto *pin-up* é Shakespeare.

A mudança para um novo prédio foi um tanto traumatizante, em especial para os Gamins. Pegue um mapa dessa cidade. Trace uma linha reta passando exatamente na metade da distância entre os prédios onde ficavam as duas empresas, marque um sinal vermelho no ponto central entre elas e aqui estamos. O novo Bexley & Gamin é um sapo de cimento cinza e barato em uma rua importante, incapaz de apreciar um clima ameno. Aqui o tempo é polar de manhã e infernal à tarde. Mas o prédio tem uma característica que o redime: estacionamento no subsolo – em geral tomado por aqueles que chegam cedo, ou, devo dizer, pelos Bexleys.

Helene Pascal e o senhor Bexley visitaram a construção antes da mudança e uma coisa rara aconteceu: os dois concordaram em alguma coisa. O andar superior do prédio era um insulto. Só havia um escritório executivo. Então uma reforma total foi necessária.

Depois de uma longa sessão de *brainstorming* pontuada por tantos insultos a ponto de fazer os olhos da designer de interior lacrimejarem, a única palavra com a qual Helene e o senhor Bexley concordaram em usar para descrever a nova estética foi "reluzente". Essa também foi a última vez em que os dois concordaram. A última. A reforma sem dúvida atendeu ao pedido. O décimo andar agora era um cubo de vidro, aço e piso preto. Você poderia fazer a sobrancelha usando qualquer superfície como espelho – paredes, piso, teto. Até as nossas mesas eram feitas com grandes placas de vidro.

Nesse momento, estou focada no grande reflexo à minha frente. Ergo a mão e, analiso as unhas. Meu reflexo me acompanha. Arrumo os cabelos e solto a gola da blusa. Entro em transe. Quase esqueço-me de que ainda estou fazendo meu jogo com Joshua.

Permaneço sentada aqui com um colega de cela porque todo general de guerra obcecado por poder tem um segundo imediato para fazer o trabalho sujo. Dividir apenas um assistente nunca foi opção, porque isso significaria que um dos CEOs teria de fazer uma concessão. Estávamos os dois parados do lado de fora das novas portas do escritório e cada um tinha de defender a si mesmo.

Foi como ser empurrada na arena do Coliseu, mas só para descobrir que eu não estava sozinha.

Ergo a mão direita outra vez. Meu reflexo discretamente me acompanha. Descanso o queixo para dentro da palma da mão e respiro fundo. O ar ressoa e ecoa. Levanto a sobrancelha esquerda porque sei que ele não consegue fazer isso e, conforme previsto, sua testa se repuxa inutilmente. Venci o jogo. Mas meu rosto não expressa minha alegria. Continuo tão plácida e inexpressiva quanto uma boneca. Ficamos aqui, sentados com as cabeças apoiadas nas mãos e olhando um nos olhos do outro.

Neste lugar, nunca fico sozinha. Sentado à minha frente está o assistente executivo do senhor Bexley. Seu capanga e servo. A segunda coisa, a coisa mais essencial que qualquer pessoa precisa saber a meu respeito é: eu odeio Joshua Templeman.

Nesse momento, ele está reproduzindo cada um dos meus movimentos. É o Jogo do Espelho. Para o observador desatento, não ficaria óbvio de imediato; Joshua é sutil como uma sombra. Mas não para mim. Cada movimento que eu faço é repetido do seu lado do escritório com um brevíssimo *delay*. Ergo o queixo, que continuava apoiado na palma da mão e giro a cadeira. Ele, discretamente, faz a mesma coisa. Tenho 28 anos e parece que caí pelas rachaduras do céu e do inferno e fui parar no purgatório. Uma sala de aula do jardim da infância. Um hospício.

Digito a minha senha: EUOD3IOJ0SHUA. Minhas senhas anteriores foram todas variações do quanto eu o odeio. Para sempre. A senha dele deve ser "EuOd3ioLucindaParaSempre". Meu telefone toca. Julie Atkins, do Departamento de Direitos Autorais, mais uma pedra no meu sapato. Sinto vontade de desligar o telefone e jogá-lo em um incinerador.

– Oi, como está? – quando falo ao telefone, minha voz se torna um pouco mais calorosa.

Do outro lado da sala, Joshua vira os olhos enquanto começa a punir seu teclado.

– Preciso de um favor seu, Lucy. – E eu já sei quais serão as próximas palavras a saírem da boca de Julie. – Preciso de uma prorrogação para entregar o relatório mensal. Acho que minha enxaqueca está voltando. Não consigo nem olhar para a tela a essa altura.

Ela é uma dessas pessoas horríveis com pronúncia afetada.

– Claro, eu entendo. Quando pode entregá-lo?

– Você é a melhor. Seria na segunda-feira, na parte da tarde. Vou ter que chegar um pouco atrasada.

Se eu disser que sim, terei que ficar aqui até bem tarde da noite de segunda-feira para terminar o relatório para a reunião executiva, que acontecerá às 9h de terça-feira. A semana que vem vai ser um verdadeiro inferno.

– Está bem. – Sinto uma pontada no estômago. – Assim que conseguir, por favor.

– Ah, Brian também não vai conseguir entregar o dele hoje. Você é um anjo! Obrigada por ser tão gentil! Estávamos comentando aqui que, do pessoal da equipe executiva, você é a melhor pessoa com quem conversar. Tem *uns* por aí que são um pesadelo.

Suas palavras adocicadas me ajudaram a diminuir um pouco o ressentimento.

– Sem problemas. Conversamos na segunda-feira.

Desligo o telefone e sequer preciso olhar para Joshua. Sei que ele está balançando a cabeça para deixar clara sua reprovação.

Depois de alguns minutos, olho para ele. Obviamente, está me encarando. Imagine que faltam dois minutos para a maior entrevista da sua vida e você olha para a sua camisa branca. A tinta azul da caneta está vazando no bolso. Sua cabeça explode com um palavrão e seus nervos se entregam a um ataque de pânico. Você é uma idiota e está tudo arruinado. É exatamente essa a cor dos olhos de Joshua quando ele olha para mim.

Quem dera eu pudesse dizer que ele é feio. Joshua deveria ser baixo, gordo, com uma fenda nos lábios e olhos lacrimejantes. Um corcunda mancando. Verrugas e espinhas. Dentes amarelos feito fatias de queijo e suor que fede a cebola. Mas ele não é assim. Aliás, é exatamente o oposto. Mais uma prova de que não existe justiça nesse mundo.

Minha caixa de entrada apita. Afasto abruptamente o olhar da falta de feiura de Joshua e percebo que Helene me enviou um pedido de previsão de orçamento. Abro o relatório do mês passado para usar como referência e dou início ao trabalho.

Duvido que a previsão desse mês seja muito melhor. O setor editorial está em queda livre. Já ouvi a palavra "reestruturação" ecoando algumas vezes por esses corredores e sei bem aonde ela leva. Toda vez que saio do elevador e me deparo com Joshua, me pergunto: "Por que eu não arrumo outro emprego?"

Sou fascinada por editoras desde uma importante excursão que fiz aos 11 anos. Eu já era uma devoradora de livros. Minha vida se resumia às visitas à biblioteca municipal. Eu trazia o número máximo de títulos permitidos e conseguia identificar as bibliotecárias pelo som que seus sapatos faziam quando elas atravessavam os corredores. Até a tal excursão, eu estava convencida de que seria bibliotecária. Cheguei a implementar um sistema de catálogo para minha própria coleção. Eu era uma nerd apaixonada por livros.

Antes da nossa excursão para visitar uma editora, nunca pensei muito em como um livro ganhava vida. Foi uma revelação. Era possível ganhar dinheiro para encontrar escritores, ler as obras e, mais importante, para criá-las? Para elaborar e analisar capas novas e páginas perfeitas, sem dobras ou anotações a lápis? Fiquei impressionada. Eu adorava livros novos. Eram os meus preferidos para pegar na biblioteca. Ao chegar em casa, fiz o anúncio aos meus pais: "Quando crescer, vou trabalhar em uma editora."

É ótimo ter a oportunidade de realizar um sonho de infância. Mas, se eu for sincera, nesse momento só não arrumo outro emprego porque não posso deixar Joshua se sentir vencedor.

Enquanto trabalho, só consigo ouvir o barulho do teclado dele e o leve sussurro do ar-condicionado. Joshua ocasionalmente pega a calculadora e digita alguns números. Eu não me espantaria se descobrisse que o senhor Bexley pediu a Joshua a mesma previsão. Assim os co-CEOs podem começar uma batalha, armados com números diferentes. O combustível ideal para a fogueira do ódio entre ambos.

— Com licença, Joshua.

Ele passa um minuto inteiro sem responder. Suas pancadas no teclado se intensificam. Beethoven tocando piano não chega aos pés dessa criatura agora.

— O que foi, Lucinda?

Nem meus pais me chamam de Lucinda. Chego a apertar o maxilar, mas culposamente solto os músculos. Meu dentista me implorou para fazer um esforço consciente.

— Você está trabalhando na previsão do próximo semestre?

Ele afasta as duas mãos do teclado, ergue-as e me encara para responder:

— Não. — Deixo uma lufada com o equivalente a meio pulmão de ar escapar e volto à minha mesa. — Terminei de fazê-las há duas horas.

E volta a digitar. Olho para a minha tabela aberta e conto até dez.

Nós dois trabalhamos com agilidade e temos a reputação de sermos eficientes — o tipo de funcionário que realiza aquelas tarefas desagradáveis e complicadas que todo mundo evita.

Eu sou do tipo que prefere sentar-se com as pessoas e discutir tudo frente a frente. Joshua faz tudo por e-mail. Suas mensagens sempre terminam com "Att., J." Será que ele morreria se digitasse o próprio nome inteiro? Aparentemente isso requereria toques demais no teclado. Ele provavelmente sabe dizer quantos minutos de trabalho está poupando por ano para a B&G ao não digitar seu nome completo em cada e-mail.

Somos parecidos, mas é fato que vivemos em desacordo. Faço meu melhor para ter a aparência de uma executiva, mas tudo o que ofereço é ligeiramente inadequado para a B&G. Sou Gamin até os ossos. Meu batom é vermelho demais, meus cabelos são rebeldes demais. Meus sapatos fazem barulho demais ao baterem no piso. Pareço incapaz de usar meu cartão de crédito para comprar um terninho preto sequer. Nunca tive que usar terninho na Gamin e estou teimosamente me recusando a adotar o padrão dos Bexleys. Meu guarda-roupa é composto por malhas e peças retrô. Uma espécie de bibliotecária chique, ou pelo menos essa é a expectativa.

Levo 45 minutos para concluir a tarefa. Corro contra o relógio, muito embora números não sejam o meu forte, porque imagino que Joshua tenha levado uma hora para realizar esse trabalho. Até em minha cabeça nós dois competimos.

— Obrigada, Lucy — ouço Helene dizer de trás da reluzente porta de seu escritório quando envio o documento.

Verifico mais uma vez meu e-mail. Tudo em ordem. Olho para o relógio. São 15h15. Confiro meu batom no reflexo da parede reluzente perto do monitor do meu computador e dou uma olhada em Joshua, que me encara com desprezo. Encaro-o de volta. Agora estamos fazendo o Jogo de Encarar.

Devo dizer que o motivo maior de todos os nossos joguinhos é fazer o outro sorrir. Ou chorar. Algo assim. E eu sei quando saio vitoriosa.

Ao conhecer Joshua, cometi um erro: sorri para ele. Meu sorriso mais brilhante, com todos os dentes expostos, olhos brilhando com um otimismo idiota de quem acreditava que a fusão das editoras não seria a pior coisa a acontecer na minha vida. Seus olhos me analisaram do *frizz* no cabelo à sola dos sapatos. Só tenho 1,53 m, então não demorou muito. Depois, olhei pela janela. Ele não retribuiu o sorriso e, de alguma forma, sinto que desde então vem levando meu sorriso no bolso da camisa. Com isso, Joshua está um ponto na frente. Depois do nosso péssimo começo, precisei de algumas semanas para sucumbir à nossa hostilidade mútua. Como água pingando em uma banheira, em algum momento vai transbordar.

Cubro a boca e bocejo. Em seguida, olho para o bolso da camisa de Joshua, sobre seu peito esquerdo. Ele usa camisas idênticas todos os dias, só mudam as cores. Branca, *off-white* com listras, creme, amarelo-clara, amarelo-escura, azul bebê, cerúleo, cinza, azul-marinho e preto. E essas cores são usadas em uma sequência nunca alterada.

Por acaso, a minha camisa preferida é a cerúleo, a última da lista é a mostarda, que ele está usando agora. Mesmo assim, todas as camisas ficam ótimas nele. Todas as cores combinam com ele. Se eu usasse uma peça mostarda, pareceria um cadáver. Mas ali está Joshua, com a pele dourada e saudável como sempre.

— Mostarda hoje — observo em voz alta. Por que é que eu acabo escolhendo provocar? — Mal posso esperar pela azul bebê na segunda-feira.

Ele me lança um olhar que é ao mesmo tempo presunçoso e irritadiço.

— Você presta atenção demais em mim, Moranguinho. Mas devo lembrá-la de que comentários sobre a aparência dos colegas de trabalho vão contra a política de Recursos Humanos da B&G.

Ah, o Jogo dos Recursos Humanos. Fazia tempo que não brincávamos disso.

— Pare de me chamar de Moranguinho ou vou denunciá-lo ao RH.

Mantemos um registro um do outro. Só posso imaginar que ele mantenha. Parece sempre se lembrar das minhas transgressões. O meu registro é um documento protegido por senha em meu HD e inclui toda a merda que já aconteceu entre Joshua Templeman e mim. Cada um fez quatro queixas ao RH durante o último ano.

Ele recebeu uma advertência oral e uma escrita por causa do apelido que inventou para mim. Eu recebi duas advertências: uma por abuso verbal e outra por uma pegadinha infantil que saiu do controle. Não me orgulho disso.

Joshua parece incapaz de formular uma resposta e voltamos a nos encarar.

Espero ansiosamente por ver as camisas de Joshua se tornarem mais escuras. Hoje é azul-marinho abrindo caminho para a preta. A camisa preta linda do dia do pagamento.

Minhas finanças são assim: estou prestes a andar 25 minutos depois de sair da B&G para pegar meu carro com Jerry (o mecânico) e usar o cartão de crédito até estar prestes a atingir o limite. O dia do pagamento é amanhã, então vou pagar a fatura do cartão. Meu carro vai vazar mais daquela coisa oleosa e escura o fim de semana todo, e vou notar isso no dia em que a camisa de Josh for branca como o flanco de um unicórnio. Ligo para Jerry. Pego o carro e subsisto com um orçamento extremamente apertado. As camisas vão escurecendo. Preciso fazer alguma coisa com o carro.

Neste momento, Joshua está com o corpo apoiado no batente da porta da sala do senhor Bexley. Seu corpo preenche a maior parte da passagem da porta. Sei disso porque estou espiando pelo reflexo na parede perto do meu monitor. Ouço uma risada rouca e discreta, nada parecida com o zurro de uma mula, ruído normalmente emitido por Bexley. Esfrego as mãos nos antebraços para acalmar meus arrepios. Não vou virar a cabeça para ver direito; ele vai me pegar olhando. Sempre pega. Aí vou receber um franzir de testa.

Os ponteiros do relógio deslizam lentamente rumo às 17h, através da janela empoeirada, posso ver as nuvens cinza. Helene foi embora há uma hora – uma das vantagens de ser co-CEO é trabalhar durante o horário escolar de seu filho e delegar todo o resto para mim. O senhor Bexley passa longas horas aqui porque sua cadeira é confortável demais e, quando o sol da tarde se põe, ele tende a cochilar.

Não quero deixar parecer que Joshua e eu fazemos tudo o que tem de ser feito no último andar, mas, francamente, às vezes a sensação é essa. As equipes de vendas e finanças se reportam diretamente a Joshua, que filtra as enormes quantidades de informações em um relatório minúsculo e entrega tudo mastigadinho a um senhor Bexley ansioso.

Eu tenho as equipes editorial, corporativa e de marketing se reportando comigo, e todos os meses condenso seus relatórios mensais em um único documento para Helene... E acho que também entrego tudo mastigadinho para ela. Encaderno as páginas em espiral para ela poder ler enquanto se exercita. Uso sua fonte preferida. Aqui, todo dia é um desafio, um privilégio, um sacrifício e uma frustração.

Mas, quando penso em cada passo que dei para chegar a este lugar, começando aos 11 anos, recupero o foco. Eu não esqueço. E enfrento Joshua por mais algum tempo.

Levo bolos caseiros aos encontros com os chefes de departamento e todos eles me adoram. Sou descrita como "aquela que vale o próprio peso em ouro". Joshua transmite más notícias em suas reuniões com os chefes de departamento e seu peso é medido em outras substâncias.

Carregando sua pasta, o senhor Bexley passa pela minha mesa. Deve comprar suas roupas na mesma loja onde Humpty Dumpty faz compras. De que outra forma encontraria ternos tão pequenos e largos? Está ficando calvo, com a pele manchada, e é rico pra caramba. Seu avô abriu a Bexley Books. Ele adora lembrar Helene de que ela foi meramente *contratada*. É um velho degenerado, tanto de acordo com Helene quanto de acordo com o que vejo com meus próprios olhos. Forço-me a sorrir para ele. Seu primeiro nome é Richard. Gordo do Pinto Pequeno.

— Boa noite, senhor Bexley.

— Boa noite, Lucy.

Ele para perto da minha mesa e observa a parte da frente da minha blusa de seda vermelha.

— Espero que Joshua tenha entregado a cópia do *The Glass Darkly* que eu trouxe para o senhor. É a primeiríssima cópia.

Gordo do Pinto Pequeno tem uma prateleira enorme com todos os lançamentos da B&G. Todas as suas cópias são a primeira da primeira tiragem, uma tradição iniciada por seu avô. Ele adora se gabar da coleção para os visitantes, mas, quando dei uma olhada nas prateleiras, as lombadas denunciavam que aqueles livros nunca tinham sido abertos.

— Você quem trouxe, foi? — O senhor Bexley se vira para olhar para Joshua. — O doutor não me contou esse detalhe, doutor Josh.

Gordo do Pinto Pequeno provavelmente o chama de doutor Josh porque Joshua é muito clínico. Ouvi alguém dizer que, quando as coisas ficaram realmente ruins na Bexley Books, Joshua foi a força por trás da remoção cirúrgica de um terço da força de trabalho. Não sei como esse cara consegue dormir à noite.

— Contanto que o senhor tenha a cópia, o resto não importa — Joshua responde calmamente enquanto seu chefe deixa muito claro quem é o chefe ali.

— Sim, sim — diz e olha outra vez para a minha blusa. — Bom trabalho, vocês dois.

Ele entra no elevador e eu olho para a minha blusa. Todos os botões estão fechados. O que ele estava olhando? Observo as placas espelhadas no teto e posso ver o pequeno triângulo do meu decote.

— Se você abotoasse mais, não conseguiríamos ver o seu rosto — Joshua anuncia, olhando para a tela enquanto desliga o computador.

— Talvez você pudesse dizer ao seu chefe para me olhar no rosto de vez em quando.

Também faço *log off*.

— Ele deve estar tentando ver a sua placa de circuito. Ou se perguntando que tipo de combustível você usa.

Dou de ombros ao vestir o casaco.

— Sou movida pelo meu ódio a você.

A boca de Joshua se repuxa e eu quase o venci nesse momento. Vejo-o adotar uma expressão neutra.

— Se isso a incomoda, *você* deveria falar com ele. Aprenda a se defender. E aí, vai passar a noite pintando as unhas, desesperadamente sozinha?

Como será que ele adivinhou?

— Vou. E você, doutor Josh? Vai passar a noite se masturbando e chorando no travesseiro?

Ele olha para o último botão da minha camisa.

— Exatamente. E não me chame assim.

Engulo minha risada. Vamos nos empurrando de uma maneira nada amigável até o elevador. Ele aperta o botão da garagem, eu aperto o do térreo.

— Vai andando?

— Meu carro está na oficina.

Calço minha sapatilha e jogo o sapato de salto alto na bolsa. Agora estou ainda mais baixinha. Na superfície ligeiramente polida do elevador, percebo que quase nem alcanço o bíceps de Joshua. Pareço uma chihuahua ao lado de um dogue alemão.

As portas do elevador se abrem para o saguão do prédio. O mundo fora da B&G é uma mancha azul: frio feito uma geladeira, repleto de estupradores e assassinos, e tomado por uma garoa leve. Uma folha de papel é levada pelo vento, parecendo sugerir algo.

Ele usa sua mão enorme para segurar a porta do elevador aberta e coloca a cabeça para fora para ver como está o tempo. Em seguida, volta aqueles olhos azul-escuros na direção dos meus, sua testa começando a franzir. Aquela bolha conhecida se forma em minha cabeça. *Eu queria que ele fosse meu amigo.* Estouro a tal bolha com um alfinete.

– Dou uma carona para você – ele se força a dizer.

– Ah, mas nem morta! – digo por sobre o ombro.

E saio correndo.

CAPÍTULO 2

Estamos na quarta-feira da camisa creme. Joshua saiu tarde para almoçar. Recentemente, lançou alguns comentários sobre coisas das quais gosto e também coisas que faço. Esses comentários são tão precisos a ponto de me fazer ter certeza de que ele anda me bisbilhotando. Informação é poder, e eu não tenho muitas.

Primeiro, conduzo um exame forense da minha mesa. Tanto Helene quanto o senhor Bexley detestam calendários digitais, então temos que usar cadernos como se fôssemos assistentes jurídicos dos tempos de Dickens. No meu, só há compromissos de Helene. Bloqueio o computador obsessivamente, mesmo quando só preciso ir buscar algum papel na impressora. Meu computador desbloqueado próximo a Joshua? Seria como entregar códigos nucleares a ele.

Nos tempos da Gamin Publishing, minha mesa era uma fortaleza de livros. Eu guardava as canetas no espaço entre as lombadas. Quando estava arrumando as coisas no novo escritório, percebi que Joshua mantinha sua mesa praticamente esterilizada e me senti incrivelmente infantil. Levei para casa meu calendário, cuja temática era "A Palavra do Dia" e também os bonequinhos dos Smurfs.

Antes da fusão, minha melhor amiga trabalhava comigo. Val Stone e eu passávamos horas nos sofás de couro surrado da sala de descanso fazendo nossa brincadeira favorita: rabiscar fotografias de pessoas bonitas em revistas. Eu desenhava um bigode em Naomi Campbell. Val pintava um dente de preto. Logo, o que havia era uma mistura de cicatrizes e tapa-olhos, de olhos ensanguentados e chifres de diabo, até a imagem estar tão arruinada que era hora de começar a se divertir com outra.

Val era outra funcionária que foi cortada, e ficou furiosa por eu não tê-la avisado antes. Não que eu tivesse autorização para avisar, isso supondo que eu soubesse o que estava por vir. Ela não acreditou em mim.

Viro-me lentamente e observo meu reflexo me acompanhar em vinte superfícies distintas. Vejo-me de todos os tamanhos – da caixinha de música à tela prateada. Minha camisa cor de cereja balança e eu giro outra vez, só porque quero, tentando afastar a sensação incômoda que surge sempre que penso em Val.

Mas enfim, minha auditoria confirma que em minha mesa há uma caneta vermelha, uma preta e uma azul. post-its. Batom. Uma caixa de lenços de papel para limpar as manchas de batom e secar as lágrimas de frustração. Minha agenda. Nada mais.

Faço uma dancinha sobre o chão de mármore. Agora estou no País de Joshua. Sento-me em sua cadeira e vejo tudo através dos olhos dele. Sua cadeira é tão alta que meus pés não tocam o chão. Afundo-me um pouco mais na superfície de couro. Parece um gesto completamente obsceno. Mantenho um olho constantemente atento ao elevador e uso o outro para examinar a mesa em busca de pistas.

Sua mesa é uma versão masculina da minha. post-its azuis. Um lápis apontado junto às suas três canetas. Em vez de batom, ele tem uma caixinha de balas. Roubo uma e a guardo no bolso minúsculo e até então inutilizado da minha saia. Imagino-me na sessão de laxantes de uma farmácia, tentando encontrar uma pílula que se pareça com as balinhas, e dou risada. Puxo a gaveta. Está trancada, assim como o computador. Quase uma base militar. Muito bem, Templeman. Tento adivinhar sua senha. Talvez ele não me odeie tanto assim.

Não há nenhum porta-retratos com a imagem da mulher amada ou de um ente querido. Nenhuma fotografia de cachorro feliz ou de um momento em uma praia tropical. Duvido que goste tanto de alguém a ponto de enquadrar esse amor. Durante um dos ataques de Joshua, Gordo do Pinto Pequeno certa vez falou com sarcasmo: "Você está precisando transar, doutor Josh".

Joshua respondeu: "O senhor está certo, chefe. Eu bem sei o que uma seca pode fazer com alguém." E disse isso olhando para mim. Sei qual foi a data. Registrei tudo no meu diário do RH.

Sinto um formigar na narina. A colônia de Joshua? Os feromônios que ele lança por seus poros? Que nojo. Abro sua agenda e percebo uma coisa: um código marcado a lápis, bem fraquinho, percorrendo as colunas de cada dia. Sentindo-me como James Bond, puxo o celular e tiro uma única fotografia.

Ouço cabos de elevador em movimento e me levanto com um salto. Avanço até o outro lado de sua mesa e consigo fechar a agenda antes de as portas se abrirem e ele aparecer. Sua cadeira continua girando levemente, conforme noto de canto de olho. Flagrante.

– O que você está fazendo?

Agora meu celular está seguro no elástico da calcinha. Nota para mim mesma: desinfetar o celular.

– Nada. – O tremor em minha voz me entrega no mesmo instante. – Só estava tentando descobrir se vai chover hoje à tarde. E acabei esbarrando na sua cadeira. Desculpa.

Ele avança como um Drácula. A ameaça é arruinada pela sacola de grife batendo em sua perna. Tem uma caixa de sapato ali, a julgar pela forma.

Pense na pobre vendedora que teve de ajudar Joshua a escolher os sapatos. "Quero sapatos que sirvam para eu correr atrás dos alvos que ganho para matar em meu tempo livre. Quero o maior valor pelo meu dinheiro. Tamanho 41."

Ele desliza o olhar por sua mesa. O computador, inócuo, na tela de *log in;* a agenda, fechada. Forço o ar para fora de meus pulmões com um chiado controlado. Joshua solta a sacola no chão. Aproxima-se tanto que seu sapato de couro toca a ponta do meu sapato de salto.

— E agora, o que acha de me contar o que estava realmente fazendo perto da minha mesa?

Nunca fizemos o Jogo de Encarar tão próximos assim. Torno-me insignificante com meus 1,53 m de altura. Essa é uma cruz que carreguei durante toda a vida. Minha baixa estatura é um assunto agonizante em conversas. Joshua tem pelo menos 1,93. Ou 1,94. Ou 1,95. Talvez mais. Um humano gigante. E construído com materiais pesados.

No jogo, mantenho contato visual. Posso suportar todo o tempo necessário neste escritório. Ele que se dane. Como um animal sob ameaça que tenta parecer maior do que realmente é, apoio as mãos no quadril.

Joshua não é feio, conforme já falei, mas sempre tenho problemas para descrevê-lo. Lembro-me de uma ocasião recente, quando eu estava jantando no sofá, e a TV foi tomada por uma matéria jornalística anunciando que uma revista em quadrinhos antiga do Superman havia sido vendida por um preço recorde em um leilão. Quando a mão, coberta com uma luva branca, virou as páginas, os antigos desenhos de Clark Kent me fizeram lembrar Joshua.

Como Clark Kent, sua altura e força ficam enfiadas debaixo de roupas desenhadas para escondê-lo e ajudá-lo a se misturar na multidão. Ninguém no *Planeta Diário* sabe nada a respeito de Clark. Por baixo daquela camisa, Joshua pode ser relativamente comum ou ter um tanquinho de Superman. É um mistério.

Ele não tem o cabelo ondulado caindo sobre a testa nem os óculos de nerd, mas ostenta um maxilar masculino e forte, além de uma boca bonita e carnuda. Até hoje pensei que seus cabelos fossem pretos, mas, agora que estamos tão próximos assim, percebo que são mais puxados para o castanho-escuro. Ele também não os penteia tão arrumadinhos quanto Clark penteava. Mas, sem dúvida, tem olhos azuis e visão de raio-X, e provavelmente mais alguns superpoderes.

Mas Clark Kent é um querido, com seu jeito todo desajeitado e doce. Joshua não poderia ser um repórter com bons modos. Ele seria um Clark Kent sarcástico, cínico e bizarro, que aterroriza todo mundo na redação e irritaria a pobre Lois Lane até ela gritar com a cabeça enfiada no travesseiro à noite.

Aliás, não gosto de caras grandes. Eles se parecem demais com cavalos. Podem pisar em você. Nesse momento, Joshua está inspecionando minha aparência com olhos analíticos como os meus. Pergunto-me como estaria o topo de minha cabeça. Tenho certeza de que ele só faz sexo com amazonas. Nossos olhares se confrontam e talvez comparar seus olhos com uma mancha de tinta seja um pouquinho duro demais. Aqueles olhos são um desperdício em um homem como Joshua.

Para evitar a morte, respiro relutante, lufadas e mais lufadas de cedro e especiarias. Joshua tem o cheiro de um lápis recém-apontado. Uma árvore de Natal em uma sala escura e fria. Apesar dos nervos em meu pescoço começarem a doer, não me permito baixar o olhar. Se fizer isso, acabarei vendo sua boca, e posso analisar muito bem sua boca enquanto ele me lança impropérios no escritório. Por que eu poderia querer vê-la assim, tão de perto? Não, não quero isso para mim.

O elevador traz a resposta para todas as minhas preces. Andy, o entregador, entra na sala.

Andy lembra um coadjuvante de cinema, aquele que aparece nos créditos como "Entregador". Durão, pouco mais de 40 anos, usando roupas amarelas fluorescentes. Seus óculos de sol descansam como uma tiara sobre a cabeça. Como a maioria dos entregadores, torna seu dia de trabalho interessante flertando com todas as mulheres com menos de 60 anos em seu caminho.

– *Lucilinda!* – exclama tão alto que ouço o Gordo do Pinto Pequeno bufar quando acorda em seu escritório.

– Andy! – respondo, dando um passo para trás.

Francamente, eu poderia abraçá-lo por ter interrompido o que já parecia se tornar um jogo novo e estranho. Ele traz um pequeno pacote na mão, mais ou menos do tamanho de um cubo de Rubik. Só podia ser a minha Smurfette jogadora de basebol de

1984. Super-rara, em ótimas condições. Eu a queria há anos e vinha acompanhando seu caminho pelo número de rastreio.

— Sei que você pediu para ligar lá do saguão e avisar quando eu fosse trazer os seus Smurfs, mas ninguém atendeu.

O telefone da minha mesa está programado para transferir as ligações para o meu celular pessoal, que neste momento, como eu disse, está próximo ao meu osso do quadril, preso no elástico da calcinha. Então aquela vibração era isso. Ufa! Eu estava pensando que precisaria procurar um médico para dar uma analisada na minha cabeça.

— Smurfs? Do que ele está falando? — Joshua estreita os olhos como se Andy e eu estivéssemos loucos.

— Aposto que você está muito ocupado, Andy. Venha, eu o acompanho.

Pego meu pacote, mas agora é tarde demais.

— É a paixão da vida dela. Ela vive e respira Smurfs. Aquelas criaturazinhas azuis. Aquelas com chapéus brancos — Andy explica, mantendo o polegar e o indicador separados por um centímetro.

— Eu sei o que são Smurfs — Josh responde irritado.

— Eu não vivo nem respiro Smurfs. — Minha voz entrega a mentira. A tosse repentina de Joshua soa bem parecida com uma risada.

— Smurfs, hein? Então era isso que tinha naquelas caixinhas. Pensei que você estivesse comprando roupas minúsculas pela internet. Acha apropriado receber objetos pessoais no seu local de trabalho, Lucinda?

— Ela tem todo um armário de Smurfs. Tem um... O que era mesmo, Lucy? Um Smurf Thomas Edison? Esse é bem raro, Josh. Os pais deram de presente quando ela terminou o colegial.

Andy continua alegremente me humilhando.

— Já chega, Andy! Como você está? Como está o seu dia?

Com mãos suaves, pego seu aparelho portátil e assino, atestando que recebi o pacote. Andy e sua boca enorme...

— Seus pais deram um Smurf de presente quando você se formou?

Joshua relaxa na cadeira e me observa com um interesse cínico. Espero que o meu corpo não tenha esquentado a superfície de couro.

— Sim, claro. Você certamente ganhou um carro ou algo assim.

E me pego morrendo de vergonha.

— Tudo indo bem, minha querida — Andy enfim responde, pegando de volta a engenhoca e apertando vários botões antes de enfiá-la no bolso.

Agora que o componente profissional da nossa interação está concluído, ele abre um sorriso sedutor.

— Ainda melhor agora que a vi. Já disse, Josh, meu amigo, se eu trabalhasse de frente para essa criaturazinha linda, eu simplesmente não trabalharia.

Andy enfia os polegares nos bolsos da calça e sorri para mim. Não quero ofendê-lo, então finjo estar de bom humor e viro os olhos.

— É uma luta constante — Joshua responde com sarcasmo. — Sinta-se feliz por não ter que passar o dia todo aqui.

— Ele deve ter um coração de pedra.

— Sem dúvida. Se eu conseguir apagar e encaixotar esse rapaz, você entrega em algum lugar muito, muito distante?

Apoio-me na mesa e olho para o meu pequeno pacote.

— Os preços de entregas internacionais subiram recentemente — Andy avisa.

Joshua nega com a cabeça, entediado com a conversa, e começa a logar em seu computador.

— Tenho algumas economias. Acho que Joshua adoraria uma aventura de férias no Zimbábue.

— Você é muito malvada, não é?

O aparelho no bolso de Andy emite um bipe e ele começa a andar com meu rosto ao elevador.

— Bem, Lucilinda, foi um prazer, como sempre. A gente se vê em breve, sem dúvida, depois do seu próximo leilão na internet.

— Tchau.

Ele entra no elevador e eu me viro na direção da minha mesa, rosto automaticamente neutro outra vez.

— Absolutamente patético.

Faço um barulho típico desses programas de pergunta e resposta.
— Quem é Joshua Templeman?
— Lucinda flertando com entregadores. Patético.

Joshua está violentando seu teclado. Certamente é um grande digitador, desses que não precisam olhar as teclas. Passo por sua mesa e sou agraciada com a imagem de um Joshua frustrado, tendo de deletar alguma coisa.

— Sou gentil com ele.
— Você? Gentil?

Fico surpresa com a maneira que me sinto ofendida.
— Eu sou um amor de pessoa. Pode perguntar a qualquer um.
— Está bem. Josh, ela é um amor? — pergunta a si mesmo em voz alta. — Hum, deixe-me pensar.

Ele pega sua lata de balas, abre a tampa, analisa, fecha a tampa e olha para mim. Abro a boca e ergo a língua como uma paciente com problemas mentais esperando o medicamento.
— Ela tem algumas coisas adoráveis, acredito.

Com um dedo levantado, anuncio duramente:
— Recursos Humanos.

Ele deixa a coluna ereta na cadeira, mas o canto de sua boca se repuxa. Eu queria poder usar os polegares para puxar sua boca em um sorriso enorme e perturbado. Enquanto a polícia me arrastasse algemada para fora da sala, eu gritaria: "Sorria, seu maldito!"

Precisamos empatar, porque não é justo. Ele roubou um dos meus sorrisos e me viu sorrir para incontáveis outras pessoas. Eu nunca o vi sorrir, tampouco vi seu rosto com outra expressão que não fosse apatia, tédio, carranca, desconfiança, cautela ou rancor. Ocasionalmente, depois das nossas discussões, ele adota outra expressão: o semblante de um assassino em série.

Atravesso novamente a sala e sinto sua cabeça girar.
— Não que eu me importe com a sua opinião, mas as pessoas gostam de mim aqui. Todos ficaram animados com o meu clube do livro, o qual você deixou totalmente claro que acha uma idiotice, mas vai

ser uma criação em equipe bastante relevante, considerando o lugar onde trabalhamos.

— Você é uma capitã da indústria.

— Eu levo as doações para as bibliotecas, eu planejo a festa de Natal, eu deixo os estagiários me acompanharem...

Vou usando os dedos para contar tudo o que faço.

— Você não está ajudando a me convencer de que não se importa com o que eu penso.

Ele apoia o corpo no encosto da cadeira, seus dedos longos entrelaçados sobre o abdômen misterioso. O botão próximo ao seu polegar está parcialmente fora do lugar. Não sei o que meu rosto denuncia, mas ele olha para baixo e arruma o botão.

— Estou pouco me lixando para o que *você* pensa, mas quero que as pessoas normais gostem de mim.

— Você é cronicamente viciada em fazer as pessoas gostarem de você.

O jeito como ele pronuncia essas palavras me dá um pouco de enjoo.

— Bem, sinto muito por fazer o meu melhor para manter uma boa reputação. Por tentar ser positiva. Você é viciado em fazer as pessoas odiá-lo, então formamos um par e tanto.

Sento-me e aperto o botão do meu mouse cerca de dez vezes com toda a minha força. Suas palavras doem. Joshua é como um espelho que me mostra as partes ruins dentro de mim. É como se eu estivesse outra vez na escola. Lucy, a minúscula, a anã, usando seu charme patético para evitar ser arrasada pelas crianças maiores. Sempre fui a boazinha, a graciosinha, aquela para quem empurravam o balanço e os outros brinquedos. Levada e mimada. Talvez eu seja um pouco patética mesmo.

— Devia tentar não se importar tanto de vez em quando. Já adianto que: é libertador.

Sua boca se aperta e uma sombra estranha obscurece sua expressão. Um piscar de olhos e ela some.

— Eu não pedi nenhum conselho seu, Joshua. Fico irritada comigo mesma por permitir que você me arraste ao seu nível o tempo todo.

— E a que nível você me imagina arrastando você? — Sua voz sai ligeiramente aveludada e ele mordisca o lábio. — Horizontal?

Mentalmente, aperto "enter" no registro do RH e começo a escrever em uma nova linha.

— Você é nojento. Vá para o inferno.

Acho que vou me presentear com uma ida ao subsolo para dar um belo de um grito.

— Veja só! Você não tem problema nenhum em me mandar para o inferno. Já é um bom começo. Combina com você. Agora tente fazer isso com outras pessoas. Você nem deve se dar conta de quantas pessoas passam por cima de você. Como espera ser levada a sério? Pare de dar às mesmas pessoas prorrogações de prazos todos os meses.

— Não sei do que você está falando.

— Julie.

— Não é todo mês.

Odeio Joshua porque ele está certo.

— É todo santo mês. E depois você tem que trabalhar feito uma condenada, até muito tarde, para cumprir seus próprios prazos. Você me vê fazendo isso? Não. Aqueles idiotas lá do andar de baixo me entregam as coisas no prazo.

Resolvo lançar mão de uma frase do livro de autoajuda que mantenho em meu criado-mudo, uma obra sobre como ser assertiva.

— Não quero continuar esta conversa.

— Estou dando bons conselhos e você deveria segui-los. Pare de ir buscar as roupas de Helene na lavanderia... Isso não é parte do seu trabalho.

— Estou encerrando esta conversa agorinha mesmo.

Levanto-me. Talvez saia para brincar no trânsito do meio da tarde e extravasar.

— E o entregador... Deixe o cara em paz. Aquela pobre criatura acha que você está dando em cima dele.

— É o que as pessoas dizem sobre você.

O JOGO DO AMOR/ÓDIO

Essa infeliz resposta sai sozinha da minha boca. Tenho vontade de recolher as palavras, mas não funciona.

– É isso que você pensa que nós dois fazemos? Flertar?

Ele reclina a cadeira de um jeito que eu nunca consigo reclinar. O encosto da minha cadeira não cede tanto quando tento. Até hoje só consegui ir para trás e trombar com a parede.

– Moranguinho, se nós estivéssemos flertando, você saberia.

Nossos olhares se encontram e eu sinto um peso estranho dentro de mim. O diálogo está saindo dos trilhos.

– Ah, é? Talvez porque eu estaria traumatizada?

– Porque você estaria pensando nisso mais tarde, deitada na cama.

– Você anda imaginando a minha cama, é? – consigo responder.

Ele pisca e uma expressão nova e rara surge em seu rosto. Quero arrancá-la dali com um tapa. Ele parece saber de alguma coisa que eu não sei. Algo presunçoso e masculino que eu odeio.

– Aposto que é uma cama minúscula.

Estou quase bufando fogo. Quero contornar sua mesa, afastar seus pés e ficar entre suas pernas abertas. Eu apoiaria um joelho no pequeno triângulo formado por suas coxas na cadeira, bem abaixo de sua virilha, subiria ali e o faria gemer de dor.

Soltaria sua gravata a abriria a gola da camisa. Ajustaria as mãos em volta de sua garganta enorme e bronzeada e a apertaria sem parar, sentindo a pele esquentar debaixo dos meus dedos, seu corpo lutando contra mim, cedro e especiarias no ar entre nós, queimando minhas narinas como se fossem fumaça.

– O que você está imaginando? Seu semblante me parece obsceno.

– Estou me imaginando estrangulando você. Com as minhas próprias mãos. – Mal consigo deixar as palavras saírem. Minha voz soa mais rouca do que a de uma atendente do telessexo depois de uma jornada dupla.

– Então isso é obsceno para você? – ele provoca já com os olhos escurecendo.

– Só quando você é a vítima.

Suas sobrancelhas estão arqueadas e ele abre a boca enquanto os olhos ficam completamente escurecidos, mas parece incapaz de dizer uma palavra sequer.

E isso é maravilhoso.

É o dia da camisa azul bebê e eu me lembro da fotografia que tirei de sua agenda. Depois de ler o relatório trimestral e fazer um resumo executivo para Helene, transfiro a foto do celular para o computador. E olho em volta como se eu fosse uma criminosa.

Joshua passou a manhã toda no escritório do Gordo do Pinto Pequeno e, estranhamente, essa foi uma manhã que se arrastou. Aqui fica quieto demais sem alguém para odiar.

Aperto "imprimir", bloqueio o computador e atravesso o corredor. Tiro duas fotocópias, escurecendo-as até as marcas feitas a lápis se tornarem mais visíveis. Obviamente apago todas as evidências. Queria poder apagar duas vezes.

Agora Joshua começou a trancar sua agenda.

Encosto-me à parede e coloco a página contra a luz. A fotografia mostra uma segunda e uma terça-feira de algumas semanas atrás. Posso ver facilmente os compromissos do senhor Bexley. Mas, na segunda-feira, há uma letra. "D". Na terça feira, um "S". Há um registro de pequenas linhas próximo ao número oito. Pontos próximos ao horário do almoço. Uma linha de quatro "X" e seis barras.

Passo a tarde toda pensando silenciosamente nisso. Sinto-me tentada a procurar a segurança e pedir a Scott as gravações desses dias, mas Helene poderia descobrir. Também seria um desperdício dos recursos da empresa, sem dúvida, para além das minhas fotocópias ilícitas e tempo perdido.

Passo algum tempo sem resposta. Já estamos no fim da tarde e Joshua encontra-se outra vez na cadeira à minha frente. Sua camisa azul brilha como um iceberg. Quando finalmente descubro uma maneira de decodificar as marcas a lápis, dou um tapa em minha própria testa. Não acredito que fui tão lerda.

– Obrigado. Passei a tarde toda querendo fazer isso – diz Joshua, mas sem afastar os olhos do monitor.

Ele não sabe que eu vi sua agenda e os códigos a lápis. Vou simplesmente me atentar a quando ele usar lápis e descobrir as correlações.

O Jogo da Espionagem está lançado.

CAPÍTULO 3

CAPÍTULO 3

Não obtenho resultados rápidos com o Jogo da Espionagem e, no dia em que Joshua aparece vestido de cinza, estou perdendo o controle. Ele notou meu elevado interesse por suas atividades e passou a agir de forma mais furtiva e desconfiada. Terei de persuadi-lo. Nunca vou conseguir ver seu lápis em movimento se tudo o que ele faz é franzir a testa para o computador.

Começo um jogo chamado "Você É Tão". É mais ou menos assim:

— Você É Tão... Ah, deixe pra lá.

Suspiro. Ele morde a isca.

— Lindo. Inteligente. Não, espere. Superior a todos. Você finalmente está entendendo, Lucinda.

Joshua bloqueia o computador e abre a agenda, uma mão pairando sobre o porta-canetas. Seguro a respiração. Ele franze o cenho e fecha a agenda. A camisa cinza devia fazê-lo parecer um Cyborg, mas ele fica com uma aparência linda, com um ar de inteligente. Joshua é o pior.

— Você É Tão *previsível*.

De algum jeito, minhas palavras vão cortá-lo fundo. Cheios de ódio, seus olhos se estreitam.

— Ah, sou? Como assim?

"Você É Tão" basicamente dá aos dois jogadores carta branca para expressar todo o seu ódio pelo oponente.

— Camisas. Temperamentos. Padrões. Pessoas como você não têm como alcançar o sucesso. Se agisse fora do esperado e me surpreendesse, eu morreria em choque.

— Devo aceitar isso como um desafio pessoal?

Ele olha para sua mesa, aparentemente envolto em pensamentos.

— Queria vê-lo tentar. Você é tão inflexível.

— E você é tão flexível?

— Muito.

Eu caí nessa, e é verdade. Eu poderia engolir meu próprio pé neste momento. Recomponho-me, arqueando uma sobrancelha e sorrindo para o teto. Quando o encaro outra vez nos olhos, minha boca está totalmente neutra, refletindo-se em mil superfícies espelhadas.

Ele lentamente baixa o olhar ao chão e eu cruzo as pernas, lembrando-me tardiamente que tirei os sapatos mais cedo. É difícil ser uma boa nêmesis quando suas unhas cobertas de esmalte vermelho estão à mostra.

— Se eu fizesse algo inesperado, você morreria em choque?

Posso ver meu rosto refletido no painel próximo ao seu ombro. Uma versão maquiada e comportada de mim mesma. Meus cabelos escuros caem pelos ombros como chamas irregulares.

— Talvez valha o meu tempo, então.

De segunda a sexta-feira, ele me transforma em uma mulher com aparência assustadora. Pareço uma cigana dessas que lê a sorte gritando sobre uma morte iminente. Uma lunática descontrolada em um hospício, prestes a arrancar os próprios olhos.

— Bem, veja só. Lucinda Hutton. Uma garotinha flexível.

Ele está outra vez reclinando a cadeira. Seus dois pés encontram-se totalmente apoiados no chão, apontando para mim como revólveres em um tiroteio dos filmes do Velho Oeste.

— Recursos Humanos — provoco.

Estou perdendo o jogo e ele sabe. Apelar para o RH é praticamente admitir derrota. Joshua pega um lápis e pressiona o grafite afiado na ponta de seu polegar. Se um ser humano fosse capaz de sorrir sem movimentar o rosto, ele acabaria de ter feito justamente isso.

— Eu quis dizer que você é tão flexível em sua maneira de abordar as coisas. Deve ter sido a sua criação saudável, Moranguinho. O que é mesmo que os seus pais fazem? Poderia me lembrar?

— Você sabe exatamente o que eles fazem.

Estou ocupada demais para essa besteira. Pego uma pilha de post-its e começo a separá-los.

— São fazendeiros...

Joshua olha para o teto, fingindo forçar o cérebro.

— São fazendeiros... — Ele deixa as palavras suspensas no ar por uma eternidade.

Que agonia! Tento preencher o silêncio, mas a palavra que tanto o diverte sai da minha boca como um xingamento:

— Morangos.

Por isso o apelido "Moranguinho". Eu me permito ranger os molares. Meu dentista jamais poderá saber disso.

— Morangos Sky Diamond. *Que gracinha.* Olhe, salvei esse blog nos favoritos.

Ele clica duas vezes com o mouse e gira a tela do computador na minha direção.

Estremeço tanto que chego a remoer algo internamente. Como foi que encontrou isso? Minha mãe deve estar gritando agora para o meu pai: "Nigel, amor! Alguém acessou o blog!"

Diários da Morangos Sky Diamond. Sim, você leu certo. Diários. Eu não verifico o blog há algum tempo porque não consigo me manter atualizada. Minha mãe era jornalista em uma publicação da cidade quando conheceu meu pai, mas deixou o emprego quando eu nasci, e aí os dois viraram fazendeiros. Se você conhecer o histórico dela, as entradas infelizmente fazem sentido. Aperto os olhos na direção da tela de Joshua. O post de hoje é um artigo sobre irrigação.

Nossa fazenda atende a três feiras da região, além de uma rede de supermercados. Há uma área para turistas colherem seus próprios morangos e minha mãe vende potes de compota. Nos dias quentes, faz sorvete artesanal. A Sky Diamond foi certificada como produtora de orgânicos há dois anos, algo muito importante para eles. Os negócios vêm e vão, de acordo com o clima.

Quando vou para casa, eu os ajudo. Explico as diferenças entre os morangos Earliglow e Diamonte. Camino Reals e Everbearers. Todos têm nomes de carros antigos. Poucas pessoas veem o crachá com meu nome e fazem a ligação com o nome da fazenda. Mas os fãs dos Beatles se divertem.

Aposto que você já se deu conta do que como quando estou com saudade de casa.

— Não. Você não fez isso. Como foi que...?

— E, quer saber? Tem a melhor foto de família em algum lugar... Aqui está.

Ele clica outra vez, quase sem precisar olhar para a tela. Seus olhos acendem com um humor maligno enquanto ele me observa.

— Que legal. São seus pais, certo? Quem é essa menininha linda com cabelos escuros? É a sua priminha? Não... é uma foto bem antiga.

Ele faz a imagem estampar toda a sua tela.

Estou ficando mais vermelha do que um maldito morango. Sou eu, é claro. É uma fotografia que acho que eu nunca tinha visto. As árvores embaçadas ao fundo me orientam imediatamente. Eu tinha completado 8 anos quando meus pais plantaram essa fileira de árvores na parte oeste da fazenda. Os negócios começavam a decolar naquela época, o que justifica o sorriso no rosto dos dois. Não tenho vergonha dos meus pais, mas eles sempre acabam fazendo quem cresceu na cidade dar risada. A maior parte dos almofadinhas idiotas como Joshua acham pessoas como meus pais "pitorescos" ou "engraçadinhos". Imaginam minha família como sendo de gente simples, caipiras vivendo à beira de uma cerca coberta de parreiras. Para pessoas como Joshua, os morangos nascem dentro de uma caixinha no supermercado.

Na imagem, estou espalhada como um potro aos pés dos meus

pais e usando shorts sujos e manchados. Meus cabelos escuros estão bagunçados. A sacola de patchwork que me acompanhava à biblioteca aparece ao meu lado, certamente com a coleção *The Baby-Sitters Club* e outras histórias antigas de cavalos. Uma das mãos segura uma planta, a outra está cheia das frutas vermelhas. Estou corada por causa do sol e possivelmente uma dose excessiva de vitamina C. Talvez por isso eu seja tão pequena. A vitamina impediu meu crescimento.

— Sabe, ela se parece muito com você. Talvez eu devesse enviar o link por e-mail para todo o pessoal da B&G e pedir para eles adivinharem quem essa menininha seria.

Ele está visivelmente tremendo com a necessidade de rir.

— Vou te matar.

Eu realmente pareço uma menina selvagem nessa foto. Meus olhos estão mais claros do que o céu enquanto os aperto para me proteger da luz do sol, ao mesmo tempo em que ostento meu melhor sorriso. O mesmo sorriso que abri em toda a vida. Começo a sentir uma pressão na garganta, uma queimação subindo pelas minhas bochechas.

Olho para os meus pais. Os dois estão bem novos. As costas de meu pai estão eretas na imagem, mas cada vez que vou para casa encontro-o mais curvado. Pisco os olhos para Joshua e ele parece não querer mais dar risada. Meus olhos queimam com lágrimas antes que eu consiga parar para pensar onde estou e diante de quem estou.

Ele lentamente vira a tela outra vez em sua direção, tomando o tempo necessário para fechar o navegador. Um homem típico, desconfortável com a imagem das lágrimas de uma mulher. Viro-me e olho para o teto, tentando fazer essas lágrimas voltarem por onde vieram.

— Mas estávamos falando de mim. O que posso fazer para me parecer mais com você?

Alguém à espreita chegaria a pensar que ele está tentando ser gentil. Minha resposta sai quase em um sussurro:

— Poderia tentar deixar de ser um cuzão.

No reflexo no teto, vejo suas sobrancelhas começarem a arquear. Ah, Deus. *Preocupação.*

Nossos computadores bipam com um lembrete: reunião com toda a equipe em quinze minutos. Ajeito a sobrancelha e o batom, usando a parede como espelho. Com dificuldade, puxo meus cabelos em um coque baixo e prendo-os com o elástico que estava em meu pulso. Enrolo um lenço e pressiono-o no canto de cada olho.

As palavras "saudade de casa", embora não verbalizadas, continuam batendo em meu peito. *Solidão.* Quando abro os olhos, vejo que ele está em pé e pode enxergar meu reflexo. O lápis está em sua mão.

– O que foi? – esbravejo em sua direção.

Joshua *venceu.* Ele me fez chorar. Levanto-me e pego uma pasta. Ele também pega uma pasta e estamos claramente no Jogo do Espelho. Batemos levemente duas vezes à porta de nossos respectivos chefes.

– Entre – somos chamados simultaneamente.

Helene está franzindo a testa para seu computador. É uma mulher mais do tipo que usa máquina de escrever. Antes de nos mudarmos para cá, de vez em quando ela usava uma máquina de escrever, e eu adorava o barulhinho rítmico das teclas vindo de seu escritório. Agora a máquina fica guardada em um armário. Helene teve medo que o Gordo do Pinto Pequeno caçoasse dela.

– Oi. Temos um encontro com toda a equipe em quinze minutos, lembra? Na sala principal de reuniões.

Ela suspira pesadamente e aponta seus olhos acinzentados em minha direção. São grandes, escuros e expressivos, emoldurados por cílios esparsos e protegidos por sobrancelhas finas. A única maquiagem que detecto em seu rosto é o batom rosado.

Ela se mudou da França para cá com seus pais quando tinha 16 anos e, muito embora agora já tenha mais de 50, continua com aquele ronronar em sua voz.

Helene não percebe que é elegante, o que só a torna ainda mais elegante.

Usa os cabelos curtos e arrumados. Suas unhas, também curtas, estão sempre pintadas de rosa antigo. Compra todas as suas roupas em Paris antes de seguir viagem para visitar seus pais idosos em Saint-Étienne. O suéter de lã liso que ela está usando agora deve custar mais do que três carrinhos de compras de supermercado.

Se ainda não ficou claro, eu a idolatro. Ela é o motivo que me levou a deixar de usar tanta maquiagem nos olhos. Quando crescer, quero ser Helene.

Sua palavra preferida é "querida".

– Lucy, querida – diz agora, erguendo a mão. Entrego-lhe a pasta. – Está tudo bem com você?

– Alergia. Meus olhos estão coçando.

– Hum, isso não é nada bom.

Helene dá uma olhada na agenda. Para reuniões mais demoradas, teríamos nos preparado melhor, mas encontros com toda a equipe costumam ser bem diretos, já que os chefes de departamento são, em geral, os que falam. Os CEOs estão ali sobretudo para se mostrar envolvidos.

– Alan completou 50 anos?

– Encomendei um bolo. Vamos cortá-lo ao final do encontro.

– Bom para o moral – ela responde distraidamente.

Volta a abrir a boca, mas logo hesita. Percebo que está tentando escolher suas palavras.

– Bexley e eu vamos fazer um anúncio ao final da reunião. É algo muito importante para você, então nós duas conversaremos logo na sequência.

Meu estômago se revira. Certamente serei demitida.

– Não, é uma notícia boa, querida.

A reunião acontece conforme o planejado. Não me sento ao lado de Helene durante esses encontros; em geral, prefiro me sentar com os outros e socializar um pouco. É a minha forma de lembrar-lhes de que sou parte da equipe, muito embora eu ainda sinta sua reserva comigo. Esse pessoal realmente acha que eu fofoco com Helene sobre os dias ruins deles?

Joshua se senta ao lado do Gordo de Pinto Pequeno em uma ponta da mesa. Os dois são detestados e parecem ficar juntos em sua bolha de invisibilidade.

Alan fica todo alegre quando levo o bolo. Ele é algum membro bem antigo de alguma entranha da área financeira da Bexley, o que me faz sentir ainda melhor por ter feito esse esforço. Passo a bandeja com a oferta de paz coberta com chantilly na linha entre os dois campos. É assim que nós, da Gamin, agimos. Em Bexleylândia eles provavelmente comemoram dando uma pilha nova para a calculadora do aniversariante.

A sala está cheia de pessoas que chegaram atrasadas encostadas às paredes e empoleiradas no peitoril da janela. O barulho de conversas é ensurdecedor se comparado ao silêncio do décimo andar.

Joshua em momento algum tocou no bolo, que permanece próximo a ele. Parece nunca estar a fim de comer ou fazer um lanchinho. Preencho nosso cavernoso escritório com barulhos rítmicos de cenouras sendo mastigadas e maçãs sendo mordidas. Saquinhos e pipoca e potinhos de iogurte somem em meu estômago sem fundo. Destruo pequenas porções de frios todos os dias e, em contraste, Joshua consome balinhas. Pelo amor de Deus, esse cara tem o dobro do meu tamanho. Não pode ser humano.

Quando verifiquei o bolo, cheguei a bufar alto. De TODAS as possíveis decorações que a confeitaria poderia ter usado... sim, você adivinhou.

Sempre lendo as mentes alheias, Joshua se inclina e pega um morango. Limpa o chantilly e olha para a pequena mancha esbranquiçada em seu polegar. O que ele vai fazer? Chupá-la? Limpar o dedo com um lenço que ostente seu monograma? Deve sentir que estou observando, pois olha direto para mim. Meu rosto esquenta e eu desvio o olhar.

Apresso-me em perguntar a Margery como anda o progresso de seu filho, que está aprendendo a tocar trompete (lentamente) e sobre a cirurgia no joelho de Dean (em breve). Eles ficam lisonjeados ao perceberem que lembrei e perguntei, e respondo com sorrisos. Acho que é verdade que estou sempre observando, ouvindo e coletando informações. Mas não é para nenhum propósito nefasto. É principalmente porque sou uma fracassada solitária.

Converso com Keith sobre sua neta (crescendo) e a reforma da cozinha de Ellen (um pesadelo). Durante todo o tempo, no fundo da minha mente escuto: "Engula o seu coração e as suas palavras, Joshua Templeman. Eu sou adorável. Todo mundo gosta de mim. Sou parte dessa equipe. Você está sozinho."

Danny Fletcher, da equipe de capistas, acena para mim do outro lado da mesa.

— Assisti ao documentário que você recomendou.

Esforço-me para lembrar, mas não consigo.

— Ah, é? Qual?

— Foi algumas reuniões atrás. Estávamos conversando sobre um documentário sobre da Vinci que você assistiu no History Channel. Eu baixei o vídeo.

Enquanto desempenho minhas funções, eu falo muita coisa, mas nunca pensei que alguém realmente me ouvisse. Há um desenho intrincado na margem de seu bloco de anotações e eu discretamente tento analisá-lo.

— E você gostou?

— Ah, sem dúvida. Ele era um ser humano incrível, não era?

— Não resta dúvida. Já eu, um fracasso enorme... Nunca inventei nada.

Danny dá uma gargalhada. Deslizo o olhar de seu bloco de anotações para seu rosto. Essa deve ser a primeira vez que o olho com atenção. Sinto uma pontada de surpresa no estômago quando desligo o piloto automático. Nossa, ele é bonito.

— Mas enfim... Sabia que meus dias aqui estão contados?

— Não. Por quê?

A pequena bolha de flerte em meu estômago estoura. *Game over.*

— Um colega e eu estamos desenvolvendo uma nova plataforma de auto publicação. Sairei em poucas semanas. Esta é minha última reunião com toda a equipe.

— Que pena. Não para mim. Para a B&G.

Meu esclarecimento é tão sutil quanto um trator.

Não confie em mim para encontrar rapazes bonitos. Esse cara esteve sentado à minha frente o tempo todo na reunião, pelo amor de Deus! E ele vai embora. Que droga. É hora de observar Danny Fletcher mais de perto. Atraente, malhado, em forma, cabelos loiros e cacheados cortados bem curtinhos. Não é alto, então combina comigo. É um Bexley, mas um Bexley atípico. Sua camisa, embora perfeitamente passada, está com as mangas enroladas. A gravata tem uma estampa discreta, composta por pequenas tesouras e pranchetas.

— Bela gravata.

Ele baixa o olhar e abre um sorriso.

— Eu copio e colo *muito*.

Olho para o lado, na direção da equipe de design, em sua maioria Bexleys, todos usando trajes de funeral. Entendo a decisão de Danny de deixar a B&G, que tem a equipe de design mais enfadonha do planeta.

Em seguida, olho para os dedos de sua mão esquerda. Não há nada em nenhum deles, e Danny os bate gentilmente na mesa.

— Bem, se em algum momento você quiser colaborar com alguma invenção, estou disponível.

Seu sorriso é malicioso.

— Você está fazendo *freelance* como inventor e também reinventando a auto publicação?

— Isso mesmo.

Ele claramente curtiu o meu trocadilho.

Ninguém jamais flertou comigo no trabalho. Dou uma olhada para Joshua. Ele está conversando com o senhor Bexley.

— Será difícil inventar alguma coisa que os japoneses ainda não tenham imaginado.

Ele pensa por um instante.

— Como aqueles esfregões que os bebês usam nas mãos e nos pés?

— Sim. E você já viu aqueles travesseiros com o formato dos ombros de um marido para as mulheres usarem?

Seu maxilar é angular e pontilhado pela barba por fazer, e ele tem aquela boca ligeiramente cruel – até sorrir. E agora ele está sorrindo, e me fitando nos olhos.

— Você certamente não precisa de um desses, precisa? – arrisca, falando mais baixo em meio à tagarelice do pessoal.

Seus olhos brilham, desafiando-me.

— Talvez.

Faço uma expressão de pesar.

— Tenho certeza de que será fácil encontrar um voluntário.

Tento recobrar a compostura. Infelizmente, minhas palavras soam como se eu o estivesse pedindo em casamento:

— Talvez fosse divertido inventar alguma coisa.

Helene está arrumando seus papéis e, relutante, viro-me em minha cadeira. Joshua me observa com olhos furiosos. Uso minhas ondas cerebrais para transmitir-lhe um insulto, o qual ele recebe antes de se ajeitar.

— Antes de encerrarmos, mais uma coisa – anuncia o senhor Bexley.

Helene tenta não fechar uma carranca. Ela detesta quando ele age como se estivesse presidindo sozinho as reuniões.

— Temos um anúncio sobre uma reestruturação na equipe executiva – Helene prossegue, fazendo os lábios do senhor Bexley se repuxarem de irritação.

E ele logo a interrompe:

— Uma terceira posição executiva foi criada: o cargo de diretor de operações.

Joshua e eu parecemos tomar um choque elétrico em nossas cadeiras.

— Será uma posição abaixo de Helene e de mim. Queremos formalizar a posição de alguém que supervisionará as operações, deixando os CEOs livres para se concentrarem em assuntos mais estratégicos.

Aqueles seus lábios finos lançam um sorriso para Joshua, que assente atentamente em resposta. Helene me olha nos olhos e arqueia a sobrancelha de forma bastante significativa. Alguém me cutuca.

— Será anunciado amanhã... Detalhes na internet, no portal de recrutamento.

Ele fala como se a internet fosse uma engenhoca recém-criada.

— O posto estará aberto para candidatos internos e externos – complementa Helene, pegando seus papéis e se levantando.

O Gordo do Pinto Pequeno também se levanta para ir embora, mas não sem antes pegar outra fatia de bolo. Helene o segue, balançando a cabeça. A sala mais uma vez explode em barulhos e a caixa de bolo desliza pela mesa. Joshua permanece próximo à porta e, ao perceber que permaneço teimosamente sentada, dá o fora da sala.

— Parece que você tem trabalho a fazer – Danny me diz.

Faço um gesto afirmativo, engulo em seco e aceno, dizendo tchau também para todos na sala, oprimida demais para me despedir com elegância. Quando deixo a reunião, começo a correr até subir as escadas dois degraus de cada vez. Vejo a porta do senhor Bexley se fechar enquanto avanço rumo à de Helene e derrapo até parar, fechando a porta com a lateral do corpo.

— O que significa isso?

— Você seria a chefe de Josh, se é isso que quer saber.

Uma sensação de pura alegria toma conta de mim. *Chefe* de Joshua. Ele teria de fazer tudo o que eu mando, inclusive me tratar com respeito. Neste exato momento, corro o risco de molhar a calcinha.

— A vaga é um desastre enorme, mas quero que você fique com ela.

— Desastre? – Afundo o corpo na cadeira. – Por quê?

— Você e Josh não trabalham bem juntos. Água e óleo. Acrescente poder a uma dinâmica desse tipo... – Ela raspa a garganta, incerta.

— Mas eu posso fazer o trabalho.

— É claro que sim, querida. Quero que você fique com a vaga.

Minha animação só faz aumentar enquanto conversamos sobre esse trabalho. Outra reestruturação está por vir, mas, dessa vez, eu participaria diretamente dela. Poderia salvar funcionários em vez de cortá-los. A responsabilidade é maior e o aumento do salário também é substancial. Eu poderia ir para a casa dos meus pais com mais frequência. E trocar de carro.

— Mas, como você já deve imaginar, Bexley também quer que Josh fique com a vaga. Nós dois tivemos uma briga enorme por causa disso.

— Se Joshua se tornar meu chefe, serei forçada a pedir demissão.

As palavras saem sem controle por minha boca. É o que alguém diria em um filme.

— Mais um motivo para conquistarmos essa vaga, querida. Se dependesse exclusivamente de mim, teríamos acabado de anunciar sua promoção.

Mordisco o polegar.

— Mas como esse processo vai ser justo? Joshua e o senhor Bexley vão me sabotar.

— Eu pensei a respeito. Um painel independente de recrutamento, composto por conselheiros, deve realizar as entrevistas. Vocês vão competir em posições iguais. Também haverá candidatos de fora da B&G. Provavelmente candidatos muito fortes. Quero que esteja preparada.

— Vou estar.

Assim espero.

— E parte da entrevista é uma apresentação. Você tem que começar a se preparar. Eles querem saber o que você pensa sobre a direção futura da empresa.

Estou morrendo de vontade de voltar para a minha mesa. Preciso atualizar meu currículo.

— Você se importa se eu trabalhar na minha candidatura durante os meus intervalos de almoço?

— Querida, não me importo se você passar o dia todo trabalhando nela durante os próximos dias. Lucy Hutton, diretora de operações, Bexley & Gamin. Parece interessante, não?

Um sorriso se espalha por meu rosto.

— A vaga é sua. Estou sentindo. — Helene faz um gesto como se fechasse um zíper em seus lábios. — Agora vá. Conquiste esse cargo.

Sento-me à minha mesa e desbloqueio o computador para abrir meu currículo terrivelmente desatualizado. Estou animadíssima com a nova oportunidade. Tudo o que aconteceu hoje ficou para trás. Bem, quase tudo.

Depois de passar vários minutos editando o currículo, percebo uma sombra pairando sobre mim. Respiro. Cedro e especiarias. A fivela de seu cinto pisca na minha direção. Não paro de digitar.

– Essa vaga é minha, Moranguinho – anuncia a voz de Joshua.

Para me conter e não levantar para socar seu estômago, conto um, dois, três, quatro...

– Que curioso, foi isso que Helene acabou de me dizer.

Na superfície reluzente da minha mesa, vejo sua bunda indo embora e juro que Joshua Templeman vai perder o jogo mais importante que já jogamos.

CAPÍTULO 4

Off-white com listras hoje, e eu tenho um X vermelho enorme na página de sexta-feira da minha agenda. Posso apostar cem dólares que há um X idêntico na agenda de Joshua. É o prazo da candidatura à vaga.

Estou quase louca de tanto reler meus documentos. Fiquei tão obcecada com minha apresentação que comecei a sonhar com ela. Preciso de um tempo. Bloqueio minha tela e observo com interesse enquanto Joshua faz a mesma coisa. Estamos sincronizados como jogadores de xadrez. Entrelaçamos os dedos. Ainda não vi seu lápis em movimento.

— Como Você Está, Lucyzinha?

Sua voz clara e sua expressão tranquila indicam que iniciamos um jogo raramente apreciado. Chama-se "Como Você Está?" e basicamente começa como se não odiássemos um ao outro. Agimos como colegas normais que não querem se matar a todo momento. É perturbador.

— Ótima, obrigada, Joshzão. Como Você Está?

— Excelente. Vou buscar um pouco de café. Quer que eu traga chá para você?

Ele já segura sua caneca enorme. Eu odeio essa caneca.

Abaixo o olhar. Minha mão já segura minha xícara de bolinhas vermelhas. Ele cuspiria em qualquer coisa que fizesse para mim, com certeza. Será que pensa que sou louca?

— Acho que vou com você.

Marchamos em direção à copa, mantendo passos idênticos, esquerda, direita, esquerda, direita, como os personagens caminhando em direção à câmera na abertura de *Law & Order*. Para acompanhá-lo, tenho que praticamente dobrar o tamanho das minhas passadas. Colegas deixam de lado suas conversas e nos observam com olhares de especulação. Joshua e eu olhamos um para o outro com os dentes já expostos. Hora de agir civilizadamente como executivos.

— Ah-há-há — dizemos de maneira bem-humorada um ao outro, fazendo referência a alguma piadinha que nunca contamos. — Ah-há-há.

Fazemos a curva em um canto do andar. Annabelle, que está na fotocopiadora, vira para nos olhar e quase derruba seus papéis.

— O que está acontecendo? — quer saber.

Joshua e eu assentimos para ela e seguimos nosso caminho, unidos em nossa eterna competição para tentar descobrir quem é superior. Meu vestido curto de listras tenta desafiar a gravidade.

— Mamãe e papai amam muito vocês, crianças — Joshua diz baixinho, de modo que somente eu consiga ouvi-lo.

Para o observador casual, ele está conversando educadamente. Algumas cabeças curiosas se levantam em seus cubículos. Parece que somos criaturas de uma lenda.

— Às vezes a gente se empolga demais e acaba discutindo. Mas não sintam medo. Mesmo quando estamos brigando, a culpa não é de vocês.

— São só coisas de adultos — explico delicadamente para os rostos apreensivos enquanto passamos. — De vez em quando, o papai dorme no sofá, mas tudo bem. Ainda assim amamos vocês.

Na cozinha, estou mergulhando meu sachê de chá na caneca quando a necessidade de rir me atinge quase como uma onda do mar. Seguro a beirada do balcão e estremeço sem fazer nenhum ruído.

Joshua me ignora enquanto vai de um lado a outro preparando seu café. Ergo o olhar para ver suas mãos abrindo o armário milhas acima da minha cabeça e sinto o calor de seu corpo a centímetros das minhas costas. É como a luz do sol. Eu tinha esquecido que pessoas exalam calor. Posso sentir o cheiro de sua pele. A necessidade de rir desaparece.

Depois que minha cabeleireira, Angela, fez uma massagem em minha cabeça, há umas oito semanas, nunca mais tive nenhum contato físico com ninguém. Agora eu me imagino apoiada a ele e permitindo que meus músculos relaxem. O que ele faria se eu desmaiasse? Provavelmente me deixaria caída no chão, depois me cutucaria com o pé.

Outra imagem invade meu cérebro. Joshua me segura, não me deixa cair. Suas mãos estão em minha cintura, as pontas dos dedos afundando em minha pele.

— Você é tão engraçado — digo quando percebo que estou há alguns instantes em silêncio. — Tão, tão engraçado.

E engulo ruidosamente.

— Você também — ele responde enquanto vai à geladeira.

Jeanette do RH se materializa como um fantasma troncudo na passagem da porta. É uma mulher legal, mas já está cansada de nos ver causar problemas.

— O que está acontecendo dessa vez? — pergunta com as mãos na cintura.

Pelo menos, acho que é assim que ela está. Jeanette veste um poncho tibetano que deve ter usado em sua última jornada de busca espiritual. É uma Gamin, claro.

— Jeanette! Preparando café. Posso servi-la? — Joshua leva a caneca na direção dela, que nega com irritação.

Ela o odeia muito. É das minhas.

— Estou em uma ligação urgente. Só vim aqui para separar a briga.

— Não precisa, Jeanette. Está tudo bem.

Mexo levemente o sachê de chá e vejo a água se tornar avermelhada. Joshua coloca uma colher de açúcar em sua caneca.

— Não está doce o suficiente, está?

Dou uma risada falsa para o armário à minha frente e me pergunto como esse cara sabe de que forma eu prefiro meu chá. Como ele sabe *qualquer coisa que seja* a meu respeito? Jeanette está desconfiada.

Joshua olha discretamente para ela.

— Estamos preparando algumas bebidas quentes. O que há de novo na área de Recursos Humanos?

— Os dois maiores briguentos da empresa não devem ficar sozinhos.

Uma extremidade de seu poncho aponta para a copa.

— Bem, isso é um problema. Nós passamos o dia todo trabalhando juntos na mesma sala. O dia todo. Eu passo entre quarenta e cinquenta horas da semana com essa mulher tão agradável. Totalmente sozinhos, nós dois.

Ele soa feliz por isso, mas o que está implícito em sua fala é "suma daqui".

— Já fiz várias recomendações aos chefes de vocês com relação a isso — Jeanette conta sombriamente.

A mensagem subentendida é a mesma.

— Bem, em breve eu serei o chefe de Lucinda — Joshua responde, e meus olhos se apertam para ele. — Mas sei ser profissional e dou conta de qualquer coisa.

O jeito como ele pronuncia "qualquer coisa" dá a entender que me considera uma deficiente mental.

— Na verdade, *eu* vou ser a sua chefe em breve — rebato em um tom doce feito xarope.

As mãozinhas de Jeanette saem de dentro do poncho. Ela as esfrega nos olhos, manchando seu rímel.

— Vocês dois me dão trabalho para o dia todo — comenta em um tom leve, mas já quase desesperada.

Sinto uma pontada de culpa. Meu comportamento é impróprio para quem quer ser uma executiva sênior em breve. Hora de reparar esse probleminha.

— Sei que, no passado, a comunicação entre mim e o senhor Templeman foi um pouco... complicada. Estou disposta a corrigir isso e fortalecer o trabalho em equipe na B&G — digo com a voz mais profissional que consigo e vejo seu rosto se apertar com desconfiança.

Joshua aponta seus olhos como se fossem focos de laser na minha direção.

— Esbocei uma recomendação a Helene falando sobre uma tarde para focarmos em trabalho em equipe, e isso para todos... Membros da equipe corporativa, do design, executivos, finanças...

Chamamos esse grupo de CDEF, com base nas iniciais de cada equipe, para facilitar. Essa foi minha última ideia. E seria excelente contar isso na entrevista. Realmente excelente.

— Vou co-assinar para demonstrar meu comprometimento — Joshua diz, esse maldito ladrão.

Meu pulso treme com a necessidade de jogar chá quente no rosto dele.

— Não se preocupe com nada — garanto a Jeanette enquanto estamos à sua frente. — Vai dar tudo certo.

Seu poncho sacode entristecido enquanto seguimos caminho.

— Quando eu for seu chefe, vou fazer você trabalhar pra caralho — anuncia Joshua com uma voz rouca.

Agora está mais difícil acompanhar seu ritmo, mas ainda assim eu consigo. Parte do meu chá respinga no carpete.

— Quando *eu* for a *sua* chefe, vai fazer tudo o que eu mandar e, ainda por cima, com um sorriso no rosto.

Aceno educadamente para Marnie e Alan enquanto passamos por eles.

Viramos em um canto, tal qual cavalos de corrida.

— Quando eu for o seu chefe, qualquer coisa além de três erros nos seus cálculos financeiros resultará em uma advertência por escrito.

Murmuro bem baixinho, mas ainda assim ele me ouve:

— Quando eu for a sua chefe, serei condenada por assassinato.

— Quando eu for seu chefe, vou implementar uma política de vestimentas. Já basta dessas suas roupinhas retrô. Aliás, já pensei no catálogo de roupas corporativas. Um vestido cinza. — Ele faz uma pausa dramática. — Poliéster. Acho que até a altura dos joelhos, o que significa que no seu corpo vai alcançar o tornozelo.

Sou insanamente sensível com relação à minha altura e detesto fibras sintéticas com todas as minhas forças. Abro a boca e um rosnado de um animalzinho delicado sai por ela. Sigo em frente e bato o quadril na porta de vidro aberta.

— É disso que você precisa para deixar de me desejar? — provoco, e ele olha para o teto e deixa escapar um enorme suspiro.

— Você me pegou, Moranguinho.

— Ah, você caiu direitinho.

Nós dois estamos com a respiração um pouco mais pesada do que a situação requer. Cada um coloca sua caneca sobre a mesa e seguimos discutindo.

— Eu nunca vou trabalhar para você. E não vai ter nada dessa sua ideia de vestidos de poliéster. Se você ficar com a vaga, eu peço demissão. Nem precisava dizer isso.

Por uma fração de segundo, ele parece genuinamente surpreso.

— Não me diga!

— Como se você não fosse se demitir caso eu fique com a vaga.

— Não sei.

Seus olhos se apertam com ares de especulação.

— Joshua, você tem que se demitir se eu ficar com a vaga.

— Eu não desisto das coisas — sua voz sai com um toque de decisão e ele leva uma mão ao quadril.

— Eu também não desisto das coisas. Mas, se você tem tanta certeza de que a vaga é sua, por que está tão relutante em prometer que vai pedir as contas?

Observo-o refletindo sobre as minhas palavras.

Quero que ele seja meu subordinado, que fique todo nervoso enquanto eu reviso seu trabalho, o qual vou rasgar em sua frente. Quero vê-lo de quatro aos meus pés, em pedaços, murmurando pedidos de desculpas por sua incompetência. Chorando no escritório de Jeanette, repreendendo a si mesmo por sua própria inaptidão. Quero transformá-lo em uma pilha de nervos.

— Está bem. Eu concordo. Se você for promovida, eu prometo me demitir. Você está outra vez com aqueles olhos de quem não se aguenta de tesão – acrescenta, virando-se para se sentar.

Ele destranca a gaveta e pega sua agenda, bufando como alguém muito ocupado enquanto olha as páginas.

– Está me estrangulando mentalmente outra vez?

Ele está fazendo uma anotação com o lápis, um único risco, quando percebe que estou de olho.

– Do que está rindo?

Acho que ele faz uma marca em sua agenda quando nós discutimos.

– É melhor eu ir dormir.

Estou conversando com meus pais. Também estou usando uma escova de dentes para limpar delicadamente o Smurf de dois dólares que comprei no eBay há algumas semanas. Ao fundo passa *Law & Order* e os personagens perseguem uma pista falsa. Tenho uma máscara de argila branca no rosto enquanto meu esmalte seca.

– Está bem, Smurfette – meus pais pronunciam, os dois ao mesmo tempo, como se fossem um monstro de duas cabeças.

Ainda não se deram conta de que não precisam sentar um grudado ao outro para caberem na tela do vídeo. Ou talvez saibam, mas preferem agir assim.

Meu pai está perigosamente bronzeado e com a marca dos óculos de sol à mostra. Parece um guaxinim, mas com as cores invertidas. Adora rir e falar, então posso vislumbrar o dente que ele lascou enquanto comia costela. Está usando um moletom que tem desde que eu era criança, o que me dá uma saudade insuportável de casa.

Minha mãe nunca olha direito para a câmera. Ela se distrai com a janelinha que mostra seu rosto na tela. Acho que analisa as rugas. Isso dá um ar desconexo à nossa conversa e me faz sentir ainda mais saudade dela.

Sua pele clara não se dá bem com ambientes externos e, enquanto meu pai fica bronzeado, ela fica com as sardas mais aparentes. Temos o mesmo tom de pele, então sei o que vai acontecer se eu deixar de usar filtro solar. As sardas invadem cada centímetro de seu rosto e braços. Minha mãe chega a ter sardas nas pálpebras. Com seus olhos azuis e cabelos pretos presos em um coque incomum sobre a cabeça, sempre é percebida por onde passa. Meu pai é um escravo da beleza de minha mãe. Tenho certeza disso porque eu o ouvi se declarando ainda há dez minutos.

— Agora, não se preocupe com nada. Você é a pessoa mais determinada lá dentro, tenho certeza disso. Queria trabalhar em uma editora e conseguiu. E quer saber? Independentemente do que acontecer, você sempre será a chefe da Morangos Sky Diamond.

Meu pai vinha explicando detalhadamente todos os motivos pelos quais eu mereço ser promovida.

— Ah, pai! — Dou risada para disfarçar a emoção que venho sentindo desde a ocasião do blog, quando praticamente tive um colapso emocional na frente de Joshua. — Minha primeira medida como CEO vai ser mandar vocês dois irem para a cama cedo. Boa sorte com os morangos Lucy 42, mãe.

Enquanto jantava, li os últimos dez posts do blog. Minha mãe tem um estilo de escrita claro e direto. Acho que estaria trabalhando em alguma publicação grande hoje em dia se não tivesse deixado a carreira de lado. Annie Hutton, jornalista investigativa. Em vez disso, passa os dias mexendo na terra e cuidando das plantas, embalando produtos para entrega e criando suas variedades híbridas — os Frankensteins — de morangos. Para mim, o fato de ela ter deixado de lado seu emprego dos sonhos por causa de um homem é uma tragédia, mesmo meu pai sendo maravilhoso ou o resultado disso ser eu estar sentada aqui, agora.

— Espero que não fiquem como os Lucy 41. Nunca vi nada parecido com aquilo. Por fora, pareciam normais, mas, por dentro, eram ocos. Não eram, Nigel?

— Eram como bexigas de fruta.

O JOGO DO AMOR/ÓDIO

— Vai dar tudo certo na entrevista, meu amor. Eles não vão precisar nem de cinco minutos para perceber que o mercado editorial é sua vida. Ainda me lembro de quando você voltou para casa depois daquela excursão. Foi como se tivesse se apaixonado. — Os olhos de minha mãe estão cheios de memórias. — Sei como se sentiu. Ainda lembro a primeira vez que entrei na gráfica de um jornal. O cheiro de tinta foi viciante como uma droga.

— Você ainda está tendo problemas com Jeremy no trabalho?

A essa altura, meu pai sabe o nome de Joshua, mas escolhe não usá-lo.

— Joshua. E sim. Ele ainda me odeia.

Pego um punhado de castanhas de caju e começo a devorá-las agressivamente.

Meu pai parece confuso.

— Impossível. Como alguém poderia odiar você?

— Pois é, quem? — minha mãe ecoa, erguendo a mão para cutucar o olho. — Ela é pequenina e lindinha. Ninguém odeia pessoas lindas e pequeninas.

Meu pai concorda com ela e os dois começam a conversar como se eu não estivesse ali.

— É a menina mais doce do mundo. Julian certamente tem algum complexo de inferioridade. Ou é um desses sexistas. Quer que todos se sintam por baixo para ele se sentir por cima. Complexo de Napoleão. Complexo de Hitler. Tem algo errado com esse cara.

Ele vai elencando as possibilidades e contando-as nos dedos.

— Todas as anteriores, pai. Coloque um post-it na tela para a mãe não conseguir se ver. Ela não está olhando para mim.

— Talvez ele esteja loucamente apaixonado por ela — minha mãe arrisca com otimismo enquanto olha pela primeira vez direto para a câmera.

Sinto meu estômago cair no chão. Vejo meu próprio rosto. Sou uma estátua de argila de um rosto horrorizado e surpreso.

Meu pai não para de bufar.

— É uma maneira ridícula de demonstrar, não acham? Ele transformou aquele lugar em um inferno para ela. Eu já disse, se eu conhecê-lo, você teria que cavar a cova. Está me ouvindo, Lucy? Diga a esse cara para tomar jeito ou então seu pai vai embarcar em um avião para trocar algumas palavrinhas com ele.

Imaginá-los um de frente para o outro é estranho.

– Eu não perderia tempo com isso, pai.

E minha mãe ouve justamente o que precisava ouvir.

– Por falar em aviões, podemos depositar um dinheiro para você comprar uma passagem e vir nos visitar? Faz tanto tempo que não nos vemos. Faz bastante tempo, não faz, Lucy?

– O problema não é o dinheiro, é conseguir tempo – tento explicar, mas os dois começam a falar por cima da minha voz ao mesmo tempo, em uma combinação ininteligível de apelos, pedidos e justificativas.

– Vou assim que conseguir um tempinho, mas pode ser que demore um pouco. Se eu for promovida, vou ficar superocupada. Se não...

Estudo o teclado do computador.

– E aí? – A voz do meu pai é dura.

– Vou ter que procurar outro emprego – admito.

Ergo o olhar.

– É claro que sim. Você jamais trabalharia para aquele idiota do Justin. – Em seguida, diz para a minha mãe: – Mas seria bom tê-la por aqui. Os livros não estão ajudando, precisamos de mais uma cabeça pensante.

Percebo que minha mãe ainda está surtando com a minha situação profissional. Ela é muito mão de vaca e vive há tanto tempo na fazenda que, em sua cabeça, a capital é uma metrópole com um custo de vida extremamente caro. Bem, ela não está tão distante da realidade. Tenho um bom salário, mas, depois que o banco suga o valor do aluguel, tenho que me esforçar para viver com o que resta. A ideia de dividir a casa com alguém me faz sentir um medo enorme.

– Como é que ela vai...?

Meu pai pede para ela se calar e acena para afastar o pensamento do fracasso.

— Vai dar certo. É Johnnie quem vai ficar desempregado e morando debaixo da ponte, e não ela.

— Isso jamais vai acontecer com ela! — minha mãe exclama alarmada.

— Você fez as pazes com aquela sua amiga, aquela que trabalhava com você? Valerie, não é?

— Não pergunte, esse assunto a chateia — minha mãe o censura com uma carranca.

Meu pai ergue as mãos como quem está se rendendo e olha para o teto.

É verdade, o assunto me chateia, mas mantenho meu tom inabalado.

— Depois da fusão, eu a encontrei para tomar um café e me explicar, mas ela perdeu o emprego e eu não. E não conseguiu me perdoar. Disse que uma amiga de verdade a teria avisado.

— Mas você não sabia... — meu pai começa.

Confirmo que não com a cabeça. É verdade. Mas, desde o ocorrido, já me peguei pensando se eu não deveria ter tentado descobrir para ela.

— O círculo de amigos dela estava começando a se tornar também meus amigos... E agora aqui estou eu, outra vez na estaca zero.

Uma fracassada triste e solitária.

— Tem outras pessoas no trabalho que podem ser seus amigos, sem dúvida — minha mãe sugere.

— Ninguém quer ser meu amigo. Eles têm medo de eu contar seus segredos à chefe. Podemos mudar de assunto? Conversei com um cara essa semana.

E imediatamente me arrependo da minha sugestão.

— Aahhh! — eles entoam juntos. — Uauu!

E trocam um olhar.

— Ele é legal?

Essa é sempre a primeira pergunta que os dois fazem.

— Ah, sim. Muito legal.

— Qual é o nome do rapaz?

— Danny. Ele trabalha na seção de design da editora. A gente não saiu nem nada, mas...

— Que maravilhoso! — minha mãe exclama ao mesmo tempo em que meu pai lança:

— Já não era sem tempo!

Ele encosta o dedo no microfone e os dois começam a tagarelar entre si, especulando.

— Como eu disse, nós dois não tivemos um encontro nem nada assim. Aliás, nem sei se ele quer.

Penso em Danny, no olhar que ele me lançou, em sua boca se curvando. Ele quer.

Meu pai fala tão alto que em certos momentos o microfone chega a chiar.

— Você deveria convidá-lo. Deve ser um saco ficar dez horas por dia no escritório jogando lama em James. Saia e viva um pouco. Coloque seu vestido vermelho de festa. Da próxima vez que conversarmos pelo Skype, quero ouvir você contando que fez justamente isso.

— Vocês têm permissão para sair com colegas de trabalho? — minha mãe pergunta, e meu pai franze a testa para ela.

Conceitos negativos e cenários ruins não interessam a ele. Mesmo assim, minha mãe lançou um questionamento pertinente.

— Não, é proibido, mas ele está para deixar a empresa. Vai ser *freelance*.

— Um bom garoto — ela diz ao meu pai. — Estou com uma sensação positiva.

— Eu realmente preciso ir dormir — lembro a eles.

Bocejo e minha máscara de argila racha.

— Boa noite, meu amor — eles cantarolam.

Posso ouvir minha mãe dizer entristecida:

— Por que você não vem nos ver...? — enquanto meu pai encerra a chamada.

A verdade? Os dois me tratam como uma celebridade quando vou à fazenda, um enorme e completo sucesso. E se gabam tanto para seus amigos que chega a ser ridículo. Quando vou para casa, eu me sinto uma fraude.

Enxáguo o rosto e tento ignorar minha "culpa por ser uma filha ruim" enquanto penso no que levaria comigo se tivesse que viver debaixo da ponte. Saco de dormir, faca, sombrinha, tapete de ioga. Posso dormir e praticar ioga no tapete, para me manter ágil. Posso levar todos os meus Smurfs raros em uma caixa de pescaria.

Tenho a cópia da agenda de Joshua na beirada da cama. Hora de brincar de detetive. É perturbador notar que uma coisa que diz respeito a Joshua Templeman invadiu o meu quarto. Meu cérebro sussurra: "Imagine!". Corto o pensamento com uma guilhotina.

Estudo a cópia. Um risco – acho que eles representam as nossas discussões. Anoto essa hipótese na margem. Seis brigas neste dia específico. Parece fazer sentido. As barras, essas eu não tenho ideia do que significam. Os "Xs" Penso em cartões de Dia dos Namorados e beijos. Nada disso entra em nosso escritório. Só pode ser seu registro do RH.

Fecho meu laptop e o deixo de lado. Escovo os dentes e vou para a cama.

As piadas de Josh envolvendo minhas roupas de trabalho – minhas "roupinhas retrô" – me levaram a tirar um vestido preto curto do fundo do armário para usar no dia seguinte. É o oposto de um vestido cinza até o calcanhar. Faz minha cintura parecer pequena e meu traseiro ficar maravilhoso. Uma mistura de Sininho e Jessica Rabbit. Ele pensa que viu roupas curtas? Ainda não viu nada.

Mulheres pequenas como eu costumam ser vistas como "bonitinhas" e não como "poderosas", então vou provar o contrário. A meia arrastão me cai bem. Meus sapatos vermelhos de salto alto me deixam com 1,65 m.

Amanhã, ninguém vai falar de morangos. Joshua Templeman vai engolir café pelo nariz quando eu chegar. Não sei por que quero que isso aconteça com ele, mas o fato é que quero.

É um pensamento confuso para a hora de dormir.

CAPÍTULO 5

Ter dormido com o nome dele na cabeça provavelmente foi o motivo que me levou a sonhar o que sonhei. No meio da noite, estou deitada de barriga para baixo e com a bochecha pressionando o travesseiro. Ele está me abraçando, seu corpo grudado às minhas costas, quente como a luz do sol. Sua voz é um sussurro aquecido em meu ouvido, enquanto ele roça o quadril para se ajeitar à minha bunda.

Vou fazer você trabalhar pra caralho. Pra. Caralho.

Tenho a impressão de sentir claramente seu peso e seu tamanho. Tento empurrar minhas costas contra ele para voltar a senti-lo, mas ele sussurra meu nome como uma reprimenda e sobe um pouco mais, com seus joelhos na lateral do meu quadril. As pontas de seus dedos roçam a lateral dos meus seios. Sua expiração bate em meu pescoço. Não consigo respirar direito. Ele é pesado demais e eu estou atraída demais. Sinto-me extremamente sensível, com partes do corpo em chamas. Esfrego a ponta dos dedos nos lençóis até eles queimarem com a fricção.

A ideia de eu estar tendo um sonho sensual com Joshua Templeman de repente me faz arder e eu me vejo prestes a acordar, mas mantenho os olhos fechados. Preciso saber aonde minha mente quer chegar com isso. Depois de alguns minutos, estou outra vez sonhando.

Vou fazer o que você quiser, Lucinda. Mas você tem que pedir.

Sua voz sai naquele tom preguiçoso que ele de vez em quando usa ao olhar para mim com uma expressão específica. É como se me visse por um buraco na parede e soubesse como me sinto.

Viro a cabeça e vejo seu pulso ao meu lado, a manga de uma camisa social solta no punho. Consigo ver um centímetro de sua pele: pelos, veias e tendões. A mão se fecha e o simples pensamento de vê-lo obedecendo me faz tremer por dentro.

Não consigo enxergar seu rosto. Muito embora isso possa destruir tudo, forço-me a virar e os lençóis e as cobertas mexem-se comigo. Estou presa por seus braços e pernas. Percebo-me excitada, e a ideia de que eu provavelmente estou úmida me açoita enquanto observo seus olhos azuis. Dou uma arfada de terror dramática. Sua resposta é uma risada rouca.

Receio que sim.

Ele não parece pesaroso ou arrependido.

Seu peso me empurrando para baixo é uma delícia. Quadril e mãos. Movimento-me sinuosamente contra o Joshua do Sonho, sentindo-o engolir um gemido, e então percebo algo que me deixa em choque.

Você me deseja desesperadamente.

As palavras se arrastam para fora da minha boca, claras e inegáveis. Um beijo em meu maxilar confirma o que eu já sabia. É mais forte do que atração; mais sombrio do que desejo. É uma inquietação entre nós que nunca teve por onde escapar – até agora. O lençol creme queima a minha pele.

Você está amarrado com cordas e nós, e está em cima de mim. Sinto as mãos deslizando por meu corpo, explorando as curvas, botões abrindo e tecido se arrastando. Estou sendo despida e completamente inspecionada. Dentes me mordem. Estou sendo devorada. Nunca senti alguém arder tanto assim por mim. Sinto-me vergonhosamente excitada e, muito embora esteja de costas, seus olhos confirmam que sou eu quem está vencendo este jogo. Tento puxá-lo para me beijar, mas ele se esquiva e provoca.

Você sempre soube, ele me diz, e seus lábios febris me levam ao limite do precipício. Acordo tremendo. Afasto a mão da costura do pijama úmido enquanto meu rosto queima vermelho na escuridão. Não sei o que fazer. Terminar o trabalho ou tomar um banho gelado? No fim das contas, simplesmente fico ali, deitada.

A silhueta do meu vestido preto pendurado ao pé da cama é ameaçadora, mas fico olhando para ela até minha respiração acalmar. Vejo as horas no relógio digital. Tenho quatro horas para reprimir essa memória.

São 7h30 do Dia da Camisa Creme. O reflexo na porta do elevador confirma que meu casaco é mais longo do que o meu vestido minúsculo, então pareço uma garota da classe alta a caminho da suíte-máster de um hotel e usando só lingerie por baixo.

Hoje, tive que vir de ônibus. Mal consegui subir a escada sem mostrar a minha roupa íntima e, quando as portas se fecharam, eu me dei conta de que esse vestido foi um catastrófico lapso de julgamento. A buzina entusiasmada de um caminhão enquanto eu andava do ponto de ônibus à B&G confirmou essa hipótese. Se as lojas de departamento já estivessem abertas, eu entraria para comprar uma calça.

Mas eu dou conta de enfrentar essa situação. Vou ter que passar o dia inteiro sentada. As portas do elevador se abrem e, é claro, Joshua está em sua mesa. Por que ele sempre tem que chegar tão cedo ao escritório? Aliás, será que esse cara vai para casa? Ou dorme em uma gaveta em algum necrotério escondido por aqui? Acho que ele poderia perguntar a mesma coisa a meu respeito.

Eu esperava ter um ou dois minutos sozinha aqui no escritório para me preparar para o longo dia em que terei de permanecer sentada. Mas lá está ele. Eu me escondo atrás do cabide de casacos e finjo procurar alguma coisa na bolsa para tentar ganhar tempo.

Se me concentrar no vestido como meu principal problema, posso ignorar os *flashbacks* do sonho de ontem à noite. Ele ergue o olhar, deixando para trás a agenda, mantendo o lápis na mão. E me encara até eu começar a abrir o cinto do casaco, mas não consigo continuar. O azul de seus olhos é ainda mais vívido do que em meu sonho. Ele me estuda como se estivesse ocupado lendo a minha mente.

— Está frio aqui, não está?

Com a boca franzida em sinal de irritação, ele acena com a mão em círculos como quem quer dizer "Acabe logo com isso". Respirando fundo para ganhar força, tiro o casaco e o dependuro em um cabide especial, acolchoado. Sinto a fricção dos fios da meia arrastão entre as minhas coxas enquanto ando até minha mesa. Estou praticamente usando um maiô.

Observo seus olhos voltarem-se à agenda, os cílios escuros derramando sombras em formato de meia-lua em suas bochechas. Ele parece um garoto, até erguer o rosto e mostrar que tem os olhos duros e especulativos de um homem. Meu tornozelo quase cede.

— Uau! — exclama com uma voz arrastada. Observo seu lápis para ver se fará algum tipo de anotação. — Tem um encontro ardente hoje, Moranguinho?

— Sim — minto automaticamente, e Joshua prende o lápis atrás da orelha, todo cínico.

— Conte-me mais.

Tento apoiar a bunda despreocupadamente na beirada da minha mesa. O vidro é frio contra a parte de trás das minhas coxas. É um erro terrível, mas não posso ficar em pé agora, pois vou parecer uma idiota. Nós dois olhamos para as minhas pernas.

Observo meus sapatos vermelhos e lustrosos e chego a ver o vestido refletido ali, de tanto que brilham. Deixo meus cabelos caírem sobre os olhos. Se eu me concentrar nesse vestido ridículo, vou acabar esquecendo que meu cérebro quer que ele me lamba, me morda, me arranque a roupa.

— O que foi? — Dessa vez, sua voz soa formal. — O que aconteceu?

Deslizo o dedo por um dos diamantes formados pelas linhas da minha meia arrastão. O sonho certamente aparece estampado em meu rosto. Minhas bochechas estão esquentando. Ele usa a camisa creme, suave e sedosa como os lençóis do sonho. Meu subconsciente é depravado. Tento fazer contato visual, mas me acovardo e só consigo perambular até minha cadeira. Queria poder perambular para longe daqui, até a minha casa.

— Ei — ele chama mais duramente. — O que foi? Conte para mim.

— Eu tive um... um sonho.

Digo a frase como alguém diz "a minha avó morreu". Sento-me na cadeira e pressiono os joelhos um contra o outro até os ossos rangerem.

— Descreva esse sonho.

Ele está outra vez segurando o lápis e eu sou como um cachorrinho vendo o movimento de uma faca e um garfo. Começamos a jogar o Pingue-Pongue das Palavras. Quem não conseguir pensar em uma resposta primeiro perde.

— Seu rosto está todo vermelho. Até o pescoço.

— Pare de olhar para mim.

É claro que ele está certo. Esse escritório que mais parece um globo de espelhos confirma sua frase.

— Não consigo. Você está bem na minha linha de visão.

— Bem, tente.

— Não é sempre que vejo uma combinação tão interessante de roupas reveladoras no ambiente de trabalho. No manual do RH que dita as regras de vestimentas adequadas...

— Você não consegue afastar o olhar das minhas coxas pelo tempo necessário para consultar o manual.

É verdade. Ele olha para o chão, mas, depois de um segundo, seu rosto se volta outra vez ao osso do meu tornozelo e vai subindo.

— Eu já memorizei o manual.

— Então deve saber que minhas coxas não são um assunto apropriado para conversa. Se eu tiver que usar aquele vestido de poliéster, aí você pode dar adeus às minhas coxas.

— Mal vejo a hora. De conquistar a promoção, quero dizer. Não as suas coxas... Ah, deixe pra lá.

— Vá sonhando, seu pervertido.

Digito minha senha. A anterior expirou. Agora é MORRA-JOSH--MORRA!

— A vaga é minha, e não sua.

— E então, com quem você vai sair?

— Com um cara.

Vou descobrir quem é esse tal cara entre agora e o fim do dia de trabalho. Vou contratar um homem se for preciso. Vou ligar para uma agência de modelos e pedir o prato do dia. Ele virá me buscar com uma limusine na frente da B&G e Joshua vai ficar com cara de palhaço.

— Que horas é o seu encontro?

— Às sete – arrisco.

— E qual é o local do seu encontro?

Ele lentamente faz uma marca a lápis. Um X? Uma barra? Não sei.

— Você está interessado demais. Por quê?

— Estudos mostram que, quando os chefes fingem se interessar pela vida pessoal de seus funcionários, o moral dos empregados aumenta e eles se sentem valorizados. Estou treinando antes de me tornar seu chefe.

Sua lenga-lenga profissional é contrariada por seu semblante. Ele está realmente hipnotizado com tudo isso.

Lanço meu olhar mais fulminante para ele.

— Vou encontrá-lo para tomar um drinque no bar da Federal Avenue. E você jamais será o meu chefe.

— Que enorme coincidência. Vou assistir ao jogo lá esta noite. Às sete.

Minha mentira inteligente foi um erro tático. Analiso Joshua, mas não sei onde seu rosto termina e onde a mentira começa.

— Talvez eu a encontre por lá – ele prossegue.

E é diabólico.

— Claro, talvez. – Forço uma voz de tédio para que ele não perceba que estou em pânico e furiosa.

— Então, esse seu sonho… tinha um *homem* nele, não tinha?

— Ah, sim. Claro que sim. — Sem minha permissão, meu olhar desliza por Joshua. Acho que posso ver o formato de sua clavícula. — E foi extremamente erótico.

— Posso escrever um e-mail para Jeanette — ele fala baixinho, depois de uma pausa e de raspar a garganta.

Ele finge pessimamente estar digitando em seu teclado sem sequer olhar para a tela.

— Falei erótico? Eu quis dizer esotérico. Sempre confundo essas palavras.

Ele estreita um olho.

— Seu sonho foi… misterioso?

Aqui vamos nós de novo. É hora de me arriscar com o detector de mentiras humano.

— Foi cheio de símbolos e significados ocultos. Eu estava perdida em um jardim e havia um homem lá. Um homem com quem passo muito tempo, mas que no sonho parecia um estranho.

— Continue — Joshua pede.

É tão estranho conversar com ele quando seu rosto não é uma máscara de tédio.

Cruzo as pernas com toda a elegância que consigo e seus olhos apontam para debaixo da minha mesa, depois de volta para o meu rosto.

— Eu não estava usando nada além das roupas de cama — conto em tom de confidência, mas logo paro. — Isso fica estritamente entre nós, está bem?

Enfeitiçado, ele assente. E eu me cumprimento mentalmente por ter saído vencedora do Pingue-Pongue de Palavras.

Preciso prolongar este momento. Não é sempre que ganho vantagem. Uso a parede como espelho e passo batom. A cor é "Lança-Chamas" e é a minha marca registrada. Um vermelho agressivo, violento e venenoso. Vermelho como um pulso cortado. *A cor da roupa íntima do diabo,* segundo meu pai. Tenho tantos tubos deste batom que sempre encontro algum em um raio de 1 metro. Vivo em preto e branco, mas, graças ao Lança-Chamas, acabo me tornando tecnicolor. Vivo com medo de esse batom sair de linha, por isso mantenho meu estoque.

– Então, eu estava andando pelo jardim e o homem vinha bem atrás de mim. – Hoje, sou uma mentirosa patológica. É isso que Joshua Templeman faz comigo. – Ele estava bem atrás de mim – prossigo. – Tipo, seu corpo contra o meu. Pressionado ao meu traseiro.

Levanto-me e dou um tapa em minhas nádegas alto o suficiente para deixar claro. As palavras soam de fato verdadeiras, mas é porque, no fundo, é verdade. Joshua assente lentamente, sua garganta se apertando enquanto ele engole em seco e seus olhos descem pelo meu vestido.

– Eu senti que conhecia a voz dele. – Faço uma pausa de meio minuto, esfrego meus lábios um no outro, admiro a forma de coração vermelho no lenço de papel antes de amassá-lo e jogá-lo na lata de lixo próxima aos meus pés. Começo a reaplicar o batom.

– Você sempre precisa fazer isso duas vezes? – Joshua rosna irritado com meu jeito enrolado de contar a história.

E, impaciente, bate os dedos na mesa.

Pisco um olho para ele.

– Não quero que saia tudo no primeiro beijo. Posso?

– Com quem exatamente você vai sair? Qual é o nome dele?

– Com *um cara*. Você está mudando de assunto, mas tudo bem. Desculpe incomodá-lo.

Sento-me e clico no mouse até a tela do meu computador acender.

– Não, não – Joshua diz baixinho, como se estivesse completamente sem ar. – Não estou incomodado.

– Está bem. Então, eu estava no jardim e... e tudo refletia. Como se ele fosse coberto de espelhos.

Ele assente, seus cotovelos deslizam para a frente na mesa, queixo apoiado na mão. E afasta a cadeira lentamente para trás.

– E eu... – Faço uma pausa e o observo. – Não importa.

– O quê? – ele late tão alto que chego a pular da cadeira.

— Eu disse: "Quem é você? Por que me quer tanto?" E, quando ele me falou seu nome, fiquei em choque...

Joshua mordeu a minha isca e agora se debate no meu anzol, um peixe enorme, agitando-se, sem dúvida preso. Posso sentir o ar entre nós vibrando de tensão.

— Venha aqui, eu preciso sussurrar — murmuro, olhando para a esquerda e para a direita, embora ambos saibamos que não tem ninguém a milhas de distância.

Joshua nega com a cabeça em um reflexo e eu olho para o seu colo. Ele não é o único capaz de olhar por debaixo da mesa.

— Ah! — digo para soar esperta, mas, para meu espanto, as maçãs do rosto de Joshua começam a enrubescer.

Joshua Templeman está excitado na minha frente. Será que quer que eu o provoque ainda mais?

— Eu vou aí para contar.

Bloqueio a tela do computador.

— Não precisa.

— Tenho que compartilhar.

Ando lentamente e apoio as mãos na beirada de sua mesa. Ele olha para a meia arrastão com uma expressão tão atormentada que quase me faz sentir pena.

— Isso não é profissional. — Olha para o teto em busca de inspiração, e a encontra: — Recursos Humanos.

— Essa é a nossa palavra de segurança? Está bem.

Com a luz fluorescente, ele parece irritantemente saudável e dourado, sua pele bronzeada por igual, sem qualquer mancha. Mas há um leve brilho em seu rosto.

— Você está um pouquinho suado.

Pego um post-it em sua mesa e dou um beijo no papel. Puxo-o e colo no meio da tela do seu computador.

— Espero que não esteja criando algum plano.

E saio andando a caminho da copa. Ouço as rodinhas de sua cadeira chiando levemente.

VIVA UM POUCO

O cubículo de Danny parece despojado e um pouco caótico. Caixas de mudança, pilhas de papel e arquivos espalham-se por todos os cantos.

— Oi!

Ele se assusta e faz um risco cinza acidental na fotografia de um escritor, a qual estava editando no Photoshop. Lucy, sempre discreta.

— Desculpa, eu devia usar um sininho – brinco.

— Não, tudo bem. Oi.

Ele aperta "Desfazer", "Salvar" e aí se vira na minha direção, seus olhos deslizando para cima e para baixo, rápidos como a luz, antes de pararem na bainha do meu vestido por alguns segundos a mais.

— Oi. Eu queria saber se você tem alguma invenção para a gente começar a trabalhar.

Não acredito que estou sendo tão direta assim, mas a minha situação é desesperadora. Meu orgulho está em jogo. Preciso de alguém sentado ao meu lado esta noite no bar, ou então Joshua vai morrer de rir de mim.

Um sorriso brota em seus lábios.

— Tenho uma máquina do tempo quase concluída para você dar uma olhada.

— Elas são bem simples de criar. Eu posso ajudar, se quiser.

— Diga a hora e o local.

— Naquele bar onde o pessoal vai assistir aos jogos, na Federal? Hoje, às 19h?

— Por mim está ótimo. Aqui, pegue o meu telefone.

Nossos dedos roçam quando ele me entrega o papel com seu número. Minha nossa! Que cara mais gentil. Onde ele esteve esse tempo todo?

— Vejo você hoje à noite. Leve, hum, os desenhos técnicos da máquina do tempo.

O JOGO DO AMOR/ÓDIO

Aceno para ele e subo as escadas até o andar de cima, mentalmente me parabenizando pela missão cumprida.

Hora de trabalhar. Sento-me outra vez na cadeira e começo a desenvolver a proposta sobre o nosso desejo de promover uma atividade em equipes. Coloco dois espaços para assinatura na parte inferior, assino e coloco sobre a mesa dele. Joshua demora duas horas antes de sequer olhar para o documento. Quando enfim decide pegá-lo, lê tudo em cerca de quatro segundos. Assina e coloca sem nem dar atenção em sua bandeja de documentos a serem retirados. Ele está com um humor estranho esta tarde.

Bato os dedos na mesa e começo o Jogo de Encarar. Joshua precisa de uns três minutos, mas enfim expira e bloqueia sua tela. Olhamos tão profundamente focados nos olhos um do outro que é quase como se estivéssemos em um ambiente 3-D de computador; nada além de linhas verdes e silêncio.

— E aí, nervosa?

— Por que estaria?

— Seu grande encontro, Moranguinho. Já faz algum tempo que você não sai com ninguém. Acho que desde que a conheço.

Ele faz aspas no ar quando diz "grande encontro".

Está certo de que tudo não passa de uma mentira.

— Sou seletiva demais.

Ele bate os dedos na mesa com tanta força que parece chegar a doer.

— É mesmo?

— Estamos em uma seca terrível de homens interessantes por aqui.

— Isso não é verdade.

— Você está em busca do seu próprio solteiro interessante?

— Eu... não... cale a boca.

— Você está certo. — Deslizo o olhar até sua boca por uma fração de segundo. — Finalmente encontrei alguém neste lugar terrível. O homem dos meus sonhos.

E arqueio a sobrancelha.

Joshua imediatamente faz a ligação com a nossa conversa de hoje de manhã.

— Então seu sonho definitivamente foi com alguém que você trabalha.

— Sim. Ele vai sair da B&G em breve, então talvez eu precise agir.

— Tem certeza?

— Sim.

Não sei quando foi a última vez que ele piscou os olhos. Estão sombrios e assustadores.

— Você está outra vez com seus olhos de assassino em série. — Levanto-me e pego a proposta que está com ele. — Vou fazer uma cópia para o Gordo do Pinto Pequeno. Não vá me atrapalhar dessa vez, Joshua. Você não tem ideia de como se cria uma equipe. Deixe isso com a especialista aqui.

Quando volto, ele está um pouco menos sombrio; seus cabelos, bagunçados. Ele pega o documento, no qual bati um carimbo que diz "CÓPIA".

Joshua analisa o papel e posso perceber o exato momento em que ele tem sua ideia. É aquela pausa aguda que uma raposa faz enquanto passa pelo portão destrancado do galinheiro. Ele me observa com os olhos cintilando. Mordisca o lábio inferior e hesita.

— Seja lá o que estiver pensando, não faça isso.

Ele pega uma caneta e escreve alguma coisa na parte inferior da folha. Tento ler, mas Joshua se levanta e segura o papel tão alto que uma das pontas chega a tocar o teto. Não posso arriscar ficar na ponta dos pés com esse vestido.

— Como eu poderia resistir?

Ele contorna a mesa e encosta o polegar em meu lábio enquanto passa por mim.

— O que foi que você fez? — digo para suas costas enquanto ele entra no escritório do senhor Bexley.

Tocando a mão no queixo, apresso-me para dentro do escritório de Helene.

— Eu concordo — ela diz, deixando o documento de lado. — É uma boa ideia. Você notou que os Gamins e os Bexleys se sentaram separados durante o encontro das equipes? Estou farta disso. Não fazemos nada em equipe desde o dia em que planejamos a fusão. Estou impressionada por isso ter nascido de você e Joshua juntos.

Espero que meu cérebro esquisito não guarde sua última — e terrível — frase.

— Estamos resolvendo as nossas diferenças — afirmo sem nenhum traço de mentira em minha voz.

— Vou conversar com Bexley em nossa Batalha Real das 16h. Quais são as suas ideias?

— Encontrei um retiro corporativo que fica a 15 minutos da rodovia. É um daqueles lugares com lousas em todas as paredes.

— Pela descrição, parece custar caro.

Helene faz cara feia, o que eu já esperava.

— Eu já verifiquei as cifras. Até agora usamos menos do que o esperado com treinamentos esse ano.

— Mas e aí, o que faríamos durante esse romance corporativo?

— Eu já pensei em várias atividades corporativas para criar laços entre as equipes. Faremos competições de todos contra todos, alternando os membros dos grupos para que as equipes mudem de tempos em tempos. Eu gostaria de ser a facilitadora do dia. Quero acabar com essa guerra entre os Bexleys e os Gamins.

— As pessoas costumam detestar fervorosamente essas atividades em equipe — Helene aponta.

Não tenho como contrariá-la. É uma verdade corporativa mundialmente reconhecida que os funcionários prefeririam comer o esqueleto de um rato a participar de atividades em grupo. E eu me incluo aí. Mas, até os modelos de negócios de criação de equipe alcançarem um avanço significativo, isso é tudo o que tenho em mãos.

— No final, há um prêmio para o participante que mais se esforçou e mais contribuiu. — Faço uma pausa dramática. — Um dia de folga remunerado.

— Gostei disso — ela ri.
— Mas Joshua também está planejando alguma coisa — alerto.
Ela assente.
Precisamente às 16h, Helene entra no Coliseu. Como de costume, posso ouvi-los gritando um com o outro.
Às 17h, ela sai do escritório do senhor Bexley e chega irritada à minha mesa.
— Josh — ela cospe por sobre o ombro, sua voz tomada por desgosto.
— Senhora Pascal, como está?
Uma auréola surge sobre a cabeça dele.
Helene o ignora.
— Querida, eu sinto muito, mas perdi a aposta. Vamos ficar com a ideia de Josh para a atividade de formação de equipe. Como é que chamava, mesmo, a atividade dele? Paintball?
Santo Deus, não!
— Essa não era a recomendação. Eu sei, eu mesma escrevi.
Joshua quase sorri. E esse sorriso brilha como uma holografia sobre seu rosto e que sai de seu corpo, vibrando em ondas pelo ar.
— Tomei a liberdade de entregar uma alternativa ao senhor Bexley. Paintball. Já está provado que é uma atividade eficaz para formar equipes. Ar fresco, atividade física...
— Ferimentos e gente acionando o seguro-saúde — Helene rebate. — Custos.
— As pessoas vão pagar 20 dólares do próprio bolso para atirar bolas de tinta nos colegas — Joshua reafirma para ela, mas olhando para mim. — Não vai custar um centavo sequer para a empresa. Eles vão assinar uma declaração. Nós vamos nos dividir em equipes.
— Querido, como dividir as pessoas e lhes dar armas com tinta ajuda a criar equipes?
Enquanto eles discutem fingindo ser educados, eu fervo de raiva. Ele roubou a minha iniciativa corporativa e a transformou em uma atividade juvenil. Bem típico de um Bexley.

— Pode ser que vejamos algumas alianças improváveis se formarem — ele diz a Helene.

— Nesse caso, quero ver vocês dois trabalhando juntos — ela rebate maliciosamente, e eu sinto vontade de abraçá-la.

Joshua não pode atirar em sua própria colega de equipe.

— Como eu disse, alianças improváveis. Mas enfim, como também disse, não vamos deixar Lucinda perturbada antes do seu "grande encontro".

— Ah, sério, Lucy? — Helene dá tapinhas na minha mesa. — Encontro? Quero um relatório completo amanhã bem cedo, querida. E pode chegar mais tarde se quiser. Você trabalha demais. Viva um pouco.

CAPÍTULO 6

Às 18h30, meu joelho começa a tremer.

— Vai se atrasar?

— Não é da sua conta.

Droga! Será que Joshua nunca mais vai embora? Ele já trabalhou onze horas hoje e ainda tem o frescor de uma rosa. Já eu, tudo o que quero é me jogar de cara na cama.

— Você não disse que era às 19h? Como vai pra lá?

— Táxi.

— Eu também vou para lá. Dou uma carona para você. Faço questão.

O rosto de Joshua deixa claro que ele está se divertindo muito durante essa nossa interlocução. Ele espera que eu confesse que estava mentindo. É bom ter Danny como uma carta na manga.

— Tudo bem. Pode ser.

Minha fúria por ele ter roubado a atividade de formação de equipe já ficou para trás, deixando apenas uma leve camada de raiva. Tudo está pouco a pouco saindo do controle.

Vou ao banheiro feminino e levo minha *nécessaire* de maquiagem. Meus passos ecoam pelo corredor vazio. Faz muito tempo que não vou a um encontro romântico. Ando ocupada demais. Entre o trabalho, odiar Joshua Templeman e dormir, me resta pouco tempo para qualquer outra atividade.

Joshua não consegue acreditar que alguém possa gostar de passar algum tempo em minha companhia. Para ele, sou uma viborazinha repugnante. Cuidadosamente aplico o lápis de olho, traçando um olho de gato. Tiro o batom até ele estar praticamente todo desbotado. Passo perfume no sutiã e dou a mim mesma uma piscadela, pronunciando algumas palavras de encorajamento.

Tenho um par de brincos longos no bolso lateral da *nécessaire* e os coloco nas orelhas. Do escritório para a noite, como dizem aqueles artigos de revistas. Estou ajeitando o sutiã quando trombo com Joshua, na saída do banheiro. Ele traz o meu casaco e a minha bolsa. O choque pelo contato com seu corpo é um golpe.

Ele me olha com estranheza.

— Para que se arrumou tanto assim?

— Nossa, obrigada.

Estendo a mão e pego a bolsa. Ele continua segurando meu casaco e aperta o botão do elevador.

— Então hoje terei a oportunidade de ver seu carro? — digo para tentar quebrar o silêncio. Esse pensamento é mais desesperador do que encontrar Danny. O carro é um espaço bem pequeno e fechado. Joshua e eu alguma vez nos sentamos um ao lado do outro antes? Duvido. — Faz muito tempo que tento imaginar como é seu carro. Creio que seja um fusca. Um fusca branco e enferrujado, como o Herbie.

— É melhor repensar.

Ele distraidamente abraça meu casaco. Seus dedos entrelaçam-se ao cinto. Ali, contra seu corpo, a peça mais parece uma jaqueta infantil. Sinto muito por esse pobre casaco. Estendo a mão, mas Joshua me ignora.

— Mini Cooper do começo dos anos 1980. Verde-limoso. Não tem como empurrar o banco para trás, então os joelhos ficam cada um de um lado do volante.

— Sua imaginação é muito vívida. Você dirige um Honda Accord 2003. Prata. Uma bagunça enorme no interior. Problema crônico no câmbio. Se fosse um cavalo, você já o teria matado.

O elevador chega e eu entro com cuidado.

– Você de fato é um *stalker* muito melhor do que eu.

Sinto uma pontada de medo quando vejo seu polegar apertar o botão da garagem. Ele me observa com olhos sombrios e intensos. Está claramente planejando algo.

Talvez pretenda me matar ali mesmo, no subsolo. Vou acabar morta em uma caçamba de lixo. Os investigadores vão ver minha meia arrastão e maquiagem pesada e pensar que sou uma prostituta. Perseguirão todas as pistas erradas. Enquanto isso, Joshua estará calmamente limpando meu DNA de seus sapatos e preparando um sanduíche.

– Olhos de assassino em série. – Eu queria não soar tão amedrontada. Ele observa seu reflexo na parede espelhada do elevador.

– Entendi o que quis dizer. E você está com aqueles olhos de quem não se aguenta de tesão.

Ele leva dramaticamente o dedo na direção do painel de botões do elevador.

– Não, esse também é meu olhar de assassino em série.

Joshua deixa uma respiração pesada escapar e aperta o botão de emergência, forçando o elevador a parar bruscamente.

– Por favor, não me mate. Deve ter câmeras aqui.

Assustada, dou um passo para trás.

– Duvido.

Ele parece pairar sobre mim. Ergue a mão e eu começo a levantar os braços para proteger o rosto, como se estivéssemos em algum filme de terror de segunda categoria. Acabou. Ele vai me estrangular. Perdeu a sanidade.

Joshua me segura pela cintura e me levanta, equilibrando minha bunda em um corrimão que eu até hoje sequer tinha percebido que existia. Meus braços se apoiam em seus ombros e meu vestido desliza até a parte superior das coxas. Quando ele olha para baixo, deixa escapar uma expiração esgotada, que soa como se eu o estivesse estrangulando.

— Me coloque no chão. Isso não tem graça nenhuma!

Meus pés se debatem, mas é inútil. Não é a primeira vez que um cara grandão joga seu peso sobre mim. Na terceira série, Marcus DuShay me colocou sobre o capô do carro do diretor e saiu correndo, dando risada. O fardo das pessoas pequenas... Não há dignidade alguma para nós neste mundo feito para os grandalhões.

— Venha aqui perto um segundo.

— Para quê?

Tento descer, mas ele abre a mão em minha cintura e me pressiona contra a parede. Aperto seus ombros até chegar à conclusão de que seu corpo é formado por músculos fortes debaixo daquelas camisas de Clark Kent.

— Puta merda! — Sua clavícula é como um pé de cabra sob as minhas palmas. Digo a única coisa idiota que me vem à mente: — Músculos. Ossos.

— Obrigado.

Estamos os dois desesperados por ar. Quando pressiono a perna contra seu corpo para me equilibrar, suas mãos envolvem minha panturrilha.

Quando ele coloca a mão em meu maxilar e inclina a minha cabeça para trás, espero que comece a me enforcar. A qualquer momento seus dedos vão começar a apertar e a minha morte vai começar. Nariz com nariz. Respiração contra respiração. A ponta de um dos dedos está atrás do lóbulo de minha orelha e eu estremeço quando ela desliza.

— Moranguinho... — A palavra doce se dissolve e eu engulo em seco. — Eu não vou te matar. Como você é dramática!

Em seguida, ele pressiona a boca levemente contra a minha.

Nenhum de nós fecha os olhos. Encaramo-nos como sempre, mais perto do que nunca. Suas íris são contornadas por azul e preto. Seus cílios baixam e ele me observa como uma expressão que parece ser de ressentimento.

Seus dentes prendem meu lábio inferior em uma mordida fraca e sou inteiramente tomada por ondas de arrepios. Meus mamilos se contraem. Meus dedos dos pés se curvam dentro do sapato. Acidentalmente toco-o com a língua quando faço uma varredura em busca dos danos, embora não tenha sentido nenhuma dor. Meu cérebro gira irremediavelmente tentando encontrar explicações para o que está acontecendo e meu corpo começa a recuperar a força.

Quando ele vem em minha direção outra vez e começa a movimentar sua boca contra a minha, abrindo-a suavemente, a ficha cai.

Joshua. Templeman. Está. Me. Beijando.

Por alguns segundos, fico congelada. Parece que esqueci como se beija. Tanto tempo já se passou desde que essa deixou de ser uma atividade cotidiana. Parecendo não se importar, ele usa a língua para explicar as regras.

O Jogo do Beijo funciona assim, Moranguinho: Pressione, recolha, incline, respire, repita. Use as mãos para encontrar o ângulo. Solte-se até sentir o deslizar lento e úmido. Está ouvindo seu sangue pulsar nos ouvidos? Sobreviva com pequenas lufadas de ar. Não pare. Não pense em parar. Deixe um suspiro escapar, afaste-se, deixe o oponente capturá-la com os lábios ou os dentes e relaxe em uma sensação ainda mais profunda. Mais úmida. Sinta suas terminações nervosas ganharem vida a cada toque de língua. Sinta um novo peso entre as pernas.

O objetivo do jogo é fazer isso pelo resto da sua vida. Que se dane a civilização humana e tudo o que ela significa. Agora, esse elevador é nossa casa. Agora, isso é o que fazemos.

Porra, não pare.

Ele está disposto a me testar, então se afasta por um instante. A regra básica foi desobedecida. Puxo sua boca de volta para perto da minha, mantendo a mão fechada no colarinho de sua camisa. Sou uma aluna que aprende rápido e ele é o professor perfeito.

O beijo tem o sabor daquelas balinhas que ele vive chupando. Quem no mundo chupa bala de menta? Experimentei uma vez, mas queimaram minha boca. Ele faz isso para me irritar. Já percebi a diversão em seus olhos ao me ver irritada. Agora eu o mordisco em retaliação, mas isso o faz chegar mais perto de mim, com o corpo rígido, esquentando todos os pontos de contato entre nós. Nossos dentes se encostam.

Que porra é essa que está acontecendo?, questiono silenciosamente com meu beijo.

Cala a boca, Moranguinho. Eu te odeio.

Se fôssemos atores em um filme, eu estaria trombando com as paredes, botões se abrindo, minha meia arrastão toda rasgada, meus sapatos caindo. Em vez disso, esse beijo é decadente. Estamos apoiados em uma parede banhada pelo sol, chupando sorvete de casquinha, rapidamente sucumbindo ao calor e às alucinações que não fazem o menor sentido.

Aqui, chegue um pouco mais perto, está tudo derretendo. Dê uma lambida no meu e eu sem dúvida vou lamber o seu.

A gravidade me agarra pelo tornozelo e começa a me arrastar pelo corrimão. Joshua me ancora ainda mais com a mão na parte traseira da minha coxa. Ao deixar de sentir sua boca por um breve segundo, rosno em frustração. *Volte aqui, seu quebrador de regras.* Ele é inteligente o suficiente para obedecer.

O som que ele emite em resposta é como um "ahh". O tipo de som que as pessoas deixam escapar quando descobrem algo inesperado e agradável. Aquele som de "eu deveria ter imaginado". Seus lábios se curvam e eu lhe toco o rosto. O primeiro sorriso que Joshua exibiu em minha presença está junto ao meu lábio. Espantada, eu me afasto. E, em um milésimo de segundo, seu rosto aparece outra vez sério, mas dessa vez enrubescido.

Um chiado duro sai do autofalante do elevador e nós dois nos assustamos.

— Está tudo bem aí?

Ficamos congelados. Flagrante. Joshua reage primeiro, inclinando o corpo para apertar o botão no painel.

— Trombei com o botão.

Lentamente me coloca de volta no chão e se afasta um pouco. Apoio o cotovelo no corrimão e minhas pernas deslizam como se eu estivesse de patins.

O JOGO DO AMOR/ÓDIO

– Que porra foi essa? – chio com o ar que me resta.
– Subsolo, por favor.
– Está bem.

O elevador desliza por cerca de 1 metro e a porta se abre. Se tivéssemos esperado mais meio segundo, essa situação jamais teria acontecido. Meu casaco está caído no chão e ele o pega e o limpa com um cuidado surpreendente.

– Venha.

Joshua sai do elevador sem olhar para trás. Meus brincos estão presos em meus cabelos, que foram bagunçados pelas mãos grandes de Joshua. Procuro uma saída: nenhuma. As portas do elevador se fecham atrás de mim. Joshua destranca um carro esportivo preto e arrogante e, quando chega à porta do passageiro, encaramos um ao outro. Meus olhos são como ovos fritos. Ele vira o rosto para tentar evitar que eu o veja rindo, mas consigo notar seus dentes brancos no reflexo no retrovisor de uma van.

– Ah, meu Deus – ele diz com uma voz arrastada, virando-se, esfregando a mão no rosto para apagar aquele sorriso. – Eu a traumatizei.

– O que... O que...?
– Vamos.

Quero sair correndo, mas minhas pernas parecem incapazes de sequer me sustentar.

– Nem pense nisso – ele me diz.

Entro em seu carro e fico quase inconsciente. Seu cheiro se torna mais forte aqui, intensificado pelo verão, preservado pela neve, selado e pressurizado dentro do vidro e metal. Inalo como uma perfumista profissional. Notas superiores de menta, café e algodão. Notas médias de pimenta do reino e pinho. Notas leves de couro e cedro. Luxuoso como casimira. Se esse é o cheiro de seu carro, imagine o cheiro da sua cama. Boa ideia. Imaginar a cama dele.

Joshua entra, joga meu casaco no banco traseiro e eu olho de soslaio para o seu colo. Puta que pariu! Deslizo o olhar para outro lado. Seja lá o que ele tem ali, é grande o suficiente para atrair outra vez a minha atenção.

— Você ficou chocada — censura como um professor.

Minha respiração sai trêmula e ele se vira para me observar com olhos sombrios e venenosos. Ergue a mão e me faz estremecer. Franze a testa, pausa, então ajeita cuidadosamente o meu brinco.

— Pensei que você fosse me matar.

— Ainda quero te matar.

Joshua estende a mão para alcançar o outro brinco, e agora a parte interna de seu pulso está tão próxima que eu poderia morder. Afasta com cuidado as mechas de cabelo até meu brinco estar outra vez no lugar certo.

— Eu quero. Você não tem ideia do quanto.

Ele liga o carro, dá ré e sai dirigindo como se nada tivesse acontecido.

— Precisamos conversar sobre isso. — Minha voz sai dura e rouca.

Seus dedos se ajeitam ao volante.

— Parecia o momento certo.

— Mas você *me beijou*. Por que fez isso?

— Eu precisava testar uma teoria na qual venho pensando há algum tempo. E, para dizer a verdade, você *retribuiu* meu beijo.

Remexo-me em meu banco e o semáforo à nossa frente fica vermelho. Ele diminui a velocidade até parar e olha para minha boca e para minhas pernas.

— Você tinha uma teoria? Para ser sincera, acho que você só queria me deixar perturbada antes do meu encontro.

Os carros atrás de nós começam a buzinar e eu olho por sobre o ombro.

— Verde. Vá.

— Ah, verdade, seu encontro. Seu encontro imaginário.

— Não é imaginário. Vou me encontrar com Danny Fletcher da equipe de design.

A expressão de choque em seu rosto é impressionante. Quero

contratar um pintor para capturá-la em óleo sobre tela e poder transmiti-la às futuras gerações. É *impagável*.

Carros começam a nos ultrapassar pelos dois lados, buzinando e cantando pneus. Uma série de palavrões parece tirá-lo de seu estupor.

– Como é que é?

Ele enfim nota que o semáforo está verde e acelera fortemente antes de frear para não atingir o carro mudando de faixa à nossa frente. Joshua leva a mão à boca. Eu nunca o tinha visto tão afobado.

– Danny Fletcher. Vou encontrá-lo em dez minutos. Você está me levando ao meu encontro com ele. O que há de errado com você?

Ele não diz nada enquanto percorremos vários quarteirões. Estudo teimosamente as minhas mãos, mas só consigo pensar em sua língua em minha boca. *Em minha boca*. Estimo que, na história da humanidade, cerca de 10 bilhões de beijos já aconteceram em elevadores. E odeio nós dois por sermos tão clichês.

– Você achou que eu estivesse mentindo?

Bem, tecnicamente eu estava mentindo, mas só no primeiro momento.

– Eu sempre parto do pressuposto de que você está mentindo.

Ele muda de faixa violentamente, como se houvesse uma nuvem negra sobre seu humor.

Aqui está um fato: odiar alguém é esgotante. Cada pulsar do sangue em minhas veias me leva mais perto da morte. Desperdiço esses minutos finais com alguém que sinceramente me detesta.

Fecho as pálpebras para poder lembrar outra vez. *Meus nervos estão à flor da pele enquanto levo uma caixa à minha mesa no recém-reformado escritório da B&G, no décimo andar. Há um homem na janela, observando o trânsito do início da manhã. Ele se vira e fazemos contato visual pela primeira vez.*

Nunca mais vou receber um beijo desses, pelo resto da minha vida.

– Eu queria que pudéssemos ser amigos – digo acidentalmente em voz alta.

Guardei essas palavras dentro de mim por tanto tempo que agora tenho a sensação de que lancei uma bomba atômica. Joshua fica em um silêncio tão profundo que talvez não tenha me ouvido. Mas ele não demora a lançar um olhar tão presunçoso a ponto de fazer meu interior se contorcer.

— Jamais, nunca mesmo, seremos amigos.

Ele diz "amigos" como se estivesse pronunciando a palavra "patético".

Em frente ao bar, diminui a velocidade e eu saio correndo antes de ele sequer parar completamente o carro. Ouço-o gritar com irritação meu nome. Percebo que me chama de Lucy.

Avisto Danny no bar, com uma garrafa de cerveja dependurada entre os dedos. Atravesso a multidão e me lanço em seus braços. Pobre Danny, que chegou adiantado como um bom cavalheiro, sem ter a menor ideia de que concordou em passar a noite com uma mulher insana.

— Oi! — Danny fica contente. — Você chegou!

— É claro! — deixo uma risadinha trêmula escapar. — Depois do dia que enfrentei, preciso de um drinque.

Agarro-me ao banco do bar como um jóquei a seu cavalo. Danny acena para o garçom. Tacos de basebol idênticos balançam nas telas posicionadas acima do bar. Sinto a memória da boca de Joshua na minha e levo meus dedos trêmulos aos lábios.

— Um gin com tônica enorme. O maior que você puder fazer, por favor.

O garçom traz a bebida e eu coloco metade do conteúdo na boca. Acho que talvez tenha deixado um pouco escorrer pelo queixo. Passo a língua nos cantos dos lábios e ainda sinto o gosto de Joshua. Danny me olha nos olhos quando baixo o copo.

— Está tudo bem? Acho que você precisa me contar sobre o seu dia.

Dou uma boa olhada para ele. Percebo que trocou de roupas e está usando calças jeans escuras e uma camisa xadrez. Gosto do fato de ele ter feito o esforço de ir para casa e se trocar para mim.

— Você está bonito — elogio com sinceridade, e seus olhos brilham.

— E você está linda – ele responde com um tom intimista.

Em seguida, apoia o cotovelo no balcão do bar e mantém uma expressão sincera, sem malícia. Sinto uma bolha estranha de emoções dentro do peito.

— O que foi? – pergunto enquanto seco o queixo.

Ele me olha como quem não me odeia. Chega a ser bizarro.

— Eu não podia dizer isso no trabalho, mas sempre a achei a mulher mais linda de toda a empresa.

— Ah, bem...

Devo estar vermelha como um pimentão, e sinto minha garganta apertar.

— Você não lida bem com elogios.

— Não recebo muitos.

É verdade. Ele apenas ri.

— Até parece.

— É verdade. Exceto dos meus pais, no Skype.

— Bem, eu vou ter que mudar isso, então. Agora me conte mais sobre você.

— Eu trabalho para Helene, como você sabe – começo, sem saber ao certo o que dizer. Ele assente, sua boca arqueia em um sorriso. – E é basicamente isso – acrescento.

Danny sorri e eu quase caio do banco. Sou tão ruim socializando que quase não consigo conversar com seres humanos. Quero estar em casa, no meu sofá, com todos os travesseiros empilhados em cima da cabeça.

— Sim, mas eu quero saber sobre *você*. O que faz quando quer se divertir? De onde é sua família?

Seu semblante é sincero e inocente e me faz pensar em crianças antes de o mundo corrompê-las.

— Posso ir ao toalete me arrumar primeiro? Eu vim direto do escritório.

Engulo a outra metade da minha bebida. O leve gosto de menta que resiste em minha boca abranda o sabor.

Ele assente e eu avanço na direção do banheiro. Fico parada na parede ali na frente, pego um lenço que está em frente ao meu sutiã e o pressiono contra o canto dos olhos. *Lindo*.

Uma sombra escurece o corredor e sei que é Joshua. Mesmo no canto mais distante da minha visão periférica, sua forma é mais familiar do que minha própria sombra. Está segurando o casaco que deixei no banco traseiro do carro.

Explodo em risos e continuo rindo até lágrimas escorrerem por meu rosto, quase certamente arruinando minha maquiagem.

— Suma daqui — ordeno, mas ele se aproxima ainda mais.

Encosta a mão em meu queixo e estuda meu rosto.

A memória do beijo flutua entre nós e não consigo olhá-lo nos olhos. Lembro-me do gemido que soltei dentro de sua boca. A humilhação toma conta de mim.

— Pare.

E bato a mão nele para afastá-lo.

— Você está chorando.

Abraço a mim mesma.

— Não estou. E o que você está fazendo aqui?

— Estacionar na região é um pesadelo. Seu casaco.

— Ah, meu casaco. É claro. Enfim. Estou cansada demais para brigar com você esta noite. Você venceu.

Ele parece confuso, então esclareço:

— Você já me viu rir e chorar. E me fez beijá-lo quando eu devia ter esbofeteado essa sua cara de convencido. O seu dia foi bom. Vá assistir ao seu jogo e comer seus pretzels.

— Você acha que esse é o prêmio que estou disputando? Vê-la chorar? — Ele acena uma negação com a cabeça. — Não é, mesmo.

— É claro que é. Agora dê o fora daqui — ordeno mais forçosamente.

Ele se afasta e inclina o corpo contra a parede à minha frente.

— Por que está se escondendo aqui? Não deveria estar seduzindo aquele cara? — pergunta, olhando na direção do bar e esfregando a mão no rosto.

— Preciso de um minuto. E nem sempre é tão fácil, acredite.

— Tenho certeza de que isso não é problema para você.

Joshua não soa sarcástico. Seco as lágrimas e olho para o lenço. Tem bastante rímel ali. Expiro trêmula.

— Você está ótima.

E essa foi a coisa mais gentil que ele já me disse.

Começo a tatear a parede na tentativa de encontrar um portal para outra dimensão ou, pelo menos, a porta do banheiro feminino. Qualquer coisa que me leve para longe de Joshua. Ele passa a mão nos cabelos e seu rosto se repuxa, agitado.

— Eu não devia ter beijado você. Foi uma atitude idiota da minha parte. Se quiser me denunciar ao RH...

— É esse o seu problema? Está com medo de eu denunciá-lo? – minha voz sai mais alta quando clientes do bar se aproximam. Respiro fundo e, quando volto a falar, controlo o tom: – Você me estilhaçou por completo, e eu não sei sequer reagir quando um homem diz que sou bonita.

O desânimo agora está estampado em seu rosto. Prossigo:

— É por isso que estou chorando. Porque Danny disse que sou linda e eu quase caí do banquinho do bar. *Você me arruinou.*

— Eu... – ele começa a dizer, mas lhe faltam palavras. – Lucy, eu...

— Não tem nada mais que você possa fazer comigo. Hoje você venceu.

A julgar pela expressão em seu rosto, parece que lhe dei um soco. No chão, sua sombra se afasta. Joshua vai embora.

CAPÍTULO 7

De manhã, telefono para Helene e explico que não estou de ressaca, mas enfrentado alguns probleminhas pessoais e que chegarei atrasada. Muito gentil, ela me diz para tirar o dia de folga e descansar.

Descanse e termine sua candidatura à vaga porque, querida, o prazo termina amanhã.

Estou perdendo o dia da camisa amarelo-claro. É a cor do quarto de um bebê quando seu gênero ainda é surpresa. É a cor da minha alma covarde.

Ontem à noite, depois que Joshua me deixou, seu rosto se repuxava com culpa e pesar mas, mesmo assim, eu me arrumei e comecei a aproveitar a noite com Danny. Temos algumas coisas em comum. Seus pais têm uma fazenda como hobby, então revelar que cresci em meio a morangos não atraiu todo aquele sarcasmo costumeiro.

Isso me animou a conversar mais sobre assuntos que eu conversaria normalmente. Dividimos histórias da vida rural. Divertimo-nos durante horas, rindo como velhos amigos, tão confortáveis quanto um par de chinelos surrados.

Eu deveria estar feliz e animada. Deveria estar dando os toques finais em minha candidatura à vaga. Deveria estar pensando em um segundo encontro. Mas acabo fazendo o que não devia. Deitada na cama e com os olhos fechados, revivo aquele beijo.

Moranguinho, se estivéssemos flertando, você saberia.

Talvez ele tenha se esquecido de que eu sou Lucinda Hutton, a Moranguinho que adora agradar aos outros. Talvez eu tenha me transformado em algo diferente por causa desse cara. Um espaço fechado, maquiagem distinta, vestido curto e perfume fresco... Em um momento dominado pela insanidade, fui objeto de sua luxúria durante o tempo necessário para percorrer do décimo andar ao subsolo. E ele definitivamente foi o meu.

Eu precisava testar uma teoria na qual venho pensando há algum tempo. Qual teoria? E quanto tempo é "algum tempo"? Se eu fui uma espécie de experimento humano, ele poderia ter pelo menos a decência de me comunicar suas conclusões.

Quando penso em seus dentes mordiscando meu lábio inferior, sinto a região entre minhas pernas latejar. Quando penso em sua mão na parte de trás da minha coxa, tenho que encostar ali para sentir onde seus dedos se abriram. E aquela rigidez no corpo dele? Fico um instante sem respirar. E me pergunto qual teria sido meu sabor em sua boca. A sensação que transmiti.

Às 15h, ainda estou de pijama, paralisada pelo prazo da minha candidatura, e é então que a campainha me dá um susto. Meu primeiro pensamento é que Joshua está aqui, veio me arrastar para o trabalho. Mas logo descubro que é um entregador trazendo flores. Um enorme buquê de rosas vermelhas. Abro o pequeno envelope e o cartão diz três palavras: *Você é sempre linda.*

Não está assinado, mas nem precisaria estar. Já posso imaginar o rosto de Jeanette se suavizando enquanto ela entrega a Danny um post-it com meu endereço e murmura: "Para todos os efeitos, nunca fiz isso para você". Até as funcionárias do RH quebram as regras em nome do amor.

Envio uma mensagem de texto para ele: "Muito obrigada!!"

Ele responde quase imediatamente: "Eu me diverti muito. Adoraria vê-la outra vez."

E eu envio: "Sem dúvida!"

Levanto-me, apoio as mãos na cintura e olho para as flores. A inflada em meu ego não poderia ter vindo em um momento melhor. Concentro-me outra vez no computador. Esse trabalho vai ser *meu*. E Joshua vai dar o fora da empresa.

– Vamos resolver logo isso.

Quando chego ao escritório na sexta-feira, Joshua é uma enorme mancha mostarda no canto de meu ângulo de visão. Dependuro meu casaco e vou direto ao escritório de Helene. Hoje ela chegou cedo. Eu poderia envolvê-la em meus braços e apertá-la.

– Já cheguei – aviso. Helene faz um gesto me convidando para entrar, e eu fecho a porta ao passar. – Tudo certo?

– Joshua também entregou a documentação. E dois candidatos de fora da empresa até agora. Como foi seu encontro? Está tudo bem?

Ela é sempre a imagem da compostura. Hoje, está usando um blazer sobre o que provavelmente é uma blusa de seda pura enfiada por dentro da saia de lã. Helene não usa nada comum, feito de algodão. Espero que ela deixe seu guarda-roupa de herança para mim quando morrer.

Relaxo o corpo na cadeira.

– Deu tudo certo. Danny Fletcher, da equipe de design. Espero que isso não seja problema. Ele vai deixar a empresa em algumas semanas para trabalhar como *freelance*.

– Uma pena. Fletcher é muito bom no que faz. E você sair com ele não é problema nenhum.

Minha mente volta a pensar no beijo de Joshua no elevador. Isso, sim, é um problema.

– Mas alguma coisa aconteceu... – Helene arrisca.

– Eu tive uma discussão pesada com Joshua antes do encontro e acabei ficando mexida. Acordei me sentindo instável, sentindo que, se eu aparecesse aqui, nós dois sairíamos levados por paramédicos, ensopados de sangue.

Helene me olha com ares de especulação.

— Por que motivo vocês discutiram?

Talvez não seja boa ideia extravasar meus problemas pessoais com Helene. Estou sendo extremamente antiprofissional. Minhas bochechas esquentam e, quando não consigo pensar em uma mentira, resumo o que aconteceu:

— Ele pensou que eu estivesse mentindo quando falei que tinha um encontro. Como eu sou idiota!

— Interessante — ela fala lentamente. — Você já pensou melhor nisso?

Dou de ombros. Só obsessivamente, a ponto de me fazer perder o sono.

— Estou brava comigo mesma por tê-lo deixado me irritar. Você não tem ideia de como é difícil passar o dia sentada de frente para ele, tentando resistir a seus ataques constantes.

— Eu tenho uma ideia. Chamo isso de "diplomacia arriscada".

Helene aponta o polegar na direção da parede.

Ela é a pessoa perfeita em quem confiar. O senhor Bexley está do outro lado da parede agora, tramando maneiras diversas de assassiná-la. Ela acompanha meu olhar. Ouvimos um espirro que mais parece uma buzina, o barulho de alguém soltando gases e alguns resmungos.

— Por que ele imaginou que você estivesse mentindo? E por que isso a deixou tão irritada assim? — indaga Helene, desenhando espirais em seu bloco de notas.

Sinto-me um pouco hipnotizada. Ela se transformou em minha terapeuta.

— Joshua me acha uma piada. Ri o tempo todo do que os meus pais fazem. Tenho certeza de que ri da escola onde estudei, das minhas roupas, da minha altura, do meu rosto.

Ela assente pacientemente, esperando que eu desenvolva esse emaranhado de pensamentos.

— E me incomoda saber que ele pensa isso de mim. É o que me irrita. Só quero que ele me respeite.

— Você valoriza sua reputação de ser gentil e acessível – ela complementa. – Todo mundo gosta de você. Ele é o único que resiste.

— Ele vive para me destruir.

Talvez eu esteja adotando um tom excessivamente dramático.

— E você, para destruí-lo – ela aponta.

— Sim. E eu não quero ser esse tipo de pessoa.

— Não interaja com ele hoje. Você pode ficar no escritório desocupado do terceiro andar. Podemos transferir seus telefonemas para lá.

Nego com a cabeça.

— É tentador, mas não. Eu dou conta de enfrentá-lo. Vou esboçar o relatório trimestral e ficar quieta. Vou esquecer que ele existe.

Ainda lembro do sabor de sua boca. Inspirei suas expirações quentes até meus pulmões se verem cheios dele. Seu ar estava dentro do meu corpo. Em dois minutos, ele me ensinou coisas que toda a minha vida não tinha me ensinado. Esquecer sua existência vai ser um desafio, mas a nova vaga não é nada além de desafios.

Fecho delicadamente a porta do escritório de Helene e me recomponho. Viro-me e ali está ele, tranquilo em sua cadeira.

— Oi.

Sou recebida com uma versão diferente de "Como Você Está?".

— Olá – respondo duramente antes de andar até minha mesa.

O que ele diz em seguida me deixa abalada:

— Eu sinto muito. Muito, muito mesmo, Lucy.

Acredito nele. A memória do seu semblante dolorido enquanto se afastava de mim no bar praticamente me impossibilitou de dormir por duas noites seguidas. Agora é a hora. Eu poderia levar-nos de volta ao *status quo*. Poderia esbravejar com ele e ele esbravejaria em resposta. Mas esse não é o tipo de pessoa que eu quero ser.

— Sei que sente.

Nós dois sorrimos e olhamos um para a boca do outro, o fantasma do beijo ainda pairando entre nós.

Hoje Joshua não está imaculado como costuma estar. Parece menos arrumado, provavelmente por não ter dormido bem durante as últimas noites. Sua camisa amarelo-escura é da cor mais horrível que já vi. O nó da gravata está malfeito, o maxilar tomado pela barba por fazer. Seus cabelos estão uma bagunça, quase formando um chifre em um dos lados. Hoje Joshua mais parece um Gamin. Está divino e olhando na minha direção com uma memória em seus olhos.

Quero correr até minhas pernas cederem. Quero usar o braço para arrastar tudo o que há em sua mesa. Sinto minhas roupas tocando a pele. É assim que os olhos de Joshua me fazem sentir quando estão apontados para mim.

— Vamos baixar as armas, está bem?

Ele levanta as mãos para mostrar que está desarmado.

Mãos grandes o suficiente para envolverem meus tornozelos. Engulo em seco.

Para esconder o desconforto, finjo puxar uma arma do bolso e jogá-la de lado. Ele leva a mão a um coldre imaginário na altura do ombro, pega uma arma e a deixa sobre sua agenda. Eu puxo uma faca invisível da coxa.

— Todas elas — insisto, apontando para debaixo da mesa.

Ele leva a mão ao tornozelo e finge tirar uma pistola de um coldre no tornozelo.

— Melhor assim.

Solto o corpo na cadeira e fecho os olhos.

— Você é muito esquisita, Moranguinho.

Sua voz não sai grosseira. Forço meus olhos a se abrirem e o Jogo de Encarar quase me mata. Seus olhos são azuis como o peito de um pavão. Agora, tudo entre nós está mudando.

— Vai me denunciar ao RH?

Alguma coisa em meu peito se aperta dolorosamente. Então é *por isso* que ele está com essa aparência péssima. Passou por um dia terrível ontem, imaginando que seria carregado por seguranças para fora do prédio assim que eu chegasse. Minha mesa vazia deve ter sido aterrorizante para ele. Joshua ficou ali, sentado, imaginando o momento em que seria algemado por ser um molestador de mulheres baixinhas. Agora eu entendi. E como fui idiota!

— Não. Mas, por favor, será que poderíamos nunca mais falar sobre... *aquilo?* – pergunto, e as palavras saem um pouco roucas.

Estou acalmando-o em vez de usar essa oportunidade para aterrorizá-lo. Mais um passo em direção a me tornar a pessoa que quero ser. Mesmo assim, ele franze a testa como se se sentisse profundamente insultado.

— É isso que você quer?

Confirmo com a cabeça, mas sou uma mentirosa. *Eu só quero beijar você até dormir. Quero me esfregar em seus lençóis e descobrir o que há em sua cabeça e por baixo da sua roupa. Quero parecer boba com você.*

A porta do senhor Bexley está entreaberta, então falo o mais baixinho que posso.

— Estou ficando louca.

Joshua percebe a verdade nas minhas palavras. Estou com olhos loucos, desesperados. Ele assente como se estivesse simplesmente apagando um arquivo no computador. O beijo nunca aconteceu.

Rezo por alguma distração. Um alarme de incêndio. Julie me ligando para dizer que nunca mais vai cumprir prazo nenhum. E não sou a única rezando para o chão se abrir.

— Como foi o seu... encontro? – A voz sai enfraquecida, os nós de seus dedos estão esbranquiçados.

Ser gentil comigo requer muito esforço.

— Foi tudo bem. Temos muitas coisas em comum.

Tento, em vão, fazer meu computador acordar.

— Vocês dois são extremamente pequenos – ele lança, franzindo a testa para o computador como se essa fosse a pior conversa da qual já participou.

Ser meu amigo não é algo que ele consiga fazer com naturalidade.

— Ele nem me provocou por causa dos morangos. Danny é... gentil. Faz o meu tipo.

Isso é tudo o que consigo pensar e dizer.

– Gentileza é o que você quer, então.

– É o que todo mundo quer. Meus pais estão implorando há anos para eu encontrar um cara legal.

Mantenho a voz leve, mas, por dentro, uma pequena bolha de esperança ganha força. Estamos conversando como amigos.

– E o Senhor Gentileza a levou para casa?

Já percebi o que ele quer saber.

– Não, eu peguei um táxi. Sozinha.

Joshua expira pesadamente. Esfrega a mão no rosto, exausto, então me olha através dos dedos abertos.

– O que vamos jogar agora?

– O que acha de um jogo chamado Colegas Normais? Ou o Jogo da Amizade? Estou morrendo de vontade de tentar um desses.

Ergo o olhar e seguro a respiração. Ele se ajeita na cadeira e lança um olhar perfurante para mim.

– Os dois jogos seriam uma perda de tempo, não acha?

– Ai, nossa!

Se eu me expressar com sarcasmo, Joshua não vai saber que estou falando sério. Ele abre a agenda, segura o lápis e começa a fazer tantas anotações que eu só consigo piscar e me virar para o computador. Não posso mais me importar com sua agenda ridícula. Seu lápis, minha experiência como espiã... tudo isso termina agora mesmo. Tudo foi uma perda de tempo.

Digo a mim mesma para ficar contente.

Hoje é o dia da camisa preta maravilhosa. Façam uma marca especial no dia de hoje em suas agendas. Contem a seus netos histórias sobre o dia de hoje. Afasto os olhos, mas, instantes depois, eles deslizam outra vez na mesma direção. Debaixo daquela camisa está um corpo que poderia embaçar os olhos de uma bibliotecária idosa. Acho que minha calcinha está em chamas.

O JOGO DO AMOR/ÓDIO

Uma semana se passou desde o beijo sobre o qual nunca penso. A equipe da Bexley & Gamin entra como gado no ônibus.

— Declarações assinadas — Joshua repete várias e várias vezes enquanto as pessoas lhe entregam folhas de papel. — Declarações para mim, dinheiro para Lucinda. Ei, esta aqui não está assinada. Assine. Declarações assinadas.

— Quem é Lucinda? — alguém grita no fim da fila.

— Dinheiro para Lucy. Essa pessoinha minúscula aqui. Cabelos. Maquiagem. Lucy.

Alguém vai estar todo sujo de tinta logo, logo. A fila vem mais para a frente e eu sou quase amassada contra a lateral do ônibus.

— Ei, eu não falei para vocês a atropelarem.

Joshua os arrasta para trás e me reequilibra ao seu lado como se eu fosse um pino de boliche. O calor de sua mão passa pela minha manga. Em seguida, Julie toca meu outro cotovelo e eu quase salto para fora da minha própria pele.

— Desculpe por ter perdido o prazo aquele dia. Mal vejo a hora de conseguir dormir uma noite inteira. Estou parecendo um zumbi.

Ela me entrega os vinte dólares e noto suas unhas francesinhas. Tento esconder meu esmalte descascando.

— Eu queria pedir um favor — anuncia.

Por sobre o ombro de Julie, posso ver Joshua tenso, ouvidos ligados como um satélite à nossa conversa. Bisbilhotar é falta de educação. Levo-a um pouco mais distante, mantendo a mão estendida para as pessoas continuarem me entregando o dinheiro.

— Ah, o que foi? — pergunto com o estômago já afundando.

— Minha sobrinha está com dezesseis anos e precisa fazer um estágio. O diretor do colégio acha que isso a ajudaria a ganhar um pouco de perspectiva. Ela não pode matar aula e dormir o dia todo, entende? Adolescentes não entendem o conceito de trabalho.

— Você poderia conversar com a Jeanette? Talvez ela consiga alguma coisa. — Pego o dinheiro de mais uma pessoa. — Adolescentes costumam se interessar pelo trabalho da equipe de design.

— Não, eu queria que ela fizesse um estágio *com você*.
— Comigo? Por quê?
Sou tomada por uma necessidade de sair correndo.
— Você é a única pessoa aqui que teria paciência para lidar com ela. Minha sobrinha tem, digamos, opiniões fortes.

Pela primeira vez na história da humanidade, eu queria que Joshua nos interrompesse. Que qualquer coisa acontecesse. Por favor. Envio mensagens ao seu ouvido-satélite, mas elas não chegam. *Joshua, socorro, socorro, eu faço qualquer coisa para você interromper.*

— Ela tem muitos problemas. Drogas e mais tantos outros. Por favor, você poderia ajudar? Significaria muito para a mãe dela, e talvez um estágio com você a faça voltar para o caminho certo.

— Bem, posso pensar um pouco?

Desvio o olhar para Joshua, que deixou de bisbilhotar e agora se virou na nossa direção, mantendo a mão no quadril.

— Eu preciso saber agora. Ela tem um encontro com o coordenador do colégio em meia-hora. E precisa apresentar alguma proposta.

Julie olha para mim com a boca curvada em um sorriso de esperança.

— Por quanto tempo? Tipo, um dia?

Julie dá um passo para a frente e aperta dolorosamente meu braço com sua linda mão.

— Seria por duas semanas, durante as próximas férias escolares. Você é um amor de pessoa. Obrigada. Vou enviar uma mensagem agora mesmo para avisar. Ela não vai ficar muito feliz, mas você dá conta.

— Espere — começo a falar, mas ela já está subindo no ônibus.

— Puxa, essa conversa se desenrolou bem — Joshua ironiza. — Sabe o que eu teria dito a ela?

Arrasto a mão pelos cabelos. Meu escalpo está quente e formigando.

— Cale a boca.

— Eu teria dito uma única palavrinha. É simples, você deveria tentar alguma vez. Repita comigo: "Não".

— Oi! — Danny cumprimenta com um sorriso quando entra na fila.

— Não. Oi. — respondo com o meu sorriso mais fofo. Espero que esteja usando filtro solar em sua pele linda e clara. – Veja só que dia é hoje. Acho que brincar de paintball é uma boa maneira de celebrar seu último dia na empresa.

– Sim, vai ser divertido. Mitchell disse que eu não precisava ir, mas eu quis mesmo assim. A equipe também organizou um almoço de despedida.

Sei de quase tudo o que aconteceu. Trocamos vários e-mails durante toda a semana e eu o ajudei a levar algumas caixas até o carro. O pequeno ícone em forma de envelope na minha barra de ferramentas anda me dando golpes de animação. Passei a manhã toda com calor e inquieta. Com um pouco de vertigem. Sem dúvida estou apaixonada.

– Declarações – Joshua repete.

Danny lhe entrega a folha de papel, mas não afasta o olhar de mim.

– Adorei seu cabelo hoje – Danny elogia e eu abaixo a cabeça, lisonjeada.

É a coisa certa a dizer para mim. Sou ridiculamente vaidosa com meus cabelos. Cada grama do meu condicionador deve custar mais do que um grama de cocaína.

– Obrigada, os fios estão um pouco rebeldes. Acho que é a umidade.

– Bem, se for assim, então eu gosto deles rebeldes – afirma, tocando as ondas que descansam sobre meu braço.

Olhamos um nos olhos do outro e começamos a rir.

– Posso apostar que sim, safadinho.

– Entregue o dinheiro a ela e entre no ônibus – Joshua fala vagarosamente, como se Danny de fato fosse um funcionário mais baixo na hierarquia.

Os dois trocam um olhar nada amigável. Recebo os vinte dólares de Danny e lhe ofereço um sorriso colorido pelo Lança-Chamas.

– Quer ser colega de equipe?

– Sim – digo ao mesmo tempo em que Joshua late:

— Não.

Ele sabe mesmo dizer essa palavra como ninguém.

— As equipes já foram previamente definidas — Joshua avisa.

E Danny me lança um olhar que claramente diz: "O que é que esse cara tem enfiado no rabo?".

— Eu queria... — Danny começa.

Mas Joshua logo lança aquele olhar de "Seja lá o que você estiver imaginando, pode ir tirando seu cavalinho da chuva". A última pessoa da fila me entrega o dinheiro e nós ficamos em meio a uma estranha névoa de tensão.

CAPÍTULO 8

— A gente já conversa — Danny promete enquanto entra no ônibus.

Não posso culpá-lo. Joshua mantém os braços cruzados como se fosse o segurança de uma discoteca.

— Que diabos foi aquilo? — pergunto a ele, que faz uma negação com a cabeça.

Helene e o senhor Bexley saem de seus respectivos Porsche e Rolls-Royce para nos encontrar. É claro que não vão participar da atividade em equipe. Em vez disso, ficarão sentados em um terraço, observando o parque de paintball, bebendo café e odiando um ao outro até os ossos.

— Vamos — Joshua chama enquanto me empurra para dentro do ônibus.

Só restam dois assentos vazios, bem na frente. Ele usou duas pilhas de pranchetas para mantê-los reservados. Danny se inclina na direção do corredor e dá de ombros pesarosamente.

Joshua enviou um e-mail a todos, instruindo-os a se trocarem e vestirem roupas casuais no horário de almoço. Peças com as quais não nos importássemos, que pudessem ser destruídas. Estou usando calça jeans justa e uma camiseta enorme do Elvis, que era do meu pai, na qual um Elvis gordo, de macacão, segura o microfone próximo aos lábios.

A peça desliza toda larga em meu ombro. Eu estava tentando criar o modelito que Kate Moss usaria em um festival de música. Ao julgar pela expressão de Joshua ao me ver, fracassei irremediavelmente. Mesmo assim, ele olhou para a alça verde esmeralda do meu top. Disso, tenho certeza.

Joshua também se trocou e está usando roupas casuais. Enquanto dobrava sua camisa social preta como se fosse um atendente de loja, vi meu reflexo na parede diagonal a ele; uma máscara boquiaberta deixando transparecer uma luxúria ridícula. Em primeiro lugar, Joshua está usando calça jeans. A peça é velha e surrada, com manchas brancas, e se esfrega em sua coxa quando ele se senta. Não posso culpar as calças por quererem roçar assim.

Além do jeans, está de camiseta. O algodão suave e sem costuras derrete por seu torso. As formas debaixo daquela camiseta são... As mangas se afundando contra aqueles bíceps me fazem... Mas é sua barriga de tanquinho que me... A pele é dourada como...

— Posso ajudar com alguma coisa?

Ele puxa a camiseta para baixo. Meus olhos deslizam, acompanhando sua mão. Quero enfiar aquela camiseta em uma tigela e comê-la de colher.

— Jamais pensei que você fosse usar... — E aponto vagamente para seu fabuloso torso.

— Você pensou que eu sairia para jogar paintball usando Hugo Boss?

— Hugo Boss, é? Não foram eles que criaram o uniforme dos nazistas?

— Lucinda, menos.

Ele fecha os olhos por um minuto inteiro. Aperta o osso do nariz. Juro que está tentando não rir. Ou gritar.

Vesgo os olhos para ele, coloco a língua para fora e digo:

— *Dãrrr*.

Joshua não se abala. Derrotada, viro-me e olho para os assentos até encontrar os cabelos despenteados de Danny. Acenamos um para o outro e fazemos expressões idênticas para indicar o quão insatisfeitos nos sentimos com quem está sentado ao nosso lado. Então me dou conta de que meus seios provavelmente estão a poucos centímetros da cabeça de Joshua e me abaixo outra vez.

– Você e ele? Isso já está ficando meio patético – comenta um Joshua irritadiço.

Essa palavra me atinge. "Patético". Ele já me chamou de patética antes. Acabamos voltando à posição em que nos sentimos mais à vontade. Eu me perguntava como as coisas seriam depois daquele beijo, das lágrimas em meu rosto, da tristeza em seus olhos. Do pedido de desculpas. Do silêncio que tomou conta de cada dia desde o ocorrido.

Segundo Joshua, estamos outra vez nos odiando, e eu não posso mais aguentar. Não consigo mais viver assim. Está sugando demais minha energia. O que antes era tão fácil quanto respirar agora é uma batalha árdua. Estou tão cansada que chega a doer.

– Claro, eu sou patética.

Observo a estrada à nossa frente e o Jogo de Encarar começa, mas só uma das partes está jogando. Eu o ignoro. Ninguém além da motorista pode nos ver, isso se ela escolher olhar, mas tem o trânsito para mantê-la preocupada.

– Moranguinho.

Eu o ignoro.

– Moranguinho – insiste.

– Não conheço ninguém com esse nome.

– Brinque comigo por um minuto – ele pede com uma voz suave, bem ao meu ouvido.

Viro-me para observá-lo e tento regular a minha respiração.

– RH – consigo dizer.

Seu rosto está tão perto do meu que posso saborear seu hálito, aquela doçura mentolada. Consigo ver as pequenas riscas em sua íris, centelhas amarelas e verdes inesperadas. São tantos tons de azul que penso em galáxias. Estrelas.

– As rosas ainda estão vivas?

Existe alguma coisa que esse homem não saiba? Tento não notar que nossos cotovelos estão se encostando. Cotovelos não são zonas erógenas. Pelo menos até agora eu achava que não.

— Como você soube delas?

— Bem, todos sabem que Danny Fletcher é o homem dos seus sonhos. Rosas e toda essa coisa... Almoços à luz de velas para dois no refeitório do trabalho...

Joshua estuda meus lábios e eu deslizo a língua por eles. Então olha para a alça do meu top, e meus joelhos se apertam.

— Quem é a sua fonte?

Seus olhos estão escurecendo mais. A pupila consome o azul e me faz lembrar daquele momento no elevador. Olhos assassinos. Olhos apaixonados. Olhos de um louco.

— Fontes internas? Tipo as que revistas têm para contar informações das celebridades? Você por acaso é uma *celebridade*, Lucinda?

— Não entendo como você sabe de tanta coisa.

— Sou perceptivo. Sei de tudo.

— E como foi que descobriu que tenho rosas em meu quarto? Linguagem corporal? Anda lendo a minha mente? Você se acha! Deve ter olhado pela minha janela com um telescópio de longo alcance.

— Talvez eu more em um apartamento de frente para o seu.

— Bem que você queria, seu doente.

Começo a sentir as gotículas de suor em minha espinha. Se ele morasse ali, provavelmente seria eu quem estaria no escuro e com binóculos na mão.

— Mas e aí? As rosas estão vivas?

— Elas murcharam. Tive que jogá-las fora hoje.

Sua mão desliza por meu braço lentamente e de maneira suave, provocando arrepios. É uma mão tão fria que me faz olhá-lo no rosto. Um rosto que ostenta aquele franzir de testa padrão.

— Você é muito bonita.

— Sim, mas isso é senso comum — respondo com sarcasmo enquanto puxo meu braço para longe dele.

O JOGO DO AMOR/ÓDIO

O ônibus faz uma curva e uma pequena onda de vertigem embaça a minha visão. A náusea invade o meu estômago. Não que eu esteja ficando enjoada ou doente. Mas acredito que meu corpo provavelmente está reagindo ao estresse do processo de candidatura à vaga, ao beijo e ao brilho homicida nos olhos de Joshua.

– Ansiosa por ser aniquilada?

Tento responder da melhor forma que posso:

– Eu vou destruir você. Será o Jogo do Ódio. Você contra mim. Isso só pode terminar assim.

– Está bem – Joshua late abruptamente, levantando-se e ajoelhando-se em seu banco para falar com nossos colegas.

Todos param, ficam relutantemente em silêncio e sinto uma rebelião prestes a começar.

Também me ajoelho e aceno para todos, que sorriem. A policial boazinha e o policial universalmente desprezado. Percebo que os Gamins estão sentados à esquerda e os Bexleys à direita.

– Teremos um total de seis desafios hoje – Joshua começa a explicar.

– Sete se vocês incluírem ele – acrescento, provocando risos.

Ele fecha uma carranca para mim.

– Seis equipes de quatro pessoas. Em cada desafio, estarão em um grupo diferente. O objetivo é conhecer seus colegas em um ambiente ao ar livre e repleto de atividades. Como equipes, desenvolverão estratégias para pegar a bandeira antes dos outros.

O pessoal parece não entender nada. Depois de bufar, Joshua prossegue:

– É sério mesmo que ninguém aqui nunca brincou de paintball? Vocês vão tentar pegar a bandeira antes da equipe adversária. A regra principal: não vale atirar nos marechais que estão com as bandeiras. Nem no rosto ou na virilha dos colegas.

Droga, era justamente com isso que eu estava sonhando.

– Marion, Tim, Fiona, Carey, vocês são os marechais. Vão ficar em um lugar privilegiado, ao lado da bandeira, e avaliar a participação das equipes. Tomem notas se quiserem.

Fico ligeiramente mais tranquila. Estava um pouco preocupada imaginando esses quatro arrastando seus corpos pesados, doloridos e velhos pela quadra de paintball. Carey e Marion assentem uma para a outra enquanto Joshua passa para trás quatro pranchetas. Seria melhor ele ter discutido tudo isso comigo. Agora ele detém total controle, e eu não gosto nada disso.

— Depois que terminarmos, vamos nos reunir no deque para tomar um café e discutir o que aprendemos sobre nossos colegas hoje.

Então, ajeita-se outra vez em seu assento.

— Alguma pergunta?

Olho em volta e vejo algumas mãos erguidas.

— Receberemos alguma roupa especial?

Joshua diz algo baixinho, algo que soa como "que idiotas!". Eu respondo à pergunta:

— Cada um vai receber uma roupa especial e um capacete para garantir a proteção dos olhos e do rosto. — Sinto Joshua olhando para o meu quadril. — Então, sim.

Vejo Andy baixar a mão.

— Paintball provoca dores?

— Muitas — Joshua diz em seu banco.

— Lembrem-se, pessoal, o objetivo não é machucar os colegas. — Olho para Joshua. — Por mais que sintam vontade de fazer isso!

— Vocês dois vão estar em equipes rivais? — alguém grita no fundo do ônibus, provocando risos.

Nossa reputação de odiar um ao outro saiu um pouquinho do controle e grande parte da culpa disso é minha. Tenho que parar de fazer piadinhas envolvendo meu ódio por Joshua.

— O objetivo da atividade é trabalharmos em equipe. Até mesmo Joshua e eu vamos chegar a um entendimento hoje. Enfim. Ao grande prêmio!

As palavras fazem todos se sentarem com a coluna ereta.

— O prêmio... — Joshua me interrompe. — É um dia de folga extra e remunerado. Sim, vocês ouviram direito. Um dia de folga remunerado. Mas terão de conquistá-lo demonstrando um comprometimento impressionante com a sua equipe.

Todos começam a cochichar. Um dia de folga. Um dia livre da prisão.

A Paintball Shootout fica em uma pequena plantação de pinhos. O chão é de terra batida e as árvores parecem desejar sua própria morte. Um corvo voa no céu, chiando assustadoramente. Todos formam um círculo próximo aos portões.

Um homem usando sobretudo camuflado com o logo da Paintball Shootout posa como um sargento ao lado de Joshua. Os dois têm o mesmo tipo de corpo: são altos e musculosos como dois marinheiros. Talvez Joshua passe todas as suas horas livres aqui. Talvez os dois sejam irmãos de arma. Camaradas que já viram muitas coisas acontecerem nessa terra bárbara. Quando os dois me olham com expectativa, percebo que eu também deveria estar ali na frente.

Joshua mostra como colocar a roupa e os itens de proteção e todos observam com interesse. Sargento Paintball responde a todas as perguntas idiotas com a paciência de quem já tem muita experiência nisso. Todos recebemos nossas roupas, capacetes e joelheiras. Logo após, pegamos as armas.

Somos adultos participando de uma atividade para formar equipes na posição de profissionais, então naturalmente passamos vários minutos brincando, fazendo poses com nossas armas de paintball e criando efeitos sonoros. Joshua e Sargento Paintball nos observam como cuidadores em um hospício. Alan, que recentemente fez aniversário, finge atirar em todos nós.

– Pow! Pow! Pow! – entona com sua voz grossa como a de um barítono. – Pow! Pow!

Afasto-me dessa guerra falsa e começo a me sentir pequena e delicada. Olho para as pernas longas e os olhos iluminados pela vontade de atirar tinta. Talvez as tensões só ganhem força. E todos só se tornem mais agressivos. Gamins *versus* Bexleys, trocando as armas de paintball por AKs-47.

O suor começa a brotar em minha testa e acima dos meus lábios e, seja lá o que estiver acontecendo em meu estômago, é ruim. Meu batom é uma mancha rosa desbotada e meus cabelos estão enfiados no pesado capacete. O menor traje que eles tinham ainda é tão grande que as pessoas riem ao me ver. Tanta elegância. Tanto encanto. Vou precisar me concentrar muito para sobreviver a esta tarde.

Helene acena para mim. Está em um deque de onde consegue ver tudo. Usa uma viseira branca, blusa de linho creme, calça cigarette branca e toma uma Coca Diet com canudo. Só Helene para usar branco em um lugar onde as pessoas vêm jogar paintball. O senhor Bexley está de cara feia e continua sentado, de braços cruzados. Mais parece um sapo-boi usando uma calça cáqui.

– Divirtam-se, pessoal! – Helene grita. – E lembrem-se: daqui nós conseguimos ver tudo!

Com esse comentário assustador ao estilo Big Brother ainda ecoando em nossos ouvidos, damos início à partida.

Joshua lê os nomes das primeiras equipes e eu estou em seu time. Saímos andando com nossos colegas, Andy e Annabelle. Dois Gamins, dois Bexleys. A equipe adversária é formada na mesma proporção. Joshua deve ter organizado todos os times assim.

Eu devia ter aberto a boca nessa última semana para perguntar sobre os arranjos, mas o clima entre nós estava insuportável. Além disso, desde que minha ideia do retiro corporativo foi completamente arruinada, fiquei desgostosa com esse evento. Ele roubou e acabou com a minha ideia, então que organizasse tudo!

Contudo, conforme percebo que o ar está tomado por uma animação palpável, percebo que minha grande ideia agora se tornou uma conquista dele. Sou mesmo uma idiota.

Avisto Marion com a bandeira. Ela acena alegremente com uma caneta presa entre os dentes, uma prancheta na mão e binóculos dependurados no pescoço. Está levando seu trabalho (que não é lá tão importante) muito a sério.

– Equipe, qual é o plano?

O JOGO DO AMOR/ÓDIO

Não consigo ver nossos oponentes.

– Ficamos juntos ou nos separamos? – Annabelle está confusa.

– Hum, eu sugeriria ficarmos juntos, já que estamos em uma atividade cujo propósito é formar equipes.

Dependuro-me em um galho do pinheiro e queria poder secar o rosto. Esta roupa é tão quente que me leva a pensar que vou desmaiar.

– Melhor escolhermos uma pessoa para perseguir a bandeira e protegê-la – Andy propõe, e é uma boa ideia.

– Gostei da estratégia. Quem vai fazer isso?

Os dois olham furtivamente, com medo, para Joshua. Por algum motivo, esse capacete não fica ridículo na cabeça dele. Suas mãos enluvadas parecem grandes o suficiente para abrir um buraco em uma parede de alvenaria. Ele deveria ser reproduzido em miniaturas e vendido em lojas de brinquedos para meninos violentos.

– Annabelle – Joshua decide. – E, se ela levar um tiro, a gente persegue a bandeira em ordem alfabética, de acordo com as iniciais dos nossos primeiros nomes.

Ótimo. Isso significava Andy, Joshua e só depois Lucy. Basicamente, ninguém me protegeria. Eu seria carne de canhão. Começamos a marchar em busca de um esconderijo. Andy percebe que meu pânico é cada vez maior e oferece um sorriso gentil.

– Nós todos vamos cuidar de você, Lucy, não se preocupe.

Eu sabia que Joshua encontraria uma maneira de me ferrar. Vou sair dessa experiência ferida, com hematomas e toda manchada de tinta. E não posso atirar nele até eu ir parar em outro time.

Uma buzina ecoa e eu me vejo rastejando desajeitadamente por um terreno inclinado, a terra me fazendo deslizar. Vou na frente, o que faz sentido, considerando a nossa estratégia. Vou reconhecendo o caminho antes dos demais. Sou a mais descartável.

Meus braços parecem não me sustentar direito e acabo caindo de barriga. Annabelle corre à minha frente com membros desajeitados e zero estratégia ou discrição. Ajoelho-me e tento dizer para ela ir para trás. Uma mão agarra a minha panturrilha e sou puxada para trás até

Joshua estar ao meu lado, com a arma empunhada. Ele acena para que eu me deite.

— Não faça isso — chio para ele.

— Você vai levar um tiro na cara se ficar com a cabeça erguida.

— Por que você não me deixou de cabeça erguida, então?

Sua mão se abre em minha lombar, prendendo-me firmemente junto ao chão. Na privacidade da minha mente, posso admitir que o peso de sua mão é delicioso. O tecido entre nossas peles começa a esquentar.

— Qual é o seu problema, hein?

— Problema nenhum — rebato, tentando me afastar.

— Sua aparência está péssima.

— Obrigada. Temos que proteger Annabelle.

Levanto-me um pouquinho e a vejo cambaleando entre os caules finos das árvores, completamente exposta. Andy corre elegantemente atrás dela. A bandeira é uma faixa alaranjada ao longe.

E então me pego em pé e correndo. Joshua vem atrás de mim. Abaixo-me atrás de uma pedra e vejo Marnie, da equipe rival. Ergo a arma e atiro algumas vezes, acertando-a no ombro. Decepcionada, ela exclama:

— Ai!

E sai do jogo.

Quando olho para Joshua, ele parece ligeiramente impressionado.

— Fodona!

Annabelle está fora de nosso campo de visão. O ar é preenchido com estouros e gritos de dor. Depois de algumas corridas curtas, encontro Andy ajoelhado no chão, tentando amarrar o cadarço de sua bota e com uma enorme mancha de tinta no peito.

— Ah, Andy!

Ele me observa com os olhos penosos de um veterano da guerra do Vietnã que sabe que está prestes a morrer, com o sangue escorrendo de uma ferida na barriga e segura meu joelho:

— Vá salvá-la.

Ele anda assistindo a filmes de ação em excesso, mas, a julgar pelo peso da responsabilidade e do senso de proteção dentro de mim, eu também. Vou dar um jeito de salvar Annabelle.

— Vou buscar uma Coca-Cola — Andy me informa, arruinando o momento.

Volto a correr. Minha respiração é rasa e meus óculos de proteção estão ligeiramente embaçados. Ouço um estalo e um pulo atrás de uma pirâmide de barris, que ecoam o barulho dos tiros. Olho para baixo. Nada me atingiu até agora. Imagino que sentiria se tivesse sido acertada. Dou uma olhada na parte de trás das minhas pernas.

— Você está limpa — Joshua grita.

Olho para ele, que está agachado atrás de um tronco enorme. Segura tranquilamente sua arma apontada para o céu. Tento copiar sua posição, mas a arma é pesada.

— Besta — comenta desnecessariamente.

Joshua deve ter punhos fortes.

— Cale a boca.

Annabelle está agachada atrás de uma árvore minúscula. Vejo-a erguer a arma e acertar Matt, do time adversário. Deixo escapar um grito de felicidade e ela se vira com o polegar erguido para mim, com um sorriso enorme no rosto enquanto acena para que eu a acompanhe. A bandeira tremula a cerca de 30 metros. Nem preciso olhar para Joshua para saber que ele já está acenando uma negação para mim.

— Vá em frente, então. Eu vou protegê-la. Somos só você e eu agora. O mais velho vai na frente.

— Ótimo. Agora chegou a minha hora de morrer.

Joshua corre rapidamente até o barril onde estou me escondendo e checa sua munição, olhando por sobre o ombro.

— Seus pais foram militares?

Isso explicaria muita coisa. O comportamento severo, os modos impessoais. O vício em regras e sequências. Sua organização e frugalidade em tudo o que faz. Agora ele tem poucos amigos e a incapacidade de formar laços com as pessoas. Aposto que seus pais passaram muito tempo em missões no exterior. Aposto que é superdetalhista até para arrumar a cama.

– Não – ele responde, verificando a minha arma para mim. – Eles são médicos. Cirurgiões. Bem, eram.

– Eles morreram? Você é... órfão?

– Eu sou o quê? Eles se aposentaram. Estão vivos e bem.

– Entendi. Você é daqui?

A ponta da minha arma descansa no chão. Estou cansada demais. Espero que me acertem. Preciso descansar.

– Só eu e meu irmão vivemos na capital. – Ele franze a testa para mim e usa sua arma para cutucar a minha. – Mantenha a pistola erguida.

– Vocês são *dois*? Que Deus nos ajude!

Tento obedecer, mas meus braços estão fracos.

– Fique feliz por saber que nós não somos nada parecidos.

– Você o vê com frequência?

– Não.

Joshua avalia o caminho à nossa frente.

– Por que não?

– Não é da sua conta.

Avisto Danny ao longe, andando em meio às árvores na área onde acontece outra disputa. Há uma corda separando os dois campos. Aceno para ele, que ergue a mão em resposta, um sorriso enorme espalhando-se em seu rosto. Joshua ergue a arma e puxa o gatilho duas vezes com a precisão de um atirador de elite, acertando a parte traseira da coxa de Danny antes de fungar todo convencido.

– Por que fez isso? Eu não sou da equipe que está contra vocês! – Danny grita.

Ele também conversa com seu marechal e volta a competir, agora ligeiramente manco.

– Que desnecessário, Joshua. Faltou espírito esportivo.

Começamos a avançar e ele se abaixa para desviar de uma saraivada, empurrando-me para trás de uma árvore. A bandeira está dependurada perto de nós, mas ainda há dois de nossos oponentes na competição.

– Silêncio – chiamos em uníssono enquanto olhamos um para o outro.

O pior lugar do mundo para brincar do Jogo de Encarar é no meio de uma partida de paintball.

Tenho de apoiar meu capacete contra a árvore para conseguir enxergá-lo direito. Seus olhos estão de uma cor que eu jamais vi. A emoção do combate o deixa eletrizado. Ele desvia o olhar para verificar se há algo atrás de nós, e agora seu rosto fica sombrio. Como eu consigo manter a compostura diante desses olhos ferozes?

Estamos encostando um no outro. Minha pele fica imediatamente sensível. E, quando olho de soslaio, vislumbro seu bíceps curvado e pesado. Meu coração palpita quando lembro como foi sentir aquelas mãos em meu maxilar, acariciando-me, inclinando meu rosto para encontrar sua boca. Quando ele me saboreou como se eu fosse um morango doce. Joshua está olhando minha boca e sei que está lembrando exatamente da mesma coisa.

CAPÍTULO 9

— Você está suando — avisa um Joshua com a testa franzida.
Talvez não, então.
Ouço um graveto estalar e percebo que há alguém se aproximando. Incerta, ergo a mão; Joshua assente. Minha hora é essa e ele precisa pegar a bandeira. Agarro sua roupa de paintball e faço-o dar meia-volta e ficar atrás de mim, contra a árvore.
— O que você está...? — ele começa a dizer, mas estou analisando o terreno em busca de uma emboscada. Sou Lara Croft apontando armas, olhos queimando com o gosto da retaliação. Avisto o cotovelo do inimigo atrás dos barris.
— Vá! — grito. Com minha pesada luva, apoio o dedo no gatilho.
— Eu cubro você.
E no mesmo instante acontece. Pow, pow, pow. A dor se espalha por meu corpo — braços, pernas, barriga, peito. Chego a uivar, mas os tiros continuam, manchas de tinta por toda a minha pele. Um enorme exagero. Joshua nos faz girar e usa o próprio corpo para bloquear os tiros. Sinto-o estremecer conforme ainda mais tiros o atingem e ele levanta o braço para proteger a minha cabeça. Será que posso parar o tempo e tirar uma soneca bem aqui?
Ele vira a cabeça e grita furioso com nosso agressor. Os tiros ces-

sam e, ali por perto, ouço Simon comemorando o triunfo, vejo-o chegar ao topo da colina e segurar a bandeira. Droga. Meu único trabalho e ele não me deixou concluir.

– Você devia ter ido em frente. Eu estava dando cobertura. Agora, perdemos.

Outra onda de náusea quase me faz perder o controle.

– Foi mal aí! – Joshua diz com sarcasmo.

Rob está se aproximando, arma apontada para o chão. E eu estou gemendo. A dor pulsa em pontos por todo o meu corpo.

– Desculpa, Lucy. Eu sinto muito. Fiquei um pouco... entusiasmado demais. Eu jogo muito no computador.

Rob dá alguns passos para trás ao ver a expressão de Joshua.

– Você a machucou de verdade – esbraveja meu colega de equipe, e eu sinto sua mão protegendo minha cabeça.

Ele continua me pressionando contra a árvore, joelho entre os meus. E, quando olho à esquerda, vejo Marion nos observando com seus binóculos. Ela logo pega a prancheta para fazer algumas anotações. Um sorriso toma forma em seus lábios.

– Saia – ordeno, empurrando-o fortemente.

Seu corpo é enorme e pesado, e eu estou fervendo e quero arrancar essa roupa de proteção para me deitar na tinta fria. Todos estamos ofegantes quando voltamos ao ponto de partida, debaixo do terraço. Estou mancando e Joshua segura meu braço com força, provavelmente para me fazer andar mais rápido. Vejo Helene lá em cima, ajeitando os óculos de sol. Aceno como o gatinho triste de um desenho animado.

As baixas são abundantes. Pessoas gemem enquanto tocam com cuidado nas partes pintadas de seus corpos. Dezenas de trocas estão acontecendo. Olho para baixo e percebo que a frente do meu corpo está quase toda coberta de tinta. A parte frontal de Joshua está parcialmente limpa, mas suas costas estão uma bagunça. Acredite, nós somos mesmo opostos.

Quando tiro as luvas e o capacete, ele me entrega sua prancheta e uma garrafa de água. Levo a garrafa aos lábios e ela parece se esvaziar muito rapidamente. Tudo está estranho. Joshua pergunta ao Sargento Paintball se eles têm aspirina.

Danny traça seu caminho, passando por entre nossos colegas caídos no chão, para me encontrar. Fica muito claro como minha aparência deve estar asquerosa. Ele olha para a parte frontal do meu corpo e exclama:

— Nossa!

— Eu me transformei em um ferimento enorme.

— Preciso vingá-la?

— Sim, seria ótimo. Rob, da equipe corporativa, é um cara muito bélico.

— Considere-o liquidado. E o que foi aquilo, Josh? Você atirou na minha perna e eu estava em outra partida, cara.

— Desculpa, eu me confundi — Joshua responde com uma voz que respinga falta de sinceridade.

Danny protege os olhos e Joshua sorri para o céu. Nossos colegas andam cambaleando, sujos de tinta, com dor, e sem saberem ao certo o que fazer. As coisas estão começando a se desintegrar rapidamente. Consulto a prancheta. Percebo que ele escreveu meu nome no seu time em todas as rodadas, possivelmente a pedido de Helene. Ela jamais ficaria sabendo se eu mudasse as combinações. Está jogando Sudoku. Uso o lápis e rapidamente faço alterações antes de chamar as próximas equipes. Resmungando, as pessoas se reúnem em seus grupos.

— Esperem, eles foram buscar o kit de primeiros socorros. É melhor você ficar descansando o resto da tarde. Você não está bem — Joshua adverte.

Olho outra vez para Helene e então observo todos à minha volta. Pode ser que, em breve, eu tenha que coordenar todas essas pessoas. Esta tarde é um ensaio, sem dúvida. E não vou falhar agora.

— Sim, você me diz isso desde o dia em que nos conhecemos. Descanse o resto da tarde.

Saio andando sem nem olhar para minha nova equipe.

Esta parece ser a tarde mais longa da minha vida, mas, ao mesmo tempo, passa em um piscar de olhos. A sensação de ser perseguida e observada é enervante e nós de fato formamos laços com as pessoas das equipes. Empurro Quintus, do contas a receber, na direção de um abrigo quando uma chuva de balas de tinta rosa cai perto de nós.

— Vá! Vá! — estimulo como uma líder de equipe da SWAT enquanto Bridget avança em direção à bandeira e as balas de tinta caem ao redor de seus pés.

Durante a terceira partida, quando pego a bandeira, fica claro que estou mesmo passando mal. Eu sabia que era trágico eu me sentir triunfante, mas, francamente, a sensação era a de ter escalado o Everest. Meus colegas de equipe gritavam e Samantha — uma Bexley jogadora de basquete — me ergueu e me fez girar. Tive que segurar o vômito.

Meus braços tremiam por causa do esforço de segurar a arma. Tudo parecia ligeiramente surreal, como se a qualquer momento eu fosse acordar de um terrível cochilo no meio da tarde. O céu é um domo esbranquiçado.

Observo os rostos à minha volta, brilhando com suor. Sinto uma ligação com essas pessoas. Vejo um Gamin comemorar com um Bexley, os dois rindo. Estamos todos unidos nesse jogo. No fim das contas, talvez a ideia de Joshua tenha sido boa. Talvez a única maneira de realmente unir as pessoas seja com batalha e dor. Confronto e competição. Talvez sobreviver a algo seja o motivo.

E, a propósito, *onde* está Joshua? Não o vejo durante o resto da tarde, exceto quando as equipes se reagrupam. Toda vez que alguém corria entre as árvores, meus olhos me confundiam. Eu o via se ajoelhando, carregando a arma e atirando. Via o contorno de seus ombros e a curva de sua coluna. Mas então eu piscava os olhos e era outra pessoa.

Estou esperando o tiro fatal. Uma mancha vermelha e enorme, direto no coração.

— Onde está Joshua? — pergunto aos marechais com as bandeiras, mas eles dão de ombros. — Onde está Joshua? — pergunto a todos que passam. — Onde está Joshua?

O JOGO DO AMOR/ÓDIO

As respostas começam a vir curtas e irritadas.

Puxo minha roupa de proteção, mesmo em meio aos estouros dos tiros. Puxo a gola em vão, expondo apenas meio centímetro de pele suada ao ar frio. E aí vomito. Nada além de água e chá. Não tive fome na hora do almoço. Nem no café da manhã. Chuto um pouco de terra sobre o vômito e seco a boca com as costas da mão. Tudo gira tão rápido que me vejo forçada a me agarrar a uma árvore.

O ar começa a esfriar quando a última buzina ecoa e voltamos ao QG. Todos estão visivelmente exaustos e há um rebuliço enorme enquanto tiramos nossas roupas de proteção. Todo mundo resmunga. Sargento Paintball parece avaliar suas escolhas. Joshua está parado com uma mão no quadril. Instintivamente aponto a minha arma. É chegada a hora.

Lucy *versus* Joshua, a aniquilação total.

Ele se aproxima de mim, totalmente despreocupado com a minha pose, e pega a arma. Tiro meu capacete. Posiciona-se atrás de mim e seus dedos deslizam por minha nuca suada. É como se Joshua tocasse em um circuito elétrico, o que me faz gemer. Ele pega o zíper da minha roupa de proteção e o puxa para baixo. Viro-me para tirá-la, afastando suas mãos.

— Você está passando mal — ele acusa.

Dou de ombros despreocupadamente e subo as escadas, a caminho de onde Helene e o Gordo do Pinto Pequeno esperam.

— Parece que tivemos um excelente trabalho em equipe — ela elogia.

Aplaudimos discretamente, animando uns aos outros. Ergo a bainha da minha camiseta. As feridas são arroxeadas. O cheiro de café me causa enjoo. Posiciono-me à frente do grupo. Joshua está se aparecendo demais. Eu posso melhorar isso.

— Posso pedir aos nossos marechais para se levantarem e discutirem as demonstrações de trabalho em equipe e de coragem que testemunharam?

Os marechais fazem suas observações e eu tento compreendê-las. Suzie aparentemente causou uma comoção ao permitir que seus colegas de equipe avançassem e alcançassem a bandeira.

— Tomei quatro tiros por isso — Suzie conta, encostando a mão no quadril e estremecendo.

— Mas você tomou os tiros em nome do seu time — fala o senhor Bexley, saindo de seu estupor, o qual começo a desconfiar ser provocado por medicamentos prescritos. — Bom trabalho, jovem.

— E, por falar em coragem... — Marion começa, e meu estômago afunda. — A pequena Lucy aqui fez uma coisa muito notável.

Todos aplaudem e eu aceno com a mão, pedindo para pararem. Se mais alguém me chamar de "pequena", "pequenininha" ou "ridiculamente pequena", vou começar a distribuir golpes de caratê. Marion continua:

— Ela tomou pelo menos dez balas por um colega hoje, protegendo-o de alguém que pesou demais a mão, cujo nome permanecerá em sigilo. — E olha diretamente para Rob, que se abaixa no chão como um cão arrependido. Outras pessoas fecham uma carranca para ele. — Ela ficou na frente do colega, com os braços abertos, protegendo-o com a própria vida! — relata, imitando as minhas ações, com os braços abertos como os de um espantalho, corpo sacudindo ao simular os tiros.

É uma boa atriz. E continua seu relato:

— E, para minha surpresa, vejo que não era ninguém menos do que Joshua Templeman que Lucy estava protegendo!

Todos começam a rir. Nossos colegas trocam olhares animados e duas garotas do RH cutucam uma à outra. Marion prossegue:

— Mas... mas aí, ele se virou para protegê-la e tomou balas de tinta nas costas! Para protegê-la! Foi um gesto e tanto!

Um fato curioso: Marion lê histórias românticas na cozinha no horário do almoço. Observo os olhos de Joshua, e ele seca a testa com o antebraço.

— Parece que o paintball fez todos nós nos aproximarmos hoje — consigo dizer, e todos batem palmas.

Se estivéssemos em um episódio de algum programa de TV, agora seria a hora da moral da história: parem de odiar uns aos outros. Helene está satisfeita; seus lábios, repuxados em um sorriso.

O JOGO DO AMOR/ÓDIO

O grande prêmio, o dia de folga, é concedido a Suzie, e ela aceita o certificado improvisado com uma reverência. Deborah tirou boas fotos de ação, e eu lhe peço para me enviar, para eu poder fazer a *newsletter* da editora.

Helene me segura pelo cotovelo.

– Lembre-se: segunda-feira eu não vou trabalhar. Estarei meditando debaixo de uma árvore.

O pessoal segue a caminho do ônibus e eu dou graças por agora ser difícil reconhecer quem é Gamin e quem é Bexley. Todos estão com uma aparência tenebrosa; roupas surradas e rostos vermelhos e suados. A maquiagem da maioria das mulheres as faz parecer ursos panda. Apesar do desconforto físico, há uma nova sensação de camaradagem.

Helene e o senhor Bexley saem outra vez dirigindo como se estivessem no meio da Corrida Maluca. Os maridos ou esposas de alguns dos membros da equipe vêm buscá-los, e há uma confusão de carros e terra. Quando nos aproximamos, a motorista do ônibus guarda o jornal que estava lendo e abre a porta.

– Por favor, espere um pouquinho – peço a ela e corro de voltado por onde vim.

Chego ao banheiro e sinto um enjoo violento. Antes de senti-lo deixar meu corpo completamente, ouço alguém bater firmemente à porta. Só conheço uma pessoa que bateria à porta com tanta impaciência e irritação.

– Vá embora – vou logo ordenando.

– Sou eu, Joshua.

– Eu sei.

E dou descarga mais uma vez.

– Você está passando mal, eu disse – insiste, virando levemente a maçaneta.

– Eu vou para casa sozinha. Dê o fora!

E então um silêncio se instala. Imagino que Joshua tenha voltado ao ônibus. Vomito outra vez. Dou descarga outra vez. Lavo as mãos, empurrando as pernas na direção da pia até a água ensopar minha calça jeans. O Elvis gruda úmido à minha pele.

Estou passando mal, reflito. Estou febril e com os olhos brilhando. Estou um misto de azul, cinza e branco. A porta está escancarada, e gemo com um calafrio.

— Puta merda! — As sobrancelhas de Joshua estão franzidas. — Sua aparência está péssima.

Mal consigo focar os olhos. O chão gira.

— Eu não vou dar conta. De ir de ônibus. Não vou conseguir.

— Posso ligar para Helene e pedir para ela voltar. Não deve estar muito longe.

— Não, não. Vou ficar bem. Ela está indo para um retiro. Eu sei me cuidar.

Joshua apoia o corpo ao batente, a testa cada vez mais franzida.

Fico rígida, ajeito a mão em forma de concha para pegar um pouco de água e umedeço a nuca. Meus cabelos estão se soltando do coque e grudam ao pescoço úmido. Enxáguo a boca.

— Tudo bem. Eu estou bem.

Enquanto nos aproximamos do ônibus, ele usa dois dedos para segurar meu cotovelo, como se eu fosse um saco de lixo. Posso sentir os olhos atentos nos observando pelas janelas do veículo. Penso nas duas garotas que estavam cutucando uma à outra e me debato para ele me soltar.

— Posso ir até a cidade e depois voltar de carro para pegar você, mas isso demoraria pelo menos uma hora.

— Você? Voltar para me pegar? Eu acabaria passando a noite toda aqui.

— Ei, não volte a falar assim comigo, está bem?

Joshua ficou irritado.

— Sim, sim. RH — digo enquanto me arrasto para dentro do ônibus.

— Minha nossa! — Marion grita. — Lucy, sua aparência está péssima.

— Lucy! — Danny grita do fundo do ônibus. — Guardei um lugar para você.

Mas ele está tão lá no fundo que eu me sentiria claustrofóbica. E acabaria vomitando em todo mundo.

— Desculpa — sussurro para ele antes de me sentar na primeira fileira e fechar os olhos. Joshua pressiona as costas da mão em minha testa úmida, e eu chio: – Sua mão está fria.

– Não, é você que está fervendo. Precisamos levá-la a um médico.

– Já é praticamente noite de sexta-feira. Quais são as chances de isso acontecer? Eu preciso ir para a cama.

O caminho para a cidade é terrível. Estou presa em um *loop* infinito e confuso. Sou um inseto em um pote sendo sacudido por uma criança. O ônibus balança, quente, sem ar, e eu sinto cada solavanco e curva. Concentro-me na respiração e na sensação do braço de Joshua junto ao meu. Em uma curva particularmente brusca, ele usa o ombro para evitar que eu caia.

– Por quê? – pergunto inutilmente.

Sinto-o dando de ombros.

Somos deixados na frente da B&G. Algumas mulheres se reúnem à minha volta e eu tento entender o que estão dizendo. Joshua me segura pela gola da minha camiseta úmida e diz a todos que estou bem.

Ele tem uma discussão intensa com Danny, que me pergunta o tempo todo:

– Tem certeza?

– É claro que ela tem certeza, porra – Joshua esbraveja.

E aí ficamos sozinhos.

– Você veio de carro?

– O carro foi passar mais um fim de semana com Jerry, o mecânico. Vou pegar um ônibus.

Ele me faz andar para a frente. Movimento-me como uma marionete arfando, suada. Minha boca tem gosto de ácido. Joshua solta o meu pescoço e enfia o dedo no passante da minha calça jeans e apoia outra mão em meu cotovelo. Sinto seus dedos encostando em minha bunda e começo a rir alto.

A escada até o estacionamento no subsolo é íngreme e eu fico relutante, mas ele me empurra, suas mãos me apertando cada vez mais forte. Joshua usa seu crachá para nos colocar para dentro e me faz seguir na direção de seu carro preto. Sinto o cheiro de escapamento e gasolina. Sinto o cheiro de tudo. Tenho ânsia atrás de uma pilastra; hesitante, ele apoia uma mão entre minhas omoplatas. Esfrega os dedos ali um pouquinho. Estremeço com mais uma onda de náusea.

Joshua me guia até o banco do passageiro. Coloca minha bolsa, da qual já tinha me esquecido, no banco de trás. Liga o carro e eu me vejo no retrovisor, minha cabeça virada para o lado, as bochechas escurecidas, brilhando com o suor, o rímel derretendo.

— Você vai vomitar no carro, Moranguinho?

Ele não soa impaciente nem irritado. Abre um pouco a minha janela.

— Não. Talvez. Bem, possivelmente.

— Use isso se precisar — instrui enquanto me entrega um copo de plástico vazio. E engata a ré. — Agora me diga aonde ir.

— Vá para o inferno.

E começo a rir.

— Então é de lá que você veio?

— Cale a boca. Vire à esquerda.

Ensino-o a chegar ao meu prédio. Fico de olhos fechados, contando as respirações, e não vomito — uma grande realização.

— É aqui. Aqui na frente está bom.

Ele nega com a cabeça e, sentindo-me derrotada, guio-o até minha vaga na garagem. Ele precisa me ajudar a sair do carro e tombo em sua direção. Minha bochecha descansa em algo que parece ser seu peito. Minhas mãos agarram algo que parece ser sua cintura.

Joshua aperta o botão e ficamos de lados opostos do elevador. E o Jogo de Encarar é vencido pelas memórias ardentes e suadas da última vez que tomamos o elevador juntos.

— Seus olhos estavam como os de um assassino em série naquele dia. Eu realmente devo ter vomitado meu filtro.

— Os seus também.

— Gostei da sua camiseta. Gostei bastante. Fica ótima em você.

Ele olha para baixo, para analisar a camiseta.

— Não tem nada de especial nela. Eu... também gostei da sua.

O JOGO DO AMOR/ÓDIO

É grande como um vestido.

As portas do elevador se abrem. Eu avanço para fora. Infelizmente, ele me segue.

– Já estou em casa.

Apoio o corpo na porta. Ele pega as chaves na minha bolsa e abre o apartamento.

Nunca vi ninguém tão desesperado para ser convidado para entrar. Joshua coloca a cabeça para dentro. Suas mãos estão apoiadas no batente como se ele estivesse prestes a cair para o lado de dentro.

– Não é o que eu esperava. Não é muito... colorido.

– Obrigada, tchau.

Vou até a cozinha e pego um copo. Mas bebo água direto da torneira.

– Acho que podemos encontrar uma clínica 24 horas – Joshua propõe atrás de mim, segurando o copo antes que eu o derrube.

Empurra a torradeira para perto da parede e, para preencher o silêncio desconfortável, pega um pano de prato. Usa o dedo para recolher uma migalha de pão no balcão. Ah, meu Deus, ele é uma dessas pessoas que adoram limpar as coisas. Aposto que está morrendo de vontade de jogar produtos de limpeza e esfregar tudo.

– Uma bagunça, não está? – digo apontando para uma caneca com uma marca de batom.

Ele olha para ela com desejo e simultaneamente tentamos passar um pelo outro no espaço minúsculo.

– Deixe-me levá-la ao médico.

– Eu preciso me deitar. Só isso.

– Quer que eu ligue para alguém para avisar?

– Não preciso de ninguém – anuncio toda orgulhosa.

Estendo a mão para pegar a chave de casa. Ele a leva a uma altura onde não consigo alcançá-la. *Não preciso que ninguém cuide de mim. Sei me cuidar. Estou sozinha neste mundo.*

– Sozinha neste mundo? Tão dramática. Vou à farmácia para ver o que consigo.

– Claro, claro. Tenha um bom fim de semana.

Quando a porta se fecha, percebo que meu apartamento está um desastre, bagunçado e, sim, meio sem cor. Meu pai chama este lugar de "iglu". Ainda não tive tempo de dar um toque pessoal aos cômodos. Ando ocupada demais. O armário com os Smurfs toma grande parte da parede da sala de estar, escuro, sem nenhuma iluminação especial. Ainda bem que Joshua foi embora.

Minha cama dá a impressão de que ando tendo sonhos perturbadores e sexuais, o que não deixa de ser verdade. Os lençóis encontram-se amarrotados e revirados e, do lado, onde deveria haver um homem, há livros. Alças de sutiã e calcinhas com estampa dos Smurfs saltam das gavetas como as folhas de alface que saem de um sanduíche. Pego a cópia da agenda de Joshua, que se encontra sobre o criado-mudo, e a escondo.

Meu banho é maravilhoso, torturante, infinito. Ligo a água fria e congelo. Troco para água quente e queimo por dentro. Bebo um pouco direto do chuveiro. Coloco um monte de xampu na cabeça e deixo o jato enxaguar. Um indício de que a morte certamente se aproxima é o fato de eu não me importar em passar condicionador.

Minha cabeça gira com imagens sem sentido e eu me encosto aos azulejos, lembrando da sensação de apoiar-me em uma árvore com Joshua Templeman usando seu corpo para me proteger.

Na privacidade da minha mente, posso imaginar o que eu quiser. E meus pensamentos não são exatamente os de uma mulher progressista do século XXI.

São pensamentos depravados, brutais, dignos de uma mulher das cavernas. Em minha mente, ele está eletrizado com um instinto animal para me proteger, seus músculos pesados envolvem meu corpo, absorvem cada impacto, e sentem que isso é um privilégio. Estão ligados e excitados com a superdroga da natureza, a testosterona.

Estou envolvida por seu corpo, protegida de qualquer coisa que o mundo decidir lançar contra mim. Qualquer coisa dolorosa ou cruel terá de passar por ele antes de sequer ter a chance de me atingir. E isso nunca vai acontecer.

— Está viva?

Grito quando me dou conta de que essa voz não é a minha imaginação.

— Não entre aqui!

Eu deixei a porta fechada. Obrigada, anjos da guarda. Uso a mão para proteger minhas partes íntimas.

— É claro que não vou entrar — ele esbraveja.

— Eu estou completamente nua. Hematomas...

Sou praticamente uma tela de Monet — lírios púrpura flutuando em fundo verde. Joshua não diz nada.

— Bem, saia. Fique na sala de estar.

Minha pele dói com o toque da toalha. Abro a porta do banheiro e me deparo com o silêncio. Corro e pego minhas roupas íntimas, um sutiã bege horrível, shorts e a blusa de um pijama velho com a imagem de um dinossauro fofo e com expressão de sono. Abaixo dele está escrito: DORMINHOCOSSAURO.

Estou nua e vestindo as minhas roupas, separada de Joshua por nada além de uma parede. Eu te amo, parede. Que parede legal. Jogo meu corpo na cama e o colchão range, e isso é a última coisa que escuto.

Acordo dentro de um vulcão.

— Não! Não!

— Não estou envenenando você. Pare de se debater!

A mão de Joshua segura meu pescoço enquanto ele coloca dois comprimidos em minha língua. Engulo a água e só então ele me abaixa outra vez.

— Minha mãe sempre me dava limonada. E ficava sentada comigo. Sempre que eu acordava, ela estava por perto. E os seus pais? — pergunto, soando como uma criança de cinco anos.

— Meus pais estavam ocupados demais trabalhando, cuidando de outros doentes, para fazerem isso por mim.

— Médicos.

— Sim. Menos para mim.

O tom de sua voz denuncia que esse é um assunto delicado. Sinto sua mão em minha testa, dedos leves e esticados.

— Vamos dar uma verificada na temperatura.

— Eu me sinto tão idiota! – As palavras saem embaralhadas porque estou com um termômetro na boca.

Ele deve ter comprado esse termômetro, porque eu não tinha um em casa. Estou vivendo aquele que será o momento mais constrangedor de toda a minha vida.

— Você nunca vai se esquecer disso – tento dizer, mas, graças ao termômetro, soo como quem tem problemas na cabeça.

— Claro que sim. Não vá morder o termômetro – ele alerta baixinho, tirando-o da minha boca.

— A temperatura não pode passar de 40.

Seus olhos estão escurecidos pela penumbra enquanto ele me avalia quase clinicamente, antes de encostar outra vez a mão com suavidade em minha testa. Dessa vez não é para verificar a temperatura. Ajeita meu travesseiro. Seus olhos não são os daquele homem que eu conheço.

— Está bem. Por favor, fique mais um pouco. Mas pode ir embora se quiser.

— Lucy, eu vou ficar.

Quando enfim começo a sonhar, são sonhos de Joshua sentado na beirada do meu colchão, vendo-me dormir.

CAPÍTULO 10

Estou vomitando. Joshua Templeman segura um enorme Tupperware abaixo do meu rosto – o pote que eu costumo usar para levar bolos ao trabalho. Sinto o cheiro residual de glacê e ovos. E vomito mais. Ele me segura pelos cabelos.

– Isso é muito nojento – resmungo entre um jato e outro. – Eu estou tão... Estou tão...

– Shh – responde, e eu durmo estremecendo e arfando enquanto ele limpa meu rosto com alguma coisa fria e úmida.

O relógio diz que são 1h08 quando volto a acordar e me sentar. Uma compressa úmida cai em meu colo. Assusto-me com o peso ao meu lado na cama.

– Sou eu – Joshua diz.

Está sentado com as costas apoiadas na cabeceira, segurando um guia de preços de peças dos Smurfs. E descalço. Seus pés, cobertos pelas meias, encontram-se cruzados. Os outros livros foram organizados debaixo da minha penteadeira.

– Estou com tanto frio – murmuro, batendo os dentes.

Levo a mão aos cabelos; ainda estão úmidos por causa do banho. Ele balança a cabeça.

– Você está com febre. Uma febre que só aumenta.

— Não, frio – rebato.

Arrasto-me até o banheiro, deixo a porta entreaberta. Faço xixi, aperto a descarga e aí me dou conta de que não estou nada feminina. Ah, fazer o quê? Ele já viu e ouviu quase tudo a essa altura. Não me resta nada a fazer além de fingir minha própria morte e começar uma nova vida.

Uso o dedo para esfregar um pouco de pasta de dente na língua. Engasgo. Repito o procedimento.

Ouço o tecido se abrindo, o barulho do elástico e o ranger do colchão. Pela porta entreaberta, vejo-o trocando os lençóis. Estou péssima, encharcada, nojenta, mas consigo ver suas costas inclinadas.

— Como Você Está? – Ele me olha por sob o braço e ajeita o último canto do lençol no lugar certo.

O sortudo do meu colchão está sendo agarrado por um homem.

— Ah, ótima. Como Você Está?

Solto o corpo na cama e puxo as cobertas. O colchão se afunda ao meu lado e a mão de Joshua está em minha testa.

— Ah, que bom.

Sua mão tem a temperatura que meu corpo deveria ter. Tudo o que fazemos é olho por olho, então estendo a mão e a coloco em sua testa.

— Certo.

Ele se mostra bem-humorado.

Estou tocando o rosto do meu colega Joshua. Estou sonhando. Vou acordar no ônibus com ele zombando porque estou babando. Mas um minuto se passa e eu não acordo.

Desço a mão e toco seu queixo, que parece uma lixa com a barba por fazer, lembrando-me de quando ele me agarrou no elevador. Ninguém jamais me segurou daquele jeito. Abro os olhos e juro que ele sente um arrepio. Toco em seu pulso. Ele toca o meu.

Minhas mãos estão em sua garganta agora, e lembro o quanto já quis estrangular Joshua. Abro as mãos levemente em volta do seu pescoço, só para verificar o tamanho, e ele estreita um olho.

— Vá em frente – diz. – Faça isso.

Sua garganta é grande demais para os meus dedinhos minúsculos. Sinto a tensão tomando conta dele, seu corpo se apertando. Ouço um barulho em sua garganta.

Estou ferindo-o. Talvez eu o esteja estrangulando até a morte agora. Seu pescoço fica vermelho. Quando ele foca o olhar em mim, sei que algo está por acontecer. Mesmo assim, não estou preparada quando acontece.

O mundo se desfaz quando Joshua começa a rir.

É aquele mesmo cara que vejo todos os dias, mas agora bem-humorado. Está plugado em uma corrente elétrica. Humor e luz irradiam, fazendo suas cores brilharem como um vitral. Castanho, dourado, azul, branco. É um crime eu nunca ter visto os contornos desse sorriso antes. Sua boca é uma curva leve, dentes perfeitos e covinhas discretas emoldurando-a.

Cada risada sai em uma arfada rouca e esbaforida, algo que ele não consegue mais segurar, algo tão viciante quanto o sabor de sua boca ou o cheiro de sua pele. Sua risada maravilhosa é algo de que eu preciso agora.

Se eu o achava bonito antes, de passagem ou claramente irritado, não sabia tudo o que ele escondia. Quando sorri, sua beleza chega a cegar. Meu coração está acelerado e eu freneticamente catalogo esse momento à meia-luz. Só vou ver isso dessa vez, enquanto estou delirando de febre.

Quem me dera poder me prender a este momento. Já sinto a tristeza que vai me invadir quando tudo terminar. Quero dizer a Josh para não ir embora ainda. Meus dedos devem estar flexionados, afinal, ele ri até o colchão tremer debaixo dos nossos corpos. Uma gotícula brilha no canto de seu olho, e ela é uma bala em meu coração. Conseguirei revisitar esse momento lindo, esse momento impossível, em minha memória mesmo quando eu tiver cem anos.

— Vá em frente, me mate, Moranguinho — ele arfa, usando a mão para secar o olho. — Você sabe que quer me matar.

— Quero tanto — respondo, como ele certa vez me dissera. Tenho um nó na garganta e mal consigo pronunciar as palavras. – Mas tanto, que você não tem ideia.

Meu pijama está ensopado de suor quando acordo assustada e percebo uma terceira pessoa em meu quarto. Um homem que jamais vi antes. Começo a gritar como um gorila ferido.

– Acalme-se – Josh diz ao meu ouvido.

Arrasto-me até seu colo e pressiono meu rosto em sua clavícula, inspirando seu cheiro de cedro com tanta força a ponto de quase poder sugar sua alma. Estou prestes a ser levada ao hospital, longe da segurança da minha cama e desses braços.

– Não deixe ele fazer nada, Josh! Eu vou melhorar!

– Eu sou médico, Lucy. Quando surgiram e quais são os sintomas? – o homem pergunta enquanto coloca as luvas.

– Ela não estava cem por cento hoje de manhã. Rosto corado demais, distraída, e piorou ao longo do dia. Suando visivelmente desde a hora do almoço, e não quis comer. Começou a vomitar às 17h.

– E depois?

O médico continua tirando algumas coisas da sua maleta e as ajeitando na beirada da cama. Observo desconfiada.

– Delirando às 20h. Tentou me estrangular à 1h30. Febre de 40 graus, agora há pouco estava encostando em 41.

Fecho os olhos com força quando a mão desconhecida apalpa as glândulas em minha garganta. Josh esfrega cuidadosamente a mão em meus braços. Agora estou sentada entre suas coxas, sentindo aquele peso sólido atrás das minhas omoplatas. Minha poltrona humana. O médico pressiona os dedos em meu abdômen e chego a gritar. Ele ergue um pouco a minha blusa.

– Que diabos aconteceu aqui?

Os dois expiram com compaixão.

– Nosso dia de trabalho foi jogando paintball. Nem as minhas costas estão tão ruins assim. – Os dedos de Joshua acariciam a pele e eu começo a suar ainda mais. – Pobre Moranguinho – sussurra ao meu ouvido. E sem sarcasmo.

– Você comeu fora, em algum restaurante?

Esforço-me para lembrar.

– Trouxe comida tailandesa para jantar. Não foi hoje. Ontem, talvez.

Quando o homem franze a testa, a imagem é tão familiar.

– Intoxicação alimentar é uma possibilidade.

– Pode ser uma virose – arrisca Josh. – O intervalo de tempo é um pouco longo demais.

– Se você é tão capaz de diagnosticá-la, por que perdeu seu tempo me chamando?

Eles começam a discutir os meus sintomas. Para mim, soam como rapazes falando sobre esportes e os vírus que andam causando epidemias na cidade são os times. Observo-os com olhos semicerrados. Nem sabia que médicos atendiam em casa, menos ainda às 2h30. Ele tem trinta e poucos anos, é alto, cabelos escuros, olhos azuis. Claramente vestiu esse avental por cima do pijama.

– Você é bonito – elogio o médico.

Meu filtro perdido deve ser um diagnóstico secundário.

– Bem, ela deve estar *mesmo* delirando – um Josh ácido comenta, abraçando-me na altura do pescoço.

Seu braço me deixa imóvel.

– Que curioso. Normalmente dizem que ele é o bonito – o médico diz secamente enquanto procura alguma coisa em sua maleta ao pé da cama. – Ah, acalme-se, Josh.

– Você é o *irmão* dele! – exclamo como uma criança impressionada quando a engrenagem enferrujada do meu cérebro volta a funcionar. – Pensei que ele fosse uma experiência que deu errado.

Eles olham um para o outro e o irmão de Josh cai na risada.

– Ela é mesmo uma graça.

– Ela é…

Sinto Josh balançando a cabeça. Ele me ajeita em seu peito e meu cérebro febril interpreta o gesto como um convite para eu me aconchegar.

— Eu sou patética. Ele me diz o tempo todo. Qual é o seu nome?
— Patrick.
— Patrick Templeman. Puta merda, você é o doutor Templeman de verdade!

Permaneço sentada no colo de Josh, minha cabeça na curva de seu pescoço, provavelmente cobrindo-o de suor. Tento sair dali, mas ele me força a ficar.

— Sim, de fato sou o doutor Templeman. Bem, um deles.

O bom humor desaparece de seu rosto; ele tosse e começa a dar meia-volta. Seguro a manga de seu avental para tentar ver quão parecidos os dois são. Patrick para obedientemente, mas seus olhos apontam para Josh, que está tenso como uma muralha atrás de mim.

— Desculpe, mas sim. Josh é mais bonito.

Uma pausa se instala antes de os dois irmãos começarem a rir. Patrick definitivamente não ficou ofendido, e o braço de Josh relaxa.

— Você pode me contar alguns segredos constrangedores do seu irmão?
— Quando você estiver melhor, não tenha dúvida. Josh, mantenha o soro. Ela é tão pequena que vai ficar desidratada.
— Eu sei.

Juntos, os dois me forçam a engolir um remédio amargo. Fico deitada de costas na cama enquanto saem do quarto e fecham a porta, mas ainda assim consigo ouvir suas vozes.

— Você teria sido bom nisso — Patrick comenta, balançando suas ferramentas de trabalho. — Fez tudo certinho o que podia fazer por ela.

Josh suspira pesadamente. Tenho certeza de que também cruzou os braços.

— Não fique na defensiva. Então, próximo assunto complicado. Por que você não me respondeu imediatamente?
— Eu ia responder.

Ele está mentindo.

— Bem, você pode me dar uma resposta agora. E não finja que não sabe a data. Sei que a mãe entregou o convite pessoalmente para você. Não queríamos que "extraviasse", como aconteceu com o convite da festa de noivado.

Josh, seu furão!

Patrick pensa a mesma coisa.

— Responda agora mesmo. Mindy precisa saber. Até mesmo para organizar o buffet, as mesas.

— Eu ando ocupado — Josh arrisca, mas Patrick o interrompe.

— Imagine o que vai parecer se você não for.

Josh não diz nada, e Patrick insiste.

— Você quer que eu apareça lá e finja que nada aconteceu?

Patrick está confuso.

— Mas você vai levar a Lucy, não vai?

Na escuridão, reflito sobre essa conversa. Por que seria tão complicado para Joshua ir ao casamento do próprio irmão?

— Ela não é minha namorada. Nós só trabalhamos juntos — Josh responde irritadiço.

Eu queria que suas palavras não fossem um soco em meu estômago, mas foram.

— Até parece que você me engana.

— Até parece. Ela está em busca de um cara gentil. Todas estão, não é mesmo?

Um silêncio pesado se espalha entre eles.

— Quantas vezes mais terei que dizer...

— Nenhuma.

Josh sabe encerrar conversas como ninguém. Mais silêncio. Posso quase ouvir os dois olhando para a porta do meu quarto.

Agora a voz de Patrick sai mais baixa e eu não consigo ouvir nada, mas sei que os dois estão discutindo. Odiando a mim mesma desesperadamente, me arrasto em silêncio para fora da cama, tomando cuidado para me manter escondida na penumbra. Sou uma bisbilhoteira asquerosa.

— Estou pedindo para você ir ao meu casamento e deixar sua mãe feliz. E *me* deixar feliz. Mindy está estressada pra caramba pensando que há alguma briga acontecendo em nossa família.

Josh suspira pesadamente, sentindo-se derrotado.

— Está bem.

— Então, isso é um sim?

Sim, por favor, Patrick, eu adoraria ir ao seu casamento? Aceito seu amável convite?

— Sim, é sim.

— Vou marcar que você vai levar alguém especial. Se ela sobreviver a esta noite.

Horrorizada, me seguro à parede. Mas logo ouço Josh dizer com sarcasmo:

— Há-há.

Ainda falta algum tempo para amanhecer e o quarto está azulado como uma geleira. Sou forçada a me sentar e me pego engolindo o que percebo ser limonada. Ele foi à loja de conveniência do outro lado da rua? O sabor ao mesmo tempo adocicado e azedo me lembra infância e a saudade de casa quase me faz engasgar.

Joshua pega o copo e apoia minhas costas nos travesseiros, mantendo o braço atrás dos meus ombros. Seu toque era incerto ontem, mas agora não hesita em apoiar as mãos em mim. Parece cansado.

— Josh.

Seus olhos brilham surpresos.

— Lucy.

— Lucinda — sussurro em uma arfada.

Ele vira o rosto para sorrir, mas seguro a manga de sua camiseta.

— Não faça isso. Eu já vi.

Nunca me canso de seu sorriso.

— Certo.

Percebo que está confuso. E não é o único. Já passei tanto tempo encarando Joshua que ele se tornou uma espécie de espectro de cores. Ele é meus dias da semana. As marcas no meu calendário.

— Branca, *off-white* com listras, creme, amarelo sem definição de gênero, amarelo-escuro nojento, azul bebê, cerúleo, cinza, azul-marinho e preto — vou falando e contando nos dedos.

Josh fica alarmado.

— Você continua delirando.

— Não. Essas são as cores das suas camisas. Hugo Boss. Você nunca compra roupas em lojas de departamento?

— Como alguém sabe a diferença entre branco e *off-white*?

— Bege-claro, casca de ovo. São diferentes. Você só me surpreendeu uma vez.

— E quando foi isso? — pergunta com a indulgência de uma babá.

Bato o calcanhar no colchão.

Por que eu não estou usando pelo menos uma camisola preta? Nunca me senti tão desinteressante. Estou com o pijama do Dorminhocossauro! Olho para o meu corpo. Na verdade, não. Estou com uma blusinha vermelha. Puta merda! Ele trocou as minhas roupas.

— No elevador — explico. Quero voltar no tempo para algum momento em que estava pelo menos um pouco atraente. — Ali você me surpreendeu.

Ele me olha com cuidado.

— E o que você achou?

— Achei que estivesse tentando me matar.

— Ah, que ótimo. — Constrangido, ele apoia as costas na cabeceira. — Minha técnica claramente não funcionou.

Puxo sua manga com uma força sobre-humana e me ajeito, também sentada.

— Mas aí percebi o que você ia fazer. Me beijar. É claro. Eu não beijava há décadas.

Ele franze a testa.

— Sério?

E me encara.

Falo de forma tão vigorosa que minha voz chega a tremer:

— Foi *uma delícia*.

— Nunca ouvi uma palavra do RH ou dos seguranças, então... — Sua voz falha quando ele pousa o olhar em meus lábios.

Afundo a mão em sua camiseta, envolvo meu punho com o tecido. É tão suave que quero contornar meu corpo inteiro com ela.

— A minha cama é tudo o que você imaginou?

— Eu não esperava encontrar tantos livros. E é um pouco maior do que eu imaginava.

— E o meu apartamento?

— É um chiqueirinho.

Ele não está sendo malvado. É verdade.

— Você acha que o senhor Bexley e Helene dão uns amassos no elevador?

Enquanto ele estiver respondendo, vou fazer perguntas.

— Certeza. Sem dúvida eles fazem sexo violento e cheio de ódio depois de cada reunião trimestral.

Seus olhos mostram-se calorosos quando ele puxa a camiseta da minha mão e eu vislumbro um centímetro de sua barriga – músculos e pelos. Agora estou suando ainda mais.

— Aposto que quando você toma banho, a água empoça até... aqui – Encosto o dedo em sua clavícula. – Estou com sede, vou ficar desidratada.

Ele deixa a respiração escapar e bater diretamente em mim.

— Vamos ser assim quando crescermos, Josh. Podemos começar um novo jogo. Imagine. Poderíamos brincar para sempre.

— Conversaremos sobre isso quando você não estiver louca de febre.

— Até parece. Quando eu não estiver doente, você vai me odiar outra vez. Mas agora estamos nos dando bem.

Seguro a mão dele e a coloco em minha testa para esconder meu desespero repentino.

— Não vou te odiar – ele responde.

O JOGO DO AMOR/ÓDIO

E afasta a mão, apoiando-a em meus cabelos.

– Você me odeia tanto que eu não suporto mais.

Estou me mostrando patética. Percebo em minha voz.

– Moranguinho.

– Pare de me chamar de Moranguinho.

Tento virar de lado, mas ele pressiona as palmas gentilmente em meus ombros. E eu paro de respirar.

– Vê-la fingir que odeia esse apelido é a melhor parte do meu dia.

Quando eu não respondo, ele quase sorri e me solta.

– É hora de me contar a verdade sobre a fazenda e a plantação de morangos.

É um assunto delicado – e também não é a primeira vez que ele pergunta. Eu posso estar prestes a dar munição para ele me provocar por muito tempo.

– Por quê?

– Eu sempre quis saber. Conte-me tudo sobre os morangos.

Seu sussurro suave e lisonjeiro vai acabar me matando.

Em minha mente, estou quase de volta à fazenda, conversando com os turistas enquanto seus filhos correm com os baldes para colher frutinhas. O zumbido das cigarras preenche o ar. Nunca há silêncio.

– Bem, os alpinos também são chamados de "mignonette" e crescem em encostas na França. São do tamanho da unha do seu polegar. Têm um sabor superintenso para o tamanho.

– Fale sobre outro.

Fico de olhos semicerrados.

– Morangos não são piada. Eu já ouvi merda de muita gente por causa deles.

– É uma coisa tão fofa que você traz.

A palavra "fofa" se acende como uma luz de neon no quarto pouco iluminado e eu começo a tagarelar.

– Está bem. Então, tem a variedade earliglow. Eles crescem super-rápido. Um dia, você passa ao lado deles durante o por do sol e estão todos verdes... Na manhã seguinte, estão todos ali, bolinhas vermelhas com a cor cada vez mais intensa. Quando chega a hora do jantar, já estão prontos, como luzinhas de Natal.

Josh suspira e seus olhos se fecham por um instante. Está exausto.

– Quais são os seus preferidos?

– Red gauntlets. Eram os que ficavam mais perto da cozinha e eu tinha preguiça de andar mais longe. Eu tomava uma vitamina vermelha todas as manhãs.

Ele fica sentado em silêncio, e seus olhos definitivamente não são os do homem que conheço. São olhos melancólicos, solitários, tão lindos que me fazem fechar os meus.

– Sério, juro que ainda sinto as sementes entre os meus dentes. Os chandlers são os preferidos do meu pai. Ele diz que pagou minha faculdade com eles.

– Como o seu pai é? O nome dele é Nigel, não é?

– Você e aquele blog! Ele trabalhou feito um condenado para eu poder estudar. Seria impossível contar tudo o que fez. Chegou a chorar na varanda dos fundos quando eu fui para a faculdade. Ele disse que...

Minha voz falha. O nó em minha garganta me impossibilita de continuar.

– O que foi que ele disse?

Mudo de assunto.

– Faz muito tempo que não penso nisso. Faz um ano e meio que não vou para casa. Não fui no Natal porque Helene viajou para a França para visitar sua família e eu quis cobri-la.

– Eu também não fui para casa.

– Ah, sim. Meus pais me mandaram um bolo enorme, eu comi biscoitos e abri presentes no chão da sala de estar, assistindo a comerciais na TV. O que você fez?

– Basicamente a mesma coisa. O que foi que seu pai disse para você naquele dia? Seu pai, na varanda?

Joshua é como um cachorro com um osso.

Não posso reproduzir a conversa toda. Eu começaria a chorar e talvez nunca mais parasse. Meu pai, com os cotovelos apoiados nos joelhos, as lágrimas escorrendo por seu rosto bronzeado e empoeirado. Resumo a conversa de uma maneira segura:

– Que ele me perdia, mas que o mundo sairia ganhando. E minha mãe, ela não conseguia parar de se gabar. Dizia a todo mundo que a filha estava indo fazer faculdade... Ela está trabalhando em uma nova variedade de morangos e os batizou de Lucy.

– De acordo com o blog, a variedade Lucy20 ficou muito boa. Conte mais.

– Não entendo sua fascinação por esse blog. Minha mãe escrevia para um jornal, mas teve que deixar tudo para trás.

– A troco de quê?

– Meu pai. Ela estava escrevendo um artigo sobre os efeitos das chuvas fortes na agricultura, então foi a um pomar da cidade para pesquisar. E encontrou meu pai em cima de uma árvore. O sonho dele era ter uma fazenda e plantar morangos, mas não podia fazer tudo sozinho.

– Você acha que ela tomou a decisão errada?

– Meu pai sempre diz: "Ela me escolheu". Como se ele fosse uma maçã dependurada na macieira. Eu amo os dois, mas às vezes acho a história deles meio trágica.

– Você devia perguntar a ela em algum momento. Sua mãe provavelmente não está arrependida. Os dois continuam juntos e graças a isso você está aqui.

– Meu pai chama você por todos os nomes que começam com J, mas nunca pelo seu verdadeiro nome.

– Como é que é?! – Ele parece alarmado. – Você falou de mim pro seu pai?

– Ele fica nervoso porque você é malvado. Julian e Jasper e John. Certa vez, o chamou de Jebediah e eu quase molhei as calças de rir. Você teria que ralar muito para conquistar a simpatia do meu pai, sem dúvida.

Josh parece tão perturbado que decido lhe dar uma pausa e mudar de assunto.

— Quando estou com saudade de casa, sinto o cheiro de morangos. E isso basicamente acontece o tempo todo.

Vejo-o se esforçando para tentar entender meu comentário aparentemente desconexo.

— Você brincava na fazenda? Quando era criança?

— Você viu aquela foto no blog. É claro que eu brincava.

Viro o rosto. Eu, com joelhos manchados de suco de frutas vermelhas, cabelos bagunçados, olhos mais azuis do que o céu. A menininha selvagem da fazenda.

— Não fique constrangida. — Ele apoia a ponta dos dedos levemente em meu queixo e vira meu rosto em sua direção. — Você com seu macaquinho jeans. Parece que passou dias fora de casa. Toda suja e silvestre. Seu sorriso não mudou.

— Você nunca vê meu sorriso.

— Aposto que tinha uma casa na árvore.

— Na verdade, eu tinha, sim. Praticamente vivia lá em cima.

Seus olhos brilham com uma expressão que eu nunca vi antes. Fecho os meus por um instante, para descansá-los. Ele verifica minha temperatura e, quando afasta a mão da minha testa, resmungo. Joshua segura a minha mão.

— Nunca enxerguei o lugar de onde você veio como sendo algo inferior.

— Ah, claro que não. Há-há. Moranguinho.

— Acho o lugar de onde você veio, a Morangos Sky Diamond, o melhor lugar que consigo imaginar. Sempre quis visitar. Cheguei a olhar o caminho no Google. Até procurei voos e um carro para alugar.

— Você gosta mesmo de morangos? — pergunto, sem saber o que mais dizer.

— Eu amo morangos. Tanto! Você não tem ideia!

Joshua soa tão gentil que chego a sentir uma onda de emoções. Não consigo abrir os olhos. Se eu abri-los, ele vai perceber que estou com medo.

— Bem, a fazenda está lá, esperando sua visita. Pague a entrada para a mulher segurando uma sombrinha e pegue um balde. Diga meu nome para ganhar um desconto, mas você vai enfrentar um interrogatório sobre como eu estou. Como *realmente* está a vida por aqui. Se ando me sentindo solitária, se estou me alimentando direito. Por qual motivo não tiro uns dias de folga para ir para casa.

Penso nos documentos das nossas candidaturas, lado a lado em uma pasta bege. Uma onda de exaustão e vertigem me atinge. Quero dormir, quero ir para aquele lugar escuro e agradável, onde ansiedades e tristezas não conseguem me seguir. Começo a sentir que estou deslizando lentamente.

– O que devo dizer a ela?

– Estou com tanto medo. Mas essa situação vai chegar ao fim logo, de um jeito ou de outro. Estou fazendo de tudo para evitar o fracasso. Não sei se os investimentos que eles fizeram em mim algum dia renderão frutos. E às vezes me sinto tão sozinha que tenho vontade de chorar. Perdi minha melhor amiga. Passo quase todo o meu tempo com um homem enorme e assustador que quer me matar, e ele provavelmente é meu único amigo agora, muito embora não queira sê-lo. E isso parte o meu coração.

Sua boca encosta na minha bochecha. Um beijo. Um milagre. A respiração calorosa de Josh toca a maçã de meu rosto. Seus dedos deslizam pela palma da minha mão e meus dedos se entrelaçam aos seus.

– Moranguinho, não!

Estou girando naquele labirinto infinito e apertando sua mão.

– Está tudo girando...

E realmente está, mas também preciso que essa conversa termine.

– Preciso perguntar uma coisa a você.

Mais tarde, sua voz atravessa a penumbra.

– Não é certo perguntar agora, mas vou perguntar mesmo assim. Se eu conseguisse pensar em uma maneira de tirar nós dois dessa situação complicada, você ficaria feliz?

Ainda me agarro a Joshua como se ele fosse a única coisa que me impede de cair para fora deste planeta.

— Tipo... como?

— Da forma como eu conseguisse. Você iria querer?

Se ele fosse meu amigo pelo resto dos dias, já seria suficiente. Seria maravilhoso poder deixar de lado toda aquela negatividade.

Aquele sorriso seria suficiente.

— Essa é a parte do sonho na qual você sorri, Josh.

Frustrado, ele suspira. E me mantém parada. E, enquanto orbito rumo ao sono, sussurro:

— É claro que eu iria querer.

CAPÍTULO 11

Sento-me cuidadosamente no quarto iluminado pelo sol. Artefatos que lembram que estive doente encontram-se espalhados por todos os cantos. Toalhas, lenços, meu Tupperware lavado. Copos, medicamentos e um termômetro. Meu pijama do Dorminhocossauro dependurado em um cesto; a blusinha vermelha e as roupas que usei para jogar paintball encontram-se amontoadas e prontas para serem queimadas.

Pego o termômetro para confirmar o que já sabia: a febre foi embora.

Usando uma blusinha azul, agarro-me ao colchão quando a vulnerabilidade surge pela primeira vez em algum tempo. Levo a mão ao ombro e percebo que ainda estou de sutiã. Agradeço a todos os deuses que estiverem ouvindo. Mesmo assim, Joshua Templeman viu todo o resto do meu torso.

Vou até a sala de estar. Ele continua ali, com o corpo espalhado no sofá, um pé enorme e coberto por meia dependurado para fora do móvel.

Pego algumas peças de roupa limpas e vou cambaleando até o banheiro. Minha nossa! O rímel não saiu direito no último banho, mas derreteu e me deixou com uma máscara que me faz parecer Alice

Cooper no Halloween. Também tenho os cabelos de Alice Cooper, os quais contenho em um coque. Troco de roupas, enxáguo o rosto o mais rápido que consigo e escovo os dentes. Espero ouvi-lo bater à porta a qualquer momento.

A sensação é pior do que a de uma ressaca. É pior do que acordar depois de ter feito uma performance nua no caraoquê durante a festa de Natal da empresa. Falei demais ontem à noite. Contei a ele tudo sobre a minha infância. Joshua sabe o quão solitária estou. Viu tudo o que sou. Tem tantas informações que agora sua força vai exalar em nuvens tóxicas. Preciso tirá-lo do meu apartamento.

Aproximo-me do sofá. É um móvel de três lugares, mas nem de longe Joshua cabe ali. Ele sacode o corpo antes que eu possa vê-lo dormindo.

— Acho que vou ficar bem.

Minhas revistas estão organizadas. Não há nenhum sapato debaixo da mesinha de centro. Ele arrumou meu apartamento. Está deitado a poucos metros do enorme armário que abriga os Smurfs. Acendeu a luz, então teve a prova iluminada de que eu tenho problemas mentais. Agora, Joshua se levanta e a sala parece encolher.

— Obrigada por ter sacrificado sua noite de sexta-feira. Está tudo bem, caso você queira ir.

— Tem certeza? — ele espalhafatosamente encosta os dedos em minha testa, bochechas e garganta.

Sem dúvida estou me sentindo melhor, pois quando ele toca minha garganta, meus seios entumecem em resposta. Cruzo os braços.

— Sim, eu vou ficar bem. Vá para casa, por favor.

Ele me observa com aqueles olhos azuis escurecidos e a memória de seu sorriso se sobrepõe àquele semblante solene. Olha para mim como se eu fosse sua paciente. Já não sou digna de um beijo no elevador. Nada como ver alguém vomitando para acabar com qualquer química.

— Eu posso ficar. Se você conseguir parar de surtar.

Vejo pena em seu rosto e sei o porquê.

O JOGO DO AMOR/ÓDIO

Mas não foi só um lado que saiu ganhando. Eu também vi um lado secreto de Joshua durante essa noite infinita à qual sobrevivemos. Existe paciência e gentileza sob aquela fachada de cafajeste. Decência humana. Humor. Aquele sorriso.

Seus olhos têm um brilho profundo e seus cílios parecem ter sido feitos para se dobrarem na ponta do meu dedo. Suas bochechas caberiam na palma da minha mão. Sua boca, bem... Sua boca caberia em praticamente qualquer lugar.

— Aquele seu olhar de tesão voltou — ele me diz, e eu sinto as bochechas esquentando. — Você deve estar se sentindo melhor se já consegue me olhar assim.

— Eu estou passando mal — falo fingindo estar séria e ouço sua risada rouca enquanto dou meia-volta.

Joshua vai ao banheiro e eu aproveito para respirar várias lufadas de ar.

— Você é meio doente, devo admitir.

Quando ele volta, está segurando a jaqueta, e então me dou conta de que passou a noite toda com suas roupas de paintball. E não está nem fedendo. Como pode?

— Eu preciso...

Estou ficando frenética. Agarro seu cotovelo quando ele usa os pés para empurrar os sapatos na direção da porta.

— Está bem, está bem. Eu já vou embora. Você não precisa me usar e depois jogar fora. A gente se vê no trabalho, *Lucinda*. — Joshua sacode um frasco de comprimidos e joga na minha direção. — Volte para a cama. Tome outros dois da próxima vez que acordar.

Ele hesita mais uma vez, a relutância aparece estampada em seu rosto. Então continua:

— Tem certeza de que vai ficar bem?

E toca outra vez em minha testa, verificando novamente a temperatura, embora ela claramente não possa ter mudado nos últimos trinta segundos.

— Nem se atreva a usar essa situação para me provocar na segunda-feira.

O termo "segunda-feira" ecoa entre nós e ele afasta a mão. Acho que é a nossa nova senha secreta.

– Vou fingir que nada disso aconteceu, se é assim que você quer – promete duramente.

Sinto um nó no estômago. Ele prometeu segredo depois daquele beijo e manteve sua palavra.

– Não tente usar isso contra mim. Quero dizer, nas entrevistas para a nova vaga.

Seu semblante é capaz de derreter a tinta na parede atrás de mim.

– Conhecer a consistência do seu vômito sem dúvida vai me dar uma enorme vantagem. Ah, me poupe, Lucinda!

Depois que ele sai e fecha a porta, o silêncio incha e se espalha por todo o apartamento e eu quero ter a coragem de chamá-lo de volta. De agradecer e de me desculpar pelo fato de que, sim, ele está certo, como sempre.

Estou surtando. Para evitar esse assunto, vou dormir.

Quando volto a abrir os olhos, tenho uma nova perspectiva. É noite de sábado e o pôr do sol dá à parede do quarto um brilho amarelado que lembra a luz de uma vela. A cor da pele de Joshua. Meu quarto se incendeia com a força da epifania.

Olho para o teto e admito para mim mesma a espantosa verdade. Eu não odeio Joshua Templeman.

São 6h30 da segunda-feira da camisa branca. Sinto-me tão péssima que deveria ligar para o trabalho e explicar que estou doente, e Helene nem vai hoje... mas preciso ver Joshua.

Pode ter certeza: fiz uma análise minuciosa de cada instante que ele passou em meu apartamento e sei que preciso me desculpar por tê-lo dispensado daquele jeito. Ele não foi nada além de decente e gentil comigo. Estávamos próximos de nos tornarmos amigos e eu arruinei tudo com a minha boca enorme. Quando me lembro da conversa de Josh com Patrick, sinto-me enjoada pela culpa. Não era para eu ouvir aquilo.

Como fazer para agradecer um colega que me ajudou a vomitar? O livro antiquado de etiqueta da minha avó não vai me ajudar a encontrar uma resposta. Um cartão de agradecimento ou uma fatia de bolo também não funcionariam nesse caso.

Observo-me no espelho do banheiro. A doença do fim de semana me deixou totalmente sem cor. Meus olhos estão inchados e vermelhos. Meus lábios, pálidos e ressecados. Parece que estive presa em uma mina.

Minha cozinha agora está um brinco. Ele empilhou as correspondências no balcão. Abro o primeiro envelope com uma das mãos enquanto preparo chá com a outra. É uma nota amigável informando que o aluguel vai subir. Aperto os olhos para ver se enxerguei direito o novo valor mensal e meu suspiro quase faz os Smurfs caírem das prateleiras. Aquele anúncio precipitado de deixar a B&G agora parece infinitamente mais assustador.

Como é difícil pensar em me candidatar a uma entrevista em outra empresa quando estou tão acostumada com o que faço em meu trabalho. Tento pensar nas coisas que sei fazer bem, mas só provocar Joshua me vem à mente. Sou infantil e amadora.

Sento-me pesadamente e tento comer um punhado de cereal direto da caixa. Depois, entrego-me um pouco mais ao desânimo e à falta de autoconfiança.

Abro o navegador e começo a clicar nos links de um site enfadonho de recrutamento. Fico aliviada ao ver meu telefone vibrar e o número de Danny na tela. Estranho. Talvez seu pneu tenha furado.

– Alô?

– Oi, como você está? – pergunta com uma voz calorosa.

– Estou viva. Por pouco.

– Tentei ligar algumas vezes para você na sexta à noite, mas Josh atendeu todas as vezes. Cara, como ele é insuportável!

– Ele me ajudou.

Percebo como minha voz está seca e me dou conta de que já começo a ficar na defensiva. Que diabos está acontecendo?

Ele me segurou enquanto eu vomitava. E ligou para o irmão no meio da noite. Lavou minhas louças. E tenho certeza de que me observou enquanto eu dormia.

— Ah. Desculpa, pensei que você o odiasse. Vai trabalhar hoje?

— Sim, vou.

— Estou aqui embaixo, no lobby, caso você queria que eu... a leve ao trabalho.

— Sério? Hoje não é o seu primeiro dia de liberdade?

— Bem, sim. Mas Mitchell escreveu uma carta de recomendação e eu preciso buscar. Então, posso dar uma carona para você.

— Desço em cinco minutos.

Verifico para ter certeza de que o meu vestido de lã está fechado. Batom nesse rosto abatido ficaria ridículo.

— Oi — Danny cumprimenta quando saio do elevador.

Está segurando um buquê de margaridas brancas. Minhas emoções se equilibram em uma corda bamba, uma mistura de deleite e constrangimento.

Ele parece estar na corda bamba comigo. Eu teria de estar cega para não notar a surpresa em seus olhos. Por mais suada e nojenta que eu estivesse na sexta-feira, eu ainda tinha uma aparência melhor do que *isso*.

Danny disfarça sua reação e me presenteia com as flores.

— Tem certeza de que não é melhor você ficar em casa?

— Pareço estar pior do que realmente me sinto. Será que devo...?

Aponto para o elevador. Ele me olha outra vez. Está usando uma camiseta da turnê do Matchbox Twenty e seus óculos de sol têm uma moldura feia. Ficamos parados, sem saber o que fazer, olhando um para o outro.

— Você pode colocá-las na sua mesa no trabalho.
— Está bem, farei isso.

Parece uma ideia ruim e eu fico agitada. Se eu subir com as flores, terei de convidá-lo para ir comigo. Saímos na calçada e eu respiro minha primeira lufada de ar fresco em dias.

Preciso dar um jeito nessa situação. Danny só mostrou consideração por mim agora de manhã. Protejo os olhos do sol. Talvez eu também possa demonstrar consideração. Talvez a loja de conveniência venda algo que simbolize a paz?

— Preciso buscar uma coisa. Já volto.

Enquanto pago o presente de Joshua e um laço bastante caro, vejo Danny pacientemente esperando encostado ao carro. Enfio o presente na bolsa e atravesso correndo a rua.

Ele abre a porta de sua SUV vermelha e me ajuda a entrar. Vejo-o dar a volta pela frente do carro. Agora usando roupas casuais, parece mais novo, mais magro e mais pálido. Enquanto fecha o cinto de segurança e dá a partida, percebo que não o agradeci direito pelas rosas vermelhas. Sou uma garota sem modos.

— Eu amei as rosas.

Olho para o buquê em meu colo.

— As margaridas? — E começa a dirigir.

— Sim, essas são margaridas. Uma boa escolha para alguém que está se recuperando de um fim de semana de vômitos épicos.

Queria não ter dito algo tão nojento, mas ele dá risada mesmo assim.

— Então. Josh Templeman... Qual é a desse cara?

— O demônio enviou seu único filho à terra.

Sinto uma culpa estranha.

— Ele tem aquele jeito de um irmão mais velho, todo protetor.

Danny está jogando verde, já percebi.

Não o deixo colher maduro:

— Ah, é?

— Sim, sim. Mas não se preocupe. Vou explicar a ele que minhas intenções são honráveis – diz, lançando um sorriso para mim.

Porém, uma sensação de profundo desapontamento começa a ecoar por mim. Aquela centelha do flerte se apagou em meu peito.

Eu sou como uma irmã mais nova de Joshua? Não é a primeira vez que um cara me diz isso. Um constrangimento antigo também se espalha por mim. Ele me beijou no elevador e o beijo vai contra essa teoria. Mas nunca mais tentou nada, então talvez seja verdade. Lembro que contei a ele como o beijo no elevador foi gostoso e estremeci.

– Ele não me contou que você tinha ligado. Obrigada por se preocupar.

– Imaginei que ele não fosse passar os meus recados. Mas não importa. Gostaria de sair outra vez com você. Dessa vez, para jantar. Você está com cara de quem precisa de uma boa refeição.

Tenho de apreciar sua perseverança diante de minha esquisitice e aparência atual. Só porque desenvolvi uma fascinação por Joshua não quer dizer que eu deva recusar esse convite. Olho para Danny. Se eu tivesse lançado uma lista de desejos na lareira, ele seria o cara que Mary Poppins teria me trazido.

– Um jantar em algum momento seria legal.

Danny estaciona na zona azul e eu explico que é um visitante. Quando as portas do elevador se abrem, percebo, tarde demais, que ele me acompanhou até o décimo andar.

– Obrigada.

Ele me acompanha e me dá um puxão, forçando-me a parar.

– Pegue leve hoje.

Ajeita a gola do meu casaco e seus dedos se esfregam na minha garganta. Resisto à necessidade de olhar para a esquerda. Ou Joshua está em sua mesa, testemunhando esse momento, ou ainda não chegou. A tensão de não saber é excruciante.

– Jantar? O que acha de jantarmos mais tarde? Mal não vai fazer, certo?

– Claro. – Concordo só para vê-lo ir embora.

O JOGO DO AMOR/ÓDIO

Ele exibe um leve risinho quando me entrega as margaridas, e eu consigo sorrir. Lentamente dou meia-volta.

No passado, esse teria sido um momento de triunfo. Já sonhei acordada com algo assim. Mas, quando vejo Joshua sentado em sua mesa, separando seus documentos em algumas pilhas, sinto vontade de rebobinar o tempo.

Estamos jogando um jogo novo. Embora eu desconheça as regras, sei que acabei de errar feio. Deixo as margaridas no canto da mesa e tiro o casaco.

– Oi, cara – Danny cumprimenta Josh, que solta o corpo na cadeira naquela pose que o faz parecer um chefe.

– Você não trabalha mais aqui.

Josh definitivamente não quer saber de cortesias.

– Dei uma carona a Lucy e pensei em passar aqui para ter certeza de que não estou pisando no seu calo.

– O que quer dizer com isso?

Os olhos de Josh brilham como uma faca afiada.

– Veja, sei que você é muito protetor com Lucy, mas eu tenho sido legal com ela, não tenho?

Só consigo gaguejar:

– Si-sim, claro.

Para um cara que está diante de alguém do tamanho de Joshua, Danny demonstra uma coragem impressionante. E tenta outra vez:

– Quero dizer, você sem dúvida tem algum problema. Foi um idiota completo ao telefone na sexta-feira.

– Ela tinha acabado de vomitar na própria roupa. Eu já estava enfrentando problemas suficientes para agir também como secretário dela.

– Seu irmão mais velho e protetor é um assunto sobre o qual ainda precisamos conversar.

– Falem mais baixo! – sussurro.

A porta do senhor Bexley está aberta.

– Bem, ninguém é bom o suficiente para minha irmãzinha.

A voz de Joshua está carregada de sarcasmo, mas ainda assim me sinto diminuída. Esta é a pior das manhãs.

— E você está certo. Eu não trabalho mais aqui, então tenho liberdade para sair com Lucy, se eu quiser. — Danny olha para mim e para minha mesa e arqueia as sobrancelhas. — Veja só. O romance não está morto.

Joshua fecha a cara e cutuca a unha do polegar.

— Dê o fora daqui antes que eu o expulse.

Danny beija minha bochecha e tenho quase certeza de que fez isso porque há um público aqui. Foi um movimento mesquinho de sua parte.

— Telefonarei mais tarde para falarmos sobre o jantar, Lucy. E nós dois provavelmente teremos que voltar a conversar, Josh.

— Tchau, cara — Joshua diz com uma voz superfalsa.

E nós dois vemos Danny entrar no elevador.

O senhor Bexley dá uma bufada exagerada em sua mesa e finalmente percebo a rosa vermelha sobre o meu teclado.

— Nossa!

Eu sou uma idiota. Uma total e completa idiota.

— Estava aí quando eu cheguei.

Já passei mais de mil horas na mesma sala com Joshua e a mentira fica clara em sua voz. A rosa é uma perfeição vermelha e aveludada. Em comparação, as margaridas parecem um emaranhado de ervas daninhas crescendo em uma boca de lobo.

— Foi você quem as mandou? Por que não me contou?

O senhor Bexley bufa outra vez, agora mais irritado. Josh continua ignorando-o e me encarando duramente.

— Você devia ter pedido para Danny ficar com você, e não eu.

— Ele... A gente é só... É que... Eu não sei. Ele é gentil.

Medalha olímpica na categoria "Eu tentei".

— Sim, sim. Gentil. A maior qualidade em um homem.

— Está no topo da lista. Você foi gentil comigo no fim de semana. Você foi gentil ao me enviar as rosas. Mas agora está sendo um cuzão outra vez.

A essa altura, estou chiando meio alto.

— Doutor Josh — o senhor Bexley interrompe em sua porta. — Venha ao meu escritório se puder dedicar um momento a mim. E cuidado com o linguajar, senhorita Hutton.

E bufa outra vez.

— Desculpe, chefe. Já estou indo — Joshua diz entredentes.

Estamos ambos fervendo de frustração e a segundos de enforcarmos um ao outro. Ele passa pela minha mesa e destrói a rosa.

— Qual é o seu problema?!

Tento proteger a pobre flor e é aí que um espinho se arrasta pela palma da minha mão.

— Eu só mandei aquelas merdas de rosas porque você parecia dilacerada depois da nossa briga. É por isso que não faço gentilezas para as pessoas.

— Ai! — Olho para a minha palma. Uma linha vermelha já se forma. Estou segurando gotas de sangue. — Você me arranhou!

Pego-o pelo punho da camisa e aperto seu pulso com força.

— Obrigada, enfermeiro Joshua, você foi maravilhosamente gentil. E agradeça ao seu irmão, o médico lindo.

Ele então se lembra de alguma coisa.

— Só consigo culpá-la pelo fato de que agora terei que ir ao casamento dele. Eu quase tinha me livrado desse fardo. A culpa é sua.

— *Minha?*

— Se você não tivesse ficado doente, eu não teria visto Patrick.

— Isso não faz o menor sentido. Em momento algum pedi para você ligar para ele?

Josh examina a marca de sangue que deixei em seu punho com um olhar de completo asco. Enfia um lenço na minha mão.

— Que maravilha — ironiza, jogando a rosa arruinada no lixo. — Desinfete sua mão.

E desaparece dentro do escritório do senhor Bexley.

Abro meu e-mail e descubro que nossas entrevistas foram agendadas para a próxima quinta-feira. Meu estômago se revira um pouquinho. Penso em meu aluguel. Olho para a mesa vazia à minha frente.

Então ergo o mouse pad, onde escondi o cartão que veio com o buquê de rosas. Cheguei a olhá-lo na semana passada, quando Joshua estava distraído.

Observo o cartão e me pergunto como eu pude ter pensado que havia sido enviado por Danny. É a caligrafia de Josh, mas eu não tinha me dado conta do contorno das letras.

Você é sempre linda.

Ainda resta uma pétala vermelha na minha mesa, e eu a prendo à ponta do polegar, respirando fundo enquanto as margaridas desaparecem em minha visão periférica. A palma da mão queima e arde. Josh está totalmente certo. De alguma forma, eu me feri por ser tão descuidada.

Sento-me e sinto o cheiro de rosas e morangos até me convencer de que não vou chorar.

CAPÍTULO 12

Sinto-me infantil enquanto olho para os punhos enrolados da camisa dele, um dos quais agora contém meu DNA. Está concentrado na tela de seu computador e não fala comigo há horas. Eu sem dúvida estraguei tudo, e estraguei feio.

– Vou mandar lavar a seco a sua camisa – ofereço, mas ele não reconhece a minha presença. – Eu compro outra para você. Desculpa, Josh...

Ele me interrompe:

– Você pensou que tudo seria diferente hoje?

Sinto um nó enorme apertando a minha garganta.

– Eu esperava que sim. Não fique bravo.

– Não estou bravo.

Seu pescoço está vermelho em contraste com a gola branca.

– Estou tentando dizer que sinto muito. Eu queria agradecer por tudo o que você fez por mim.

– E essas belas margaridas são para mim, então?

As palavras me fazem lembrar uma coisa que pode consertar tudo.

– Espere. Eu trouxe um presente para você.

Pego em minha bolsa o pequeno cubo plástico com um laço vermelho. Entrego-lhe como se fosse um Rolex. Seus olhos brilham com uma emoção que não consigo decifrar antes de ele franzir outra vez o cenho.

— Morangos.

— Você disse que amava morangos.

A palavra "amor" provavelmente nunca foi pronunciada neste escritório, e ela faz minha voz tremer. Josh me lança um olhar afiado.

— Fico surpreso por você se lembrar de qualquer coisa.

Ele coloca os morangos em sua bandeja de documentos a serem recolhidos e loga outra vez no computador.

Depois de vários minutos de silêncio, arrisco mais uma vez:

— Como eu posso retribuir... tudo o que você fez?

O equilíbrio mudou dramaticamente entre nós. Agora eu estou em dívida com Josh. Eu devo a ele.

— Diga-me o que eu posso fazer. Eu faço qualquer coisa.

O que eu quero dizer, na verdade, é: "Converse comigo. Explique para mim. Eu não vou conseguir corrigir nada se você me ignorar."

Vejo-o ainda digitando, seu rosto tão sem expressão quanto o de um boneco de teste de colisão. Uma pilha de documentos com as estatísticas de vendas descansam à sua direita e ele usa a caneta marca-texto para destacar alguns números. Enquanto isso, não tenho o que fazer sem Helene aqui.

— Eu limpo seu apartamento para você. Vou ser sua escrava por um dia. Eu... faço um bolo para você.

É como se um painel à prova de som tivesse sido instalado entre nós. Ou como se eu tivesse sido levada daqui. Eu devia deixá-lo trabalhar em silêncio, mas não consigo parar de falar. Ele não está me ouvindo, então pouco importa se eu pronunciar as próximas palavras em voz alta:

— Eu vou com você ao casamento.

— Fique quieta, Lucinda.

Então ele *está* me ouvindo.

— Vou ser sua motorista. Você pode beber o quanto quiser. Pode ficar superbêbado e se divertir pra caramba. Eu vou ser sua *chauffeur*.

Ele pega a calculadora e começa a digitar. Insisto.

O JOGO DO AMOR/ÓDIO

— Eu o levo para casa e o coloco para dormir, como você fez comigo. Pode vomitar na Tupperware e eu lavo. Aí estaremos quites.

Joshua descansa os dedos na lateral do teclado e fecha os olhos. Parece estar recitando mentalmente uma série de palavrões.

— Você nem sabe onde é o casamento.

— Só não vou com você se for na Coreia do Norte. Quando é?

No próximo sábado.

— Eu estou livre. Combinado. Me passe o seu endereço e eu vou buscá-lo e tudo. Diga a que horas posso ir.

— É muita presunção da sua parte imaginar que eu não tenho acompanhante.

Quase abro a boca para responder que de fato sei que eu sou sua acompanhante. Nesse exato momento, meu celular toca. Danny. Giro minha cadeira em 180 graus. Será que ele ainda não descobriu que já inventaram mensagens de texto?

— Oi, Lucy. Está se sentindo melhor? Nosso jantar ainda está em pé?

— Sussurro baixinho:

— Não sei. Tenho que ir buscar o carro e estou me sentindo péssima.

— Já ouvi tanto sobre esse seu carro.

— Acho que ele é prata... É basicamente o que me lembro dele.

— Eu reservei uma mesa para às 19h hoje. Bonito Brothers. Você disse que gosta de lá, certo?

Não me resta escolha, então. É difícil conseguir uma reserva nesse restaurante. Tento não bufar.

— O Bonito Brothers é legal. Obrigada. Não vou ter muito apetite, mas farei o meu melhor. A gente se encontra lá.

— Até mais tarde.

Desligo e passo um tempinho olhando para a parede.

— Danny Fletcher tem uma noite cheia de clichês à sua espera. Restaurante italiano, toalha de mesa xadrez. Provavelmente uma vela. Ele vai empurrar a última almôndega com o nariz na sua direção. Segundo encontro, certo?

— Vamos mudar de assunto.

Finjo começar a digitar. Minha tela fica tomada por mensagens de erro.

— A maioria dos caras arrisca um beijo no segundo encontro.

Essas palavras me deixam paralisada, provavelmente com a loucura transparecendo nos meus olhos. A ideia de Josh fazer um esforço em um segundo encontro é inconcebível. Joshua em um encontro romântico por si só é uma ideia inconcebível.

Imagino-o sentado diante de uma bela mulher, sorrindo, rindo. Aquele mesmo sorriso que ele abriu para mim. Seus olhos brilhando, esperando um beijo de boa-noite. Sinto a pressão no peito. Tento limpar a garganta, mas não funciona.

Não sou a única com aparência de louca.

— Admita, você parece estar prestes a explodir.

— Faça um favor a si mesma e fique em casa esta noite. Sua aparência está horrível.

— Obrigada, Doutor Josh. Aliás, por que o Gordo do Pinto Pequeno o chama de doutor?

— Porque meus pais e meu irmão são médicos. É o jeito que ele achou para lembrar que eu não desenvolvi todo o meu potencial.

Seu tom indica que eu sou parte da classe baixa da cidade, e ele então se levanta. Acompanho-o pelo corredor, em direção à fotocopiadora. Ele não diminui o passo, então agarro seu braço.

— Espere um minuto. Eu estou tentando corrigir essa situação. Você está certo, sabia? Eu vim hoje na esperança de que esses últimos dias juntos pudessem ser diferentes.

Joshua abre a boca, mas eu me mantenho no controle. Ele está me deixando prendê-lo contra a parede, mas nós dois sabemos que ele poderia me erguer como se eu fosse uma peça de um jogo de xadrez, se assim quisesse.

Ouço passos. Alguém de salto alto vem em nossa direção e minha frustração só aumenta. Preciso dar um jeito nisso *agora* ou então vou sofrer um aneurisma.

A despensa de produtos de limpeza vai ter que funcionar. Por sorte está destrancada, então entro e fico em meio a produtos de limpeza e aspiradores de pó.

– Entre aqui.

Relutante, ele obedece, então fecho a porta e apoio o corpo contra ela. Permanecemos em silêncio enquanto os passos fazem uma curva e seguem seu caminho.

– Aqui é confortável. – Josh bate o pé em um pacote de rolos de papel higiênico. – Então, o que você queria dizer?

– Eu estraguei tudo. Sei que estraguei.

– Não há nada que estragar. Você me irritou, só isso. O *status quo* foi mantido.

Ele apoia um cotovelo na prateleira para passar a mão nos cabelos e sua camisa desliza um pouquinho para fora da calça. Estamos tão próximos um do outro que posso ouvir o tecido esfregando em sua pele.

– Pensei que talvez a guerra pudesse chegar ao fim. Pensei que talvez pudéssemos ser amigos. – Seus olhos brilham com desgosto, então talvez agora seja a hora certa de falar tudo. – Josh, eu quero que sejamos *amigos*. Ou algo assim. Não tenho ideia do motivo disso, afinal, você é horrível.

Ele ergue um dedo.

– Há algumas palavras interessantes no meio do que você acabou de dizer.

– Eu digo muitas palavras interessantes. É você que nunca as ouviu.

Esfrego os olhos até meus dedos estalarem, e então me dou conta do que está acontecendo.

O motivo da minha crescente angústia é o seguinte: eu jamais voltarei a ver esse lado gentil que ele esconde. Penso em suas mãos apoiadas nas laterais do meu travesseiro, penso em Joshua conversando comigo enquanto estou febril. Suas mãos deslizando facilmente por minha pele.

Neste exato momento, ele parece querer me lançar na fogueira. Foi meu amigo por alguns instantes, por uma noite de delírio, e terei de me satisfazer com isso.

— Ou algo assim – ele ecoa, usando os dedos para marcar aspas no ar. – Você disse que queria que fôssemos amigos ou algo assim. O que exatamente significa "algo assim"? Quero saber quais são as minhas opções.

— Provavelmente inclui não nos odiarmos. Sei lá.

Tento me sentar em algumas caixas empilhadas, mas elas amassam, então volto a ficar em pé.

— Então, o que ele é? Seu namorado?

Joshua está com as mãos na cintura e essa saleta se torna microscópica.

Agora posicionou-se mais perto de mim. Não sei qual é o sabonete divino desse homem, mas preciso tê-lo. Vou guardar uma barra na primeira gaveta para perfumar minha lingerie. Sinto minhas bochechas começando a esquentar.

— Você não daria a mínima se eu saísse com Danny. Você acha que nenhum homem quer sair comigo.

Em vez de responder, ele estende a mão, mantendo a palma para cima. As mangas de sua camisa continuam enroladas, o que me permite notar os tendões em seus pulsos. Pela primeira vez, percebo que ele tem aquelas veias que os homens musculosos têm nos braços.

— A gente se tocar no trabalho é contra a política do RH.

Minha garganta fica seca. *Não se tocar é que deveria ser ilegal.*

Ele me olha com expectativa até eu encostar minha mão à sua. É difícil resistir a alguém estendendo a mão assim, e é completamente impossível se essa pessoa for Joshua. Percebo o calor e o tamanho de seus dedos antes de ele virar minha mão para analisar o arranhão na palma. E ele manipula o meu braço como quem segura uma pombinha ferida.

— Agora, falando sério, você limpou isso? Espinhos de rosas podem ter fungos. O arranhão pode infeccionar.

Ele pressiona os dedos na lateral do ferimento e franze a testa. Como consegue ser dois homens tão diferentes? Percebo mais uma coisa: talvez eu seja um fator determinante. Essa ideia me assusta. O único jeito de fazê-lo baixar a guarda é eu mesma baixar a minha. Talvez eu possa fazer tudo mudar.

O JOGO DO AMOR/ÓDIO

— Josh.

Quando ele me ouve encurtando seu nome, dobra meus dedos e solta a minha mão. Chegou a hora de arriscar. Espero que eu não esteja errada.

— Eu queria você lá em casa na noite de sexta-feira. Você e só você. E, se não quiser ser meu amigo, vou fazer o Jogo do Ou Algo Assim com você.

Uma longa pausa se instala e ele não reage. Se eu julguei errado, nunca vou superar a vergonha. Meu coração pulsa desconfortavelmente rápido.

— Sério?

Ele parece cético.

Empurro-o contra a porta e sinto o frio na barriga quando ouço seu peso contra ela.

— Me beije — sussurro, e o ar esquenta.

— Então o Jogo do Ou Algo Assim envolve beijos? Veja só que interessante, Lucinda.

Ele desliza seus longos dedos por meus cabelos, afastando com cuidado os fios que caíram no rosto.

— Eu ainda não conheço as regras. É um jogo novo.

— Tem certeza?

Joshua olha para baixo e observa minha mão aberta sobre a sua barriga.

Empurro seus músculos. Eles não cedem.

— Você está usando um colete à prova de balas?

— Neste escritório, não resta outra escolha.

— Eu realmente sinto muito por ferir os seus sentimentos, ou por expulsá-lo do meu apartamento, Josh.

Uso mais uma vez seu apelido, e é uma oferta de paz. É um pedido de desculpa.

Sinceramente, é um prazer. Isso me permite imaginar que ele é meu amigo. Meu amigo, que me deixa deslizar a mão por seu torso em uma despensa. Eu queria que ele passasse sua mão no meu.

— Desculpas aceitas. Mas você não pode querer que eu seja um cara gentil quando outro homem a traz ao escritório, a beija e lhe dá flores. Não é assim que esse jogo funciona conosco.

— Eu nunca tive a menor ideia de como esse jogo funciona.

Engulo em seco. Ele encosta os dedos em meu queixo, erguendo meu rosto para que o olhe nos olhos.

— Pensei que você fosse mais esperta, Lucinda. Devo estar errado.

Fico na ponta dos pés e minhas mãos agarram seus ombros. Quando pressiono minhas unhas em sua pele, sua garganta se aperta, engolindo, e eu consigo beijá-la. Sinto o efeito desse beijo. Suas mãos se flexionam, seu quadril vem em minha direção. Uma coisa sólida e pesada pressiona minha barriga.

Esse é o melhor jogo que já joguei na vida.

Sua mão se ajeita na minha lombar e eu arqueio o corpo para perto de Joshua. Consigo encostar uma mão em sua nuca.

— Há algum motivo para ainda não estarmos nos beijando?

— A diferença de altura é o motivo mais forte.

Ele está tentando esconder que tem uma ereção enorme o suficiente para amassar uma lata. É uma missão impossível. Sorrio e tento puxá-lo para perto da minha boca.

— Bem, não me faça ir aí em cima.

O lugar da boca de Joshua é junto à minha, mas ele não desce para se aproximar. Seu rosto se aperta com a indecisão e a luxúria contida. Imagino que esteja refletindo sobre as complicações que um beijo poderia gerar dentro da empresa.

— Só vamos trabalhar juntos por mais duas semanas. Qual é o problema, então?

E dou os parabéns a mim mesma por ter usado um tom tão casual.

— Que convite mais romântico.

Sua língua lambe o canto da minha boca. Ele quer. Está claro que quer. Mas ainda resiste.

— Coloque suas mãos em mim.

Em vez de me agarrar, ele apenas estende as mãos, oferecendo-as como eu acabei de oferecer as minhas a ele. Então, fica parado ali. Seu peito vem para a frente e vai para trás.

— Encoste-as em você.

Nada nunca acontece como eu espero que aconteça. Pego uma de suas mãos e a apoio em minha bunda. A outra, decido deslizar em meu quadril. Ambas me seguram, mas não se movem. Basicamente, estou encostando-o em meu corpo, e ele oferece pouca ajuda.

— Isso é para não ferir as regras do RH? Chega de ameaças citando o RH. A essa altura, essas ameaças só servem para desperdiçar fôlego.

Dizer isso foi um desperdício do *meu* fôlego. Preciso de todo o oxigênio que consiga reunir. O calor de seu toque me faz queimar.

Empurro sua mão mais para baixo, onde a nádega encontra a coxa. Ele precisa se inclinar para alcançar, e agora sua boca está muito mais próxima. Então, tiro sua outra mão das minhas costelas e a levo a um seio. Joshua parece prestes a desmaiar. Meu ego é grande demais para caber nesta sala.

— Então, fazer sexo com você seria assim? — Não consigo resistir, tenho que provocá-lo. — Eu esperava que você fosse um pouco mais... participativo.

Ele enfim diz alguma coisa.

— Eu participo. Tanto que você não conseguiria andar no dia seguinte.

Mais passos pelo corredor. Estou em uma saleta menor do que uma cela e Josh está me tocando. Reúno toda a minha coragem e levo a ponta de seus dedos ao meu decote, só para ver o que acontece.

— Tudo bem. Quem se importa em conseguir andar?

Todo o controle dele se desfaz, e suas mãos ganham autonomia novamente. Leva uma delas debaixo do meu joelho para erguer a minha perna. As pontas de seus dedos deslizam por debaixo da bainha do vestido, traçam suavemente uma reta pela parte externa da minha coxa e chegando à calcinha. Tocam o elástico e me fazem tremer. Afundam-se entre os meus seios, acariciando. Então ele coloca meu pé de volta no chão e as mãos nos bolsos.

— Quero que você faça uma coisa para mim. Quero que você tenha o seu encontro fofo com Danny, e quero que o beije.

Enquanto Josh pronuncia as palavras, sua boca se repuxa com nojo. Encosto os pés no chão e volto à minha estatura normal. Já dissemos muitas coisas inacreditáveis um para o outro recentemente, mas isso foi completamente inesperado.

— O quê? Por quê?

Afasto as mãos de seus ombros.

Começo a sentir que estou afundando. Joshua estava brincando comigo esse tempo todo. Ele percebe o desespero em meus olhos e segura o meu cotovelo para evitar que eu me afaste.

— Se o beijo dele for melhor do que o nosso no elevador, o assunto está resolvido. Fique com ele. Faça planos de se casar em um gazebo, durante a primavera, na Morangos Sky Diamond.

Começo a protestar, mas ele me interrompe.

— Se não for tão bom assim, aí você deve admitir para mim. Na minha cara. Verbalmente. Com franqueza. Sem sarcasmo.

Qualquer saída que eu pudesse ter agora está bloqueada.

— É estranho você querer isso.

Dou um passo para trás e esbarro em uma vassoura.

— O Jogo do Ou Algo Assim só continua depois que você me disser que ninguém a beija como eu.

— Posso dizer isso agora mesmo?

Fico outra vez na ponta dos pés, mas ele se mostra contrariado.

— De forma alguma eu vou ser o seu experimento antes de você escolher o Senhor Gentileza. Então, sim, quero que você beije Danny Fletcher esta noite e me conte o resultado. Se for bom, boa sorte para vocês dois.

— Não há dúvida de que você não gosta de rapazes gentis.

Ele faz mais uma ressalva:

— Uma última coisa. Se beijá-lo não for tão bom quanto me beijar, você não pode voltar a beijá-lo.

Joshua abre a porta e me empurra para fora. O senhor Bexley está andando amargurado pelo corredor, então fecho a porta ao passar. Ele olha outra vez quando me vê saindo da despensa.

— Estava procurando um produto para limpar vidro. Há marcas de dedos por todo o escritório.

— Você viu o Josh? Não o encontro em lugar nenhum. A empresa está desmoronando e ele resolveu sumir.

— Ele foi buscar café e donuts para o senhor. O senhor anda tão ocupado... Mas finja ficar surpreso, como se eu não tivesse contado nada, por favor.

O senhor Bexley se anima, bufa e resmunga, tudo isso com um único ruído gutural. Em seguida, olha para o meu vestido de forma tão descarada que, irritada, levo a mão à cintura. Ele nem percebe.

— Senhorita Hutton, a senhorita parece um pouco afobada. Gosto de uma jovem com as bochechas rosadas, mas a senhorita deveria sorrir menos.

— Desculpa, meu celular está tocando — digo, muito embora não esteja. — Lembre-se de fingir que está surpreso quando Josh voltar.

— Posso ficar surpreso — ele me diz antes de entrar no banheiro masculino.

E está levando um jornal, portanto, Josh terá tempo de descer e buscar os donuts.

Mantenho a compostura até chegar à minha mesa, mas aí eu me permito fazer aquilo que precisava tanto: respirar desesperadamente. Arfo como se tivesse corrido uma meia-maratona. O suor brota na minha nuca, meu rosto está úmido. Meus dedos queimam por eu ter tocado o algodão que cobre a pele de Josh. Deixo metade da superfície do décimo andar embaçada antes de conseguir me recompor e sentar.

Estou tão excitada que queria poder dormir até essa sensação passar.

Joshua retorna vinte minutos depois, trazendo donuts e café. E o senhor Bexley ainda não voltou do banheiro.

— Boa desculpa — elogia, colocando um chocolate quente e um donut de morango ao lado do meu mouse pad. — Improviso genial.

Enquanto ele entra no escritório de seu chefe, eu observo o donut lindo e rosado como se eu tivesse caído em um buraco negro. Em vinte minutos, a insegurança começa a corroer minha confiança no Jogo ou algo assim. Ele é grande demais, inteligente demais, e meu corpo gosta dele demais. Fico desesperada por estabelecer algumas regras básicas. Quando se senta em sua mesa e toma um gole de seu café, só consigo dizer algo que acaba soando vulgar:

– Se o Jogo do Ou Algo Assim envolver sexo, será uma coisa única. Só uma vez. Uma única e insignificante vez.

Bato a mão na boca.

Ele estreita cinicamente o olho e começa a comer os morangos que lhe dei. É hipnotizante. Nunca o vi comer nada.

– Uma – reforço com o indicador em riste.

– Só uma? Tem certeza? Você vai pelo menos me pagar o jantar antes?

Ele se recosta na cadeira, divertindo-se com esse diálogo. Morde, mastiga, engole, e eu tenho que desviar o olhar porque, francamente, tudo isso é extremamente sensual.

– Claro. Podemos passar pelo *drive-thru* e pegar um McLanche Feliz.

– Putz, valeu! Um hambúrguer e um brinquedo antes de fazermos as coisas. Uma vez. – Joshua toma um gole de café e olha para o teto. – Será que você não poderia pelo menos considerar um restaurante italiano refinado? Ou você *quer* que eu me sinta barato?

– Uma vez.

Levo os nós de vários dedos à boca e os mordo até sentir dor.

Cale a boca, Lucy.

– Pode definir o que estaria incluso nessa única vez?

Ele apoia o queixo na palma da mão e fecha os olhos, bocejando. Qualquer um observando pensaria que estamos falando de alguma apresentação de trabalho, e não de um jogo sacana, com nós dois nus no meu colchão.

– Seus pais não ensinaram que você precisa cortejar antes? – arrisco antes de tomar um gole do meu chocolate quente.

– Estou tentando entender bem direitinho as regras. Você improvisa e inventa coisas o tempo todo. Será que poderia me enviar as regras por e-mail?

O senhor Bexley passa entre nós, quebrando o clima, e emite um suspiro nada convincente de surpresa quando vê o café e os donuts sobre a sua mesa.

— Eu já entro, só um minuto — Joshua diz a ele. Para mim, continua: — Uma vez? Você conseguiria se conter?

Posso ver o canto de sua boca se repuxar em um pequeno sorriso, e ele começa a olhar para alguma coisa na tela de seu computador.

— Não seja tão convencido — sussurro o mais baixinho que consigo. — Nem temos certeza ainda *se* vai acontecer.

— Não aja como se eu fosse o único querendo. Isso não é nenhum favor que você está fazendo para mim. É um favor enorme que fará a si mesma.

Ele não parece, nem de longe, estar se referindo ao que há por debaixo do seu zíper, mas eu desvio o olhar. E aparentemente não consigo parar de falar.

— Para acabar com essa estranha tensão sexual entre nós, sim, seria só uma vez. Como eu disse, que diferença faz?

Ele pisca duramente os olhos, abre a boca para falar, mas parece reconsiderar. Para um cara que acabou de ouvir de uma mulher que ela está pensando em transar com ele, Joshua parece um tanto desapontado.

— Então acho que vou fazer valer, Moranguinho.

Suas palavras são uma promessa e um aviso. Mordo metade do meu donut para não ter que responder.

Tenho um pouco de vantagem, pois posso definir os termos do acordo. Ele se levanta e pega seu café. É um sinal de recuo. Mas em seguida lança a bola de pingue-pongue outra vez na mesa, forçando-me a tomar a decisão. E devo admitir, estou impressionada.

Escreve alguma coisa em um post-it azul. Contorna aquela sua caligrafia, a tinta sendo absorvida pelo papel.

Escreve uma coisa que eu jamais imaginei descobrir. Não tenho ideia de por que devo buscá-lo antes do casamento, *ou algo assim*. Não consigo perguntar porque estou de boca cheia.

Ele gruda o post-it na tela do meu computador: é o endereço de sua casa.

CAPÍTULO 13

— Fico o tempo todo na expectativa de que seu irmãozão invada o restaurante a qualquer momento e a arraste para fora daqui. É como se você tivesse que ir embora cedo porque amanhã tem aula ou algo assim – Danny conta enquanto levo uma colherada de sorvete de limão à boca.

— Tenho certeza de que ele está esperando em algum carro aí fora, pronto para atropelar você.

Minhas palavras não saem exatamente em tom de piada. A garçonete se aproxima para perguntar se desejamos mais alguma coisa. Repetimos que tudo estava delicioso. Tudo é impressionantemente perfeito. Toalhas de mesa xadrez e velas. Música romântica e eu usando um lindo vestido e batom vermelhos. A única coisa que me impede de cochilar é o leve frio na barriga quando penso no quase inevitável beijo que está por vir esta noite.

— Preciso perguntar. Você está... solteira? Disponível? Senti um clima. Você e ele não...?

— Sim, não. Não! Clima nenhum! Clima nenhum, certeza. Estou solteira.

E aí repito essas palavras algumas vezes mais. Danny não parece convencido. Acho que exagerei, sério.

Um golpe de pânico invade meu ser. Se alguém suspeitar que Josh e eu estamos envolvidos de algum jeito, haverá repercussões. Em termos de reputação. Em termos de RH. Em termos de dignidade. Lembro-me dos olhares e cutucões entre algumas mulheres depois do jogo de paintball e estremeço pensando que a coisa pode ter fugido do controle.

— Muita gente já ficou com muita gente lá na empresa. Samantha e Glen... Nossa, aquilo foi um desastre – Danny conta com um sorriso malvado.

Ele curte uma fofoca, já percebi. Arqueia a sobrancelha na esperança de que eu tenha algum escândalo suculento para dividir, mas eu aceno uma negação.

— Ninguém conversa comigo no trabalho. O pessoal pensa que eu vou contar tudo para os chefes.

— É verdade que Josh concluiu o primeiro ano da faculdade de Medicina?

— Não sei. Mas os pais e o irmão dele são médicos.

— Sempre vivemos esperando que ele deixasse a Bexley Books para se tornar proctologista ou algo assim.

Só consigo dar risada.

— Então, você teve algum fim de relacionamento trágico no passado ou algo assim? – A curiosidade de Danny parece sincera. – Acho que estou tentando descobrir por que está solteira.

— Andei meio sem tempo para sair com homens e não ando me esforçando o suficiente para fazer novos amigos depois que perdi contato com o pessoal da Gamin, depois da fusão. Meu trabalho tomou conta da minha vida. Trabalhar para um CEO não é exatamente um emprego que se restringe ao horário comercial.

— Mas o que era aquela rosa na sua mesa? – Ele arqueia a sobrancelha esperançoso.

— Foi uma brincadeira.

Danny espera que eu desenvolva minha resposta. Ao perceber que não vou dar mais detalhes, desiste e muda de assunto:

— Você enviou os documentos com a candidatura para a vaga executiva?

— Já mandei. As entrevistas acontecem na semana que vem.

— A competição vai ser acirrada?

— A lista dos chamados para entrevista é composta apenas por mim, duas pessoas de fora da empresa e meu querido amigo Joshua Templeman. Quatro candidatos no total.

— Você está esperando essa oportunidade há muito tempo – Danny pressupõe.

Talvez eu esteja outra vez com aquele olhar intenso.

— Helene trabalhou muito para desenvolver meu potencial. Quando estávamos na Gamin Publishing, o plano era que eu fosse transferida para a equipe editorial depois de um ano trabalhando para ela.

Percebo como minha voz soa amargurada. Danny comenta:

— Não é incomum entrar para o mercado editorial por qualquer caminho que apareça, mesmo que isso signifique aceitar um emprego na área administrativa. Metade das pessoas não começa com o trabalho dos sonhos. Foi inteligente da sua parte aceitar qualquer posição que aparecesse.

— Não, meu problema não é esse. Fico feliz de ter ido parar numa vaga na área comercial.

— Mas aí veio a fusão...

— Exato. Muitas pessoas perderam seus empregos. Eu tive sorte de manter o meu, mesmo que isso significasse continuar na mesma posição. E perdi minha melhor amiga – conto, e acabo fazendo soar como se ela estivesse morta.

— Chefe de operações vai ser bem legal para o seu currículo, especialmente na sua idade.

— Sim – sussurro, imaginando o título em fonte Arial. Depois, penso no CV de Joshua e esse sonho delicioso se torna amargo. – Estou preparando uma apresentação para a entrevista. É algo em que tenho pensado há muito tempo. Até agora, não estive em uma posição na qual pude ser tão influente quanto gostaria. Parece que nunca é a hora certa. Quero criar um projeto formal para transformar os livros antigos em e-books. Reestruturar toda a obra, a capa, o design. Acho que conseguir essa nova posição vai ser o trampolim que tanto espero.

— Parece que você vai precisar de muito apoio de um capista. Lembre-se de que eu existo — Danny diz.

Enfia a mão no bolso e me entrega seu novo cartão de visita. Uma mulher na mesa ao lado o observa com uma expressão de "que idiota" estampada no rosto.

Em seguida, pede a conta e paga com o cartão de crédito.

— Ah, obrigada — digo toda sem graça, fazendo-o sorrir.

Vamos até o meu carro.

— Desculpa por eu ter falado tanto sobre trabalho.

— Não tem problema nenhum. Eu também trabalhava lá, lembra? Então. É isso. Seu carro... — Danny para, aponta para o veículo. — É incrível.

— Não é? — Escoro-me na porta. — Livre, enfim! Livre, enfim!

— Você acabou de citar Martin Luther King para se referir ao seu carro?

— Hum, sim, acho que sim.

Ele cai na risada.

— Cara, você é incrível.

— Sou uma idiota.

— Não diga isso. Eu gostaria de beijá-la. Por favor — anuncia com toda a cortesia.

— Está bem.

Olhamos um nos olhos do outro. Nós dois sabemos que chegou a hora. A hora da verdade. Ou Danny me impressiona pra caramba, ou terei de inflar o ego de Josh.

Nós dois parecemos a imagem estampada em um cartão do Dia dos Namorados. A rua está molhada pela chuva; a luz de um poste nos ilumina. Meu vestido vermelho é o ponto focal e um homem com cachos loiros angelicais se aproxima de mim, seus olhos azul-

-claros focando em minha boca. Sua altura deixa claro que nossos corpos se encaixam.

Seu hálito é leve e adocicado pela sobremesa e suas mãos se abrem respeitosamente em minha cintura. Quando nossos lábios se tocam, imploro a mim mesma para sentir alguma coisa. Peço a todas as estrelas cadentes no firmamento. Rezo pelo primeiro golpe de luxúria. Beijo Danny Fletcher mais e mais e mais, até perceber que a luxúria não vai chegar.

Sua boca cutuca a minha, abrindo-a, mas, sendo o cavalheiro que é, não usa a língua. Seguro seus ombros. Seu corpo, que pareceu tão em forma e torneado num primeiro momento, agora é tão leve e insubstancial quanto ossos de galinha. Aposto que ele sequer conseguiria me levantar do chão.

Nós dois nos afastamos.

– Então...

Minhas esperanças foram esmagadas, e acho que ele percebeu. Danny estuda meu semblante. Foi como se eu estivesse beijando um primo. Tudo errado. Quero repetir o procedimento só para ter certeza e, quando vou um pouco para a frente, ele dá um passo para trás e tira as mãos de mim.

– Gosto de passar tempo com você – começa a dizer. – Você é legal.

Termino a frase para ele.

– Então podemos ser amigos? Sinto muito.

Seu rosto deixa transparecer a decepção por não ter sido ele quem propôs isso, uma mistura de alívio e irritação que me faz gostar menos desse cara.

– Sim. É claro. Somos amigos.

Pego a chave do carro.

– Bem, obrigada pelo jantar. Boa noite.

Vejo-o se distanciando, erguendo a mão para acenar um tchau. Danny gira a chave do carro no dedo, seus passos são lentos. Um jantar caro em troca de um beijo ruim.

Está bem, você venceu o jogo do beijo, Joshua Templeman. Como eu previa.

Uma nuvem de tempestade se forma dentro de mim. Que noite mais tediosa. Que desperdício.

Mas a pior parte? Se Joshua não existisse, esse encontro teria sido bom, segundo os meus padrões. Perfeitamente agradável. Já passei por noites mais tediosas e beijos muito piores. Muito embora a química não fosse a ideal, poderíamos ir construindo algo aos poucos. Essa foi a única oportunidade em minha história recente, e ela foi arruinada.

Era como se Joshua estivesse sentado em uma terceira cadeira em nossa mesinha romântica, observando tudo, julgando tudo. Lembrando-me de tudo o que eu perderia. Quando olhei para a boca de Danny, implorei para sentir alguma coisa.

Quando chego a ruas desconhecidas, encosto o carro e passo incontáveis minutos brigando com as configurações do GPS, meus dedos desajeitados pressionando todos os botões errados, um pedaço de papel azul entre os meus dentes.

Insulto a mulher do GPS com os piores nomes que me vêm à mente. Imploro para ela parar. Mas ela não para. A insuportável me direciona ao apartamento de Josh.

Não vou ao prédio dele. Não sou tão patética a esse ponto. Estaciono em uma rua lateral e olho para o prédio, imaginando qual daqueles quadradinhos iluminados o representa.

Josh, por que você me arruinou?

Meu celular vibra. É um nome que quase nunca vejo na tela.

Joshua Templeman: E aí? Suspense etc.

Tranco o carro e ajeito o casaco enquanto vou andando. Tento pensar em uma forma de responder. Mas, francamente, nada me ocorre. Meu orgulho está ridiculamente ferido. Eu devia ter tentado com mais afinco esta noite. Devia ter me convencido um pouco mais. Mas tenho tanto medo de tentar.

Componho uma resposta. O emoji do cocô sorrindo. Resume tudo.

O JOGO DO AMOR/ÓDIO

Decido dar a volta no quarteirão de seu prédio, rezando para não ser sequestrada. Mas não preciso me preocupar demais. A chuva afastou todos os *stalkers*, até o mais dedicado deles, das ruas. Meus saltos vermelhos ecoam alto enquanto concluo o reconhecimento da área.

É estranho andar e tentar enxergar as coisas pelos olhos de outra pessoa – pior ainda quando se trata do seu inimigo declarado. Observo as rachaduras na calçada e me pergunto se ele pisa nelas quando anda até o mercadinho de orgânicos. Quisera eu morar perto de um armazém assim; talvez isso me animasse a não comer tanto macarrão com queijo.

Sempre suspeitei que as pessoas aparecem em nossa vida para nos ensinar alguma coisa. Tenho certeza de que Josh nasceu para me testar. Para me empurrar além do limite. Para me tornar mais forte. E, até certo ponto, isso tem se mostrado verdadeiro.

Passo por uma vitrine e paro, estudando meu reflexo. Esse vestido é realmente lindo. Minhas bochechas e meus lábios estão novamente corados, em grande parte por obra de cosméticos. Penso nas rosas. Ainda não consigo entender. Elas foram enviadas por Joshua Templeman. Ele foi até uma floricultura, por vontade própria, e escreveu quatro palavras em um cartão que virou todo o jogo.

Poderia ter escrito qualquer coisa. Qualquer uma das seguintes opções teria sido perfeitas: *Sinto muito; Peço desculpas; Eu agi errado; Sou um completo idiota; A guerra terminou; Eu me rendo.*

Somos amigos agora.

Mas, em vez disso, aquelas quatro palavrinhas. *Você é sempre linda.* A confissão mais estranha vinda da última pessoa que eu poderia esperar. Permito-me pensar na ideia que venho evitando tão claramente.

Talvez ele nunca tenha me odiado. Talvez sempre tenha me desejado.

Mais um barulho em meu bolso.

Joshua Templeman: Onde você está?

Onde mesmo? Não é da sua conta, Templeman. Estou escondida atrás do seu prédio, olhando para as lixeiras, tentando descobrir se esse café do outro lado da rua é o que você frequenta ou se você costuma ir àquele parquinho no qual há uma fonte. Estou olhando para as luzes que iluminam a calçada. Estou vendo tudo de outra forma.

Onde eu estou? Em outro planeta.

Outra mensagem de texto.

Joshua Templeman: Lucinda, estou ficando irritado.

Não respondo. Para que responder? Preciso esquecer esta noite, considerá-la só mais uma estranha experiência da vida. Olho para a rua e vejo meu carro no fim da quadra, pacientemente esperando. Um táxi passa devagar e, quando faço que não com a cabeça, ele acelera.

Então é assim que a perseguição começa? Ergo o olhar e avisto uma mariposa orbitando em volta da lâmpada de um poste. Esta noite, eu entendo perfeitamente essa criatura.

Uma passadinha na frente do prédio dele e só isso. Vou virar a cabeça e observar as caixas de correio. Quem sabe eu queira deixar uma ameaça de morte. Ou uma nota sacana embrulhada em uma calcinha do tamanho de uma bandeira marítima.

Dou passos maiores enquanto passo pela porta principal, vislumbrando o saguão superarrumado, e então percebo alguém andando à minha frente. Um homem alto, de corpo perfeitamente proporcional, mãos nos bolsos, passos agitados. A mesma silhueta que vi no meu primeiro dia na B&G. Aquela silhueta que conheço melhor do que a minha própria sombra.

É claro que neste novo planeta ao qual viajei não há ninguém além de Josh.

Ele olha por sobre o ombro, sem dúvida ouvindo meus passos insanamente altos. E olha outra vez, só para ter certeza.

— Estou na rua, perseguindo alguém — grito.

As palavras não saem no tom que eu pretendia. Não saem leves nem com um toque de humor, mas sim como um aviso. Agora, sou um animal assustador. Ergo as mãos para mostrar que não estou armada. Meu coração bate acelerado.

— Eu também — ele responde.

Outro táxi passa.

— Aonde você está indo? — minha voz ecoa pela rua vazia.

— Já disse. Estou perseguindo alguém.

— Assim, a pé? — Dou seis passos mais para perto. — Você saiu para andar?

— Eu ia correr pelo meio da rua como o Exterminador do Futuro.

Dou uma risada escandalosa. Estou quebrando as regras ao rir para ele, mas não consigo me conter.

— Você está a pé, afinal. E com pernas de pau — brinca, apontando para os meus saltos altos.

— Elas me dão alguns centímetros a mais para conseguir olhar sua lixeira.

— Encontrou alguma coisa interessante?

Joshua se aproxima e para até haver cerca de dez passos nos separando. Quase consigo sentir o cheiro de sua pele.

— Basicamente o que eu esperava. Cascas de legumes, filtro de café usado, fraldas geriátricas…

Ele solta a cabeça para trás e ri para as estrelas visíveis em meio às nuvens. Essa risada incrível e animada é ainda melhor do que eu lembrava. Cada átomo do meu corpo vibra com a necessidade de ter *mais* dessa risada. O espaço entre nós pulsa com energia.

— Você *sabe* sorrir — é tudo o que consigo dizer.

Seu sorriso vale mil palavras de qualquer outra pessoa. Preciso de uma fotografia. Preciso de algo a que me apegar. Preciso que esse planeta bizarro deixe de girar para eu poder congelar esse momento no tempo. Que desastre.

— O que eu posso dizer? Você está engraçada esta noite.

O sorriso em seu rosto se desfaz quando dou um passo para trás.

— Então dar meu endereço era tudo o que eu precisava fazer para encontrá-la aqui? Eu devia ter dado o endereço logo no primeiro dia.

— Para quê? Para você pegar seu carro e me atropelar?

Chego um pouco mais perto, até estarmos próximos, debaixo de uma luz. Passei mais de oito horas olhando com ele hoje, mas, fora do contexto do escritório, Josh parece totalmente diferente, e estranho.

Seus cabelos brilham úmidos e há cor em suas bochechas. A camiseta azul de algodão deve ser mais suave do que os lençóis de um bebê e o ar frio deve estar castigando seus braços expostos. A calça jeans velha adora seu corpo e o botão pisca para mim como uma moeda romana. O cadarço de seu tênis está frouxo, quase desamarrado. É uma imagem e tanto.

— O encontro não foi bom? — ele arrisca.

Para seu crédito, não dá nenhuma risadinha. Aqueles olhos azuis fortes me observam pacientemente. Ele me deixa ficar ali e tentar pensar em alguma resposta. Como eu faço para sair dessa situação? O constrangimento começa a tomar conta de mim outra vez agora que a piada entre nós começa a perder seu efeito.

— Foi tudo bem — respondo, vendo que horas são.

— Mas não foi ótimo. Afinal, você está na frente do meu prédio. Ou está aqui para me contar alguma notícia boa?

— Ah, cale a boca. Eu só queria... Sei lá. Ver onde você mora. Como poderia resistir? Andei pensando em colocar um peixe morto na sua caixa de correspondência um dia desses. Você viu onde eu moro. A situação estava injusta e desigual.

Ele não se distrai.

— Você beijou aquele cara, conforme combinamos?

Olho para a lâmpada.

— Sim.

— E aí?

Sinto um arrepio quando ele toca a mão em meu quadril e olha para a rua, aparentemente confuso. Passo as costas da mão nos lábios.

— O encontro foi legal — começo, mas ele se aproxima e envolve meu maxilar com suas mãos.

A tensão faz o ar estalar.

– Legal. Legal e bom e interessante. Você precisa de algo melhor do que "legal". Conte a verdade.

– Legal é exatamente o que eu preciso. Preciso de algo normal e tranquilo.

Percebo a decepção em seus olhos.

– Não é disso que você precisa, acredite.

Tento desviar o olhar, mas ele não permite. Sinto seu polegar acariciando a minha bochecha. Tento afastá-lo, mas acabo puxando-o mais para perto, agarrando sua camiseta.

– Ele não é bom o suficiente para você.

– Nem sei por que estou aqui.

– Sabe, sim. – Ele beija a minha bochecha e eu fico na ponta dos pés, arrepiada. – Você está aqui para me dizer a verdade. Assim que parar de ser mentirosa.

Ele está certo, é óbvio. Está sempre certo.

– Ninguém sabe me beijar como você.

Tenho o raro privilégio de ver os olhos de Joshua brilharem por algum motivo que não seja irritação ou raiva. Ele se aproxima para me avaliar. Sempre que me olha nos olhos, parece sentir-se reassegurado, então me abraça e me levanta do chão. Sua boca toca a minha.

Nós dois deixamos suspiros de alívio escapar. É inútil mentir sobre o motivo de eu estar ali, na calçada molhada em frente ao seu prédio.

Começamos apenas respirando o ar que sai pelas narinas do outro, mas logo a pressão em nossos lábios ganha força e nossas bocas se abrem. Falei mais cedo "que importância isso tem?". Para mim, infelizmente, esse beijo importa.

Os músculos em meus braços começam a tremer pateticamente contra o pescoço de Josh, e ele me abraça mais apertado, até eu sentir que tomou conta de mim. Meus dedos se curvam em seus cabelos e eu puxo aqueles fios sedosos. Josh geme. Nossos lábios se entregam à luxúria do beijo. Deslizam, empurram, escorregam.

A energia que costuma nos açoitar inutilmente agora tem uma válvula de escape, forma uma corrente elétrica entre nós, circulando dentro de mim e invadindo-o. Meu coração se acende como uma lâmpada em meu peito, a luz se tornando mais forte a cada movimento dos lábios.

Consigo respirar e nosso movimento lento e sensual se transforma em uma série de beijos mais rápidos, com mordidas leves. Ele está testando, e percebo que guarda certa timidez. Sinto-me como se Josh estivesse me contando um segredo.

Nesse beijo, há uma fragilidade que eu jamais esperaria. É como reconhecer que um dia essa memória vai desaparecer. Ele está tentando me fazer lembrar. É tão doce e amargo que meu coração começa a pesar. Quando minha boca se abre e eu tento entregar minha língua, ele encerra o beijo com um tom casto.

Teria esse sido o último beijo?

— Meu beijo característico do primeiro encontro.

Ele espera uma resposta, mas deve ter visto em meu rosto que não sou capaz de articular nenhuma linguagem humana neste momento. Continua me apertando em um abraço caloroso. Cruzo os tornozelos e olho em seu rosto como se jamais tivesse visto essa pessoa antes. O impacto de sua beleza é quase assustador aqui, tão próximo, com esses olhos iluminados. Nossos narizes se esfregam. As centelhas estão em minha boca, minha boca tão desesperada por ligar-se novamente à dele.

Imagino-o em um encontro com outra mulher e um golpe de ciúme atinge o meu estômago.

— Está bem, está bem. Você venceu — admito quando recupero o fôlego. — Mais.

Empurro o rosto para a frente, mas ele parece não entender o sinal. Por mais delicioso que tenha sido, esse beijo foi apenas uma demonstração do que ele é capaz. Preciso daquela intensidade que tivemos no elevador.

Um casal de meia-idade passa de braços dados por nós, estourando a bolha na qual nos encontrávamos. A mulher olha para trás encantada. Claramente somos adoráveis.

— Meu carro está ali — aponto.

— Meu apartamento está ali — ele aponta para cima e me coloca cuidadosamente no chão, como se eu fosse uma garrafa de leite.

— Não posso.

— Covardezinha.

Ele já entendeu qual é a minha. E agora é a minha vez de lançar algo completamente sincero.

— Está bem, eu admito: estou morrendo de medo. Se eu subir, nós dois sabemos o que vai acontecer.

— Por favor, explique.

— *Ou Algo Assim* vai acontecer. Aquela coisa de que falei outro dia. Não vamos chegar vivos à entrevista na semana que vem. Nós dois vamos ficar aleijados na cama, com os lençóis rasgados.

A boca dele se inclina no que acredito que será um sorriso capaz de explodir meu coração, então me viro e aponto na direção do carro. Dou o primeiro passo e começo a correr.

CAPÍTULO 14

— Não. De jeito nenhum — ele diz.

Entra no lobby do prédio me levando sob seu braço como se eu fosse um jornal enrolado. E vai ver se há alguma correspondência na caixa de correio.

— Relaxe. Eu só vou mostrar o meu apartamento para você, assim ficaremos empatados.

— Sempre pensei que você vivesse em algum lugar subterrâneo, perto do núcleo da terra — consigo pronunciar enquanto ele aperta o botão do quarto andar.

Ver seus dedos me faz ter *flashbacks*. Olho para o botão vermelho de emergência e para o corrimão.

Tento discretamente sentir seu cheiro. Deixo a discrição para trás, enterro o nariz em sua camiseta e inspiro duas abundantes lufadas. Viciada infame. Se ele percebe, não diz nada.

— Tio Satanás não tinha nenhum apartamento disponível na minha faixa de preço.

O elevador é grande e não há qualquer motivo para eu continuar aqui, em seus braços. Mas quatro andares é uma distância tão curta que creio não haver motivo para afastar meus braços de sua cintura. Seus dedos estão em meus cabelos.

Abro lentamente as mãos, uma delas em suas costas, a outra em seu abdômen. Músculos, carne e calor. Estou pressionando outra vez o nariz contra suas costelas, inalando um pouco mais.

– Venha – ele chama discretamente, e já estamos atravessando o hall.

Ele destranca a porta e eu me pego vacilando na entrada do apartamento de Joshua Templeman. Tira meu casaco como se estivesse descascando uma banana. Eu me preparo para o que está por vir.

Josh dependura meu casaco perto da porta.

– Então... entre.

Não sei o que esperar. Talvez uma cela de cimento cinza, sem qualquer personalidade, com uma enorme TV de tela plana e um banquinho de madeira. Um boneco de vodu com cabelos negros e batom vermelho. Uma boneca da Moranguinho com uma faca atravessada no coração.

– Onde fica o jogo de dardos com a minha cara bem no centro do alvo? – inclino o corpo ainda mais para dentro.

– Fica no quarto de visitas.

O apartamento é masculino e escuro, luxuriantemente aquecido, todas as paredes pintadas em tons de chocolate e areia. Sinto um leve cheiro de laranja. Um sofá enorme aparece no centro, diante daquela tela de TV gigante que parece ser característica de todo homem – tela que ele não havia desligado antes de sair. Estava muito apressado. Tiro os sapatos e imediatamente encolho um pouco mais. Ele entra na cozinha e eu continuo espiando.

– Dê uma olhada. Sei que está morrendo de curiosidade. – Ele começa a encher uma chaleira prateada.

Já eu deixo escapar uma expiração trêmula. Não estou prestes a ser atacada. Ninguém ferve a água com antecedência, exceto talvez na Idade Média.

É claro que Josh está certo. Estou morrendo de curiosidade para dar uma olhada. Foi para isso que vim aqui. O Joshua que conheço já não é suficiente. Informação é poder, e agora nem todas as informações são suficientes para mim. Um gemido silencioso e exasperado está alojado em minha garganta. Isso à minha frente é muito melhor do que ver a calçada na frente do prédio.

Há uma estante de livros tomando toda uma parede. Perto da janela, vejo uma poltrona e outra luminária, com uma pilha de livros iluminados por ela. Fico imensamente aliviada com isso. O que eu faria se ele fosse um belo iletrado?

Gosto de suas luminárias. Piso dentro de um dos grandes círculos formados pela luz lançada sobre o tapete oriental. Olho para baixo e estudo a estampa; folhas de hera se curvando e enrolando. Na parede de sua sala de estar há a pintura de uma colina, possivelmente italiana, talvez toscana. É original, não é impressão em massa; posso notar os pequenos golpes do pincel e também que a moldura dourada é intrincada. Há prédios na encosta da colina; torres de igreja e um céu escuro, arroxeado, ao fundo. Um leve sinal das mais discretas estrelas.

Algumas revistas de negócios descansam sobre a mesinha de centro. Há uma bela almofada no sofá, feita de fileiras e fileiras de fitas azuis. Tudo é tão... inesperado. De verdade. É como se um ser humano de verdade vivesse aqui. Percebo assustada que esse apartamento é muito mais adorável do que o meu. Olho debaixo do sofá. Nada. Nem sequer poeira.

Avisto um pequeno pássaro de origami feito com um pedaço de papel que certa vez lhe entreguei durante uma reunião. Está equilibrado no canto da estante de livros. Vejo um Joshua de perfil na cozinha enquanto ele coloca duas xícaras no balcão à sua frente. Que estranho imaginá-lo colocando o pequeno pedaço de papel no bolso e trazendo para casa.

Na outra prateleira, percebo uma única fotografia emoldurada de Josh e Patrick entre um belo casal que acredito serem seus pais. O pai é grande e bonito, com um sorriso austero, mas a mãe brilha tanto a ponto de parecer prestes a sair da imagem. Está claramente alegre por ter dois filhos tão lindos.

– Gostei da sua mãe – digo enquanto Josh se aproxima.

Ele olha para a fotografia e aperta os lábios. Percebo o sinal e não falo mais da imagem.

Joshua tem muitos livros de Medicina na prateleira inferior, os quais parecem muito datados. Também há uma estátua articulada de uma mão, mostrando todos os dedos. Dobro todos, até só o dedo do meio continuar erguido, e dou risada do meu gracejo.

— Por que você tem isso?

— São da minha outra vida.

E vai outra vez para a cozinha.

Coloco a TV no mudo e o silêncio nos envolve. Vou atrás dele e entro na cozinha. É impressionantemente limpa e a lava-louças está sussurrando. O cheiro de laranja é do spray que ele usa para limpar o balcão. Percebo o post-it com meu beijo colado na geladeira e aponto.

Joshua dá de ombros.

— Você se dedicou tanto para fazer aquilo, então me pareceu melhor não descartar.

Diante da luz acesa da geladeira, observo tudo. Há um arco-íris de cores aqui. Talos de verduras, folhas, uísque. Tofu e molho orgânico para massas.

— Na minha geladeira não tem nada além de queijo e condimentos.

— Eu sei.

Fecho a geladeira e me encosto a ela, sentindo os ímãs tocarem minhas costas. Ergo o rosto para receber um beijo, mas ele acena uma negação.

Um pouco abatida, observo a gaveta dos talheres e acaricio a manga de uma jaqueta dependurada na maçaneta da porta. No bolso, encontro o recibo do posto de gasolina. Quarenta e seis dólares pagos em espécie.

Tudo está perfeito, tudo em seu devido lugar. Não é de se espantar que meu apartamento o tenha deixado louco.

— A minha casa mais parece uma favela de Calcutá comparada a este lugar. Também preciso arrumar um cesto para deixar minhas roupas de ginástica. Onde estão os seus entulhos? Onde está a pilha de coisas que um dia você pretende arrumar?

– Você acaba de confirmar seus mais terríveis medos. Eu sou um louco por limpeza e organização.

Eu é que sou a louca, afinal, passei os últimos vinte minutos olhando para praticamente tudo o que ele tem. Violo tanto sua privacidade que chego a me sentir um pouco enjoada, mas ele continua ali e me deixa ver.

É um apartamento de dois quartos, e eu agora estou no centro do que é um escritório, mãos na cintura. Há um enorme monitor de um computador, alguns halteres. Um armário repleto de itens esportivos e um saco de dormir. Mais livros. Lanço um olhar de luxúria para seu armário de arquivos. Se Josh não estivesse aqui, eu leria até sua conta de energia elétrica.

– Terminou?

Olho para a minha mão. Estou segurando um carrinho de brinquedo antigo que encontrei em uma das gavetas. Agarro-o como se eu fosse uma batedora de carteira.

– Ainda não.

Estou tão amedrontada que quase não consigo falar.

Josh aponta e eu atravesso o restante do corredor escuro. Ele liga o interruptor próximo ao meu ouvido e eu chego a engasgar em deleite.

Seu quarto é pintado do mesmo tom azul da camisa que eu mais gosto. Azul como a cor dos ovos de um tordo-americano. Turquesa claro misturado a leite. Sinto algo estranho brotando em meu peito, uma sensação que mais parece um intenso *déja-vu*. Como se eu já tivesse estado aqui antes, como se eu fosse voltar aqui. Agarro-me ao batente.

– Essa é a sua cor preferida?

– Sim.

Há tensão em sua voz. Talvez já tenha sido provocado por isso antes.

– Eu adoro essa cor – digo, soando reverente.

Ela compõe uma explosão tão inesperada de cores entre os tons chocolates e areia, e penso em quão Josh *é isso*. Algo inesperado. Azul-claro e fofo. A cabeceira marrom-escura da cama, estofada em couro, faz o quarto não parecer feminino. Ele está atrás de mim, próximo o suficiente para me encostar a ele, mas resisto. O cheiro de sua pele está confundindo meu cérebro. A cama está arrumada e os lençóis são brancos e eu pareço achar cada detalhezinho muito sensual. O banheiro está perfeitamente polido e brilhando. Toalhas vermelhas e escova de dente vermelha. Parece um catálogo da Ikea.

— Eu jamais imaginaria que alguém como você tivesse uma samambaia. Eu tinha uma, mas ela secou.

Volto à cama de Joshua Templeman. Encosto o dedo no canto de sua fronha.

— Está bem, agora você está ficando mais do que esquisita.

Tento empurrar a cabeceira da cama, mas ela é pesada.

— Pare com isso e sente-se no sofá. Preparei chá para você.

Vou andando de lado, como um caranguejo, até a sala de estar.

— Como pôde ficar parado enquanto me via bisbilhotar?

Pego a bela almofada e a ajeito em minha lombar. Ele me entrega uma xícara e eu a seguro como uma arma.

— Eu já bisbilhotei o seu apartamento. Agora é a sua vez.

Fico sem graça, mas tento disfarçar com uma brincadeira:

— Você encontrou aquelas fotos suas que eu guardo? Aquelas nas quais eu risco e furo seus olhos?

— Não, não consegui encontrar o seu scrapbook. Mas sei que você tem 26 Papai Smurfs e que não dobra direito as roupas de cama.

Ele está na outra extremidade do sofá com a cabeça confortavelmente inclinada para o lado, descansando. Josh fica sempre confortável em sua cadeira do escritório, mas nunca vi seu corpo tão à vontade. Não consigo parar de olhar para ele.

— Os lençóis são grandes demais. Meus braços não são longos o suficiente para isso.

Ele suspira e faz que não com a cabeça.

– Isso não é desculpa.

– Você viu o que tinha na minha gaveta de roupas íntimas?

– É óbvio que não. Tive que reservar alguma coisa para a próxima vez.

– Posso olhar a sua agora?

Estou perdendo a noção. A soleira na entrada do apartamento foi onde deixei minha sanidade. Tomo um gole do chá. É como um néctar.

– Agora, Moranguinho, nós vamos fazer uma coisa um tanto incomum.

Ele tira a TV do mudo, toma um gole de sua xícara e começa a assistir à reprise de um episódio antigo de *ER* como se fizéssemos isso toda noite. Fico com o coração acelerado e tento me concentrar. Ei, não há nada demais no que está acontecendo. Estou sentada no sofá de Joshua Templeman.

Solto a cabeça para o lado e o encaro durante todo o episódio, observando as cenas tensas de uma cirurgia e os conflitos, tudo refletido em seus olhos.

– Estou incomodando?

– Não – ele responde distraído. – Já estou acostumado com isso.

Não somos normais. Os minutos passam e ele bebe um gole de seu café e eu continuo encarando. Está com uma barba por fazer que não vejo durante o horário comercial. Meu peito se aperta de ansiedade. Meu corpo e cérebro estão condicionados para o combate sempre que Joshua está por perto. Quando ele olha para mim, meu corpo vai para trás como se em um reflexo. Ele coloca a mão entre nós no sofá, palma para cima, e olha outra vez para a TV.

É como se tivesse oferecido um pote de milho e agora observasse totalmente em silêncio, à espera da galinhazinha covarde. E eu de fato preciso de algum tempo. Com cuidado, levo minha mão junto à sua e entrelaço nossos dedos. Por um momento assustador, ele não reage, mas, quando o calor de sua mão começa a aquecer a minha palma, ele me dá um apertão forte e delicioso. Com a outra mão, pega a xícara e assente para a tela.

– Assisto a dramas médicos para irritar meu pai. Ele fica louco.

Eu jamais poderia assistir a esse programa na casa dele.

— Por quê? Os fatos médicos são incorretos?

Fico contente por poder concentrar minha atenção em algo que não seja essa situação desajeitada com nossas mãos.

— Ah, total. Tudo é ficção.

— Eu prefiro *Law & Order*. Adoro quando o funcionário de um restaurante encontra um corpo na lixeira.

— Ou um passeador de cachorros se depara com um corpo no Central Park. — Josh aponta para a tela. — Aquele suposto médico não está nem usando luvas! — Ele fecha outra carranca para a tela como se estivesse profundamente ofendido.

A arte de ficar de mãos dadas é subestimada, e é impressionante como esse simples ato me deixa sem fôlego. As pontas de cada um de seus dedos roçam as costas da minha mão, até os punhos.

Homens grandes sempre me intimidaram. Quando penso em todos os meus ex-namorados, eles nunca foram tão altos. Mais fácil lidar com homens assim. A situação fica um pouco mais igual. Nenhum deles tinha essa impressionante arquitetura masculina diante da qual me encontro agora.

Os músculos saltados de seus ombros descem rumo a bíceps perfeitamente torneados. O cotovelo e os punhos parecem feitos de aço. Como seria a sensação de estar debaixo de um homem tão grande assim? Atordoante, certamente.

Josh assiste ao episódio de *ER* e boceja, sem nem imaginar que estou tentando estimar o tamanho de sua caixa torácica. Deve ser enorme como a de um carnívoro predador.

É possível que nossa diferença de tamanhos tenha acrescentado uma dificuldade a mais às nossas interações durante os dias de trabalho. Sempre tentei parecer mais forte do único jeito que posso: com a mente e a boca. Acho que ele me converteu. Acho que agora gosto de músculos. Minha respiração já está um pouco mais afobada, e ele me observa.

— Por que esse olhar esquisito? Relaxe.

O JOGO DO AMOR/ÓDIO

— Estava pensando em como você é grande.

Olho para nossas mãos dadas. Ele usa o polegar para acariciar a minha palma. Quando olhamos outra vez um para o outro, seus olhos estão um pouco mais escurecidos.

— Eu vou caber direitinho em você.

Arrepios se espalham pela minha pele. Aperto as coxas e acidentalmente bufo. Estou pegando fogo. Não consigo resistir. Olho para trás, na direção do quarto dele, que está tão próximo que talvez só fossem necessários cinco passos largos para eu ser atirada em cima de seu colchão. Sua língua poderia estar em minha pele em menos de meio minuto.

-- Se vai caber tão bem em mim, então mostre.

— Mostrarei.

Nossas palmas estão suadas. Minha nuca parece ferver debaixo dos cabelos. Preciso ser beijada novamente. Dessa vez, vou deslizar minha língua contra a de Joshua até ele gemer. Até ele esfregar uma coisa dura em mim. Até me levar ao seu quarto e arrancar as roupas.

Os créditos finais do mais longo episódio de *ER* de toda a história começam a rolar. Meu coração ameaça explodir como uma bexiga.

Ele coloca a TV no mudo e vira o rosto para começarmos o Jogo de Encarar. Percebo seus olhos se tornando mais escuros e fico sem fôlego imaginando o que está prestes a acontecer. Posso sentir o sangue pulsando em todas as partes sensíveis do meu corpo. A área entre as minhas pernas está latejando, queimando, molhada. Olho para a boca desse homem. Ele olha para a minha. Depois, observa nossas mãos dadas.

— O que acontece agora?

Ele me lança um olhar. Suas próximas palavras me atingem como um chicote.

— Tire a roupa. — Começo a tremer e ele dá risada e desliga a TV. — Estou brincando. Vamos, eu vou levá-la até o carro.

Estou ficando perigosamente excitada com seus sorrisos. Agora foi o terceiro que recebi? Estou guardando-os no bolso. Estou enfiando-os na boca.

— Mas... — Minha voz soa como um apelo. — Eu pensei que...

Suas sobrancelhas se apertam em uma demonstração falsa de quem não está entendendo nada.

— Você sabe... — continuo.

— Fico magoado por saber que só sou desejado pelo meu corpo. Eu não tive direito nem a um encontro antes.

E olha outra vez para nossas mãos.

— Pelo que posso ver, você tem ossos maravilhosos. O que mais eu poderia querer de você?

Começo a segurar e apertar algumas de suas articulações. É a pior rotina de sedução imaginável, mas Josh não parece se importar. Seu ombro é grande demais para minha mão. Meu vestido desliza um pouquinho quando estendo a mão na direção de Josh, e seu olhar aponta para o meu decote, agora mais revelador.

Quando voltamos a nos olhar nos olhos, percebo que falei a coisa errada.

Ele rapidamente franze a testa.

— Não vamos fazer nada esta noite.

Quase solto o corpo para trás, porém, enquanto observo suas pálpebras fechando e ele respira fundo, percebo que não quero que esta noite termine.

— Se eu fizer uma pergunta, você responde?

— Você faz a mesma coisa?

Agora ele está recobrando a compostura, assim como eu estou.

— É claro.

Tudo o que fazemos é olho por olho, dente por dente.

— Está bem.

Ele abre os olhos por um instante e não consigo pensar em nenhuma pergunta que evite que eu revele demais a meu respeito no processo.

O que você realmente pensa de mim? Tudo isso é um plano elaborado para bagunçar a minha cabeça? Quão terrivelmente ferida eu vou ficar?

Tento soar tranquila.

O JOGO DO AMOR/ÓDIO

— Façamos um jogo, como sempre. Mais fácil assim. Verdade ou desafio?

— Verdade. Porque você está morrendo de vontade que eu diga desafio.

— O que significam os códigos a lápis na sua agenda do trabalho? Sinais para o RH?

Ele fecha uma carranca.

— Qual é o desafio, então?

Seu cheiro me envolve e entorpece. O sofá macio e aquecido conspira para me empurrar mais perto de seu colo.

— E precisa perguntar?

Joshua se levanta e também me faz levantar. Minhas mãos se curvam na cintura de sua calça jeans e eu não sinto nada além da pele masculina firme contra os nós dos meus dedos. Quase começo a salivar.

— Não podemos começar esta noite.

Ele afasta meus dedos de sua calça.

— Por que não?

Acho que estou implorando.

— Vou precisar de um pouco mais de tempo.

— Ainda são 22h30.

Acompanho-o em direção à porta de entrada.

— Você me disse que só faremos isso uma vez. Vou precisar de muito tempo.

Sinto um beliscão delicioso no meio das pernas.

— Quanto tempo?

— Muito tempo. Dias. Provavelmente mais do que isso.

Meus joelhos tremem. Seus olhos piscam.

— Podemos ligar amanhã na editora e dizer que estamos doentes.

Sou incansável em meu desafio de tirar suas roupas. Ele olha para o teto e engole em seco.

— Como se eu fosse desperdiçar minha grande chance em uma noite de qualquer segunda-feira genérica...

— Não vai ser desperdício nenhum.

— Como eu posso explicar? Quando éramos crianças, Patrick sempre comia seu ovo de Páscoa assim que o ganhava. Eu fazia o meu durar até meu aniversário.

— Quando é o seu aniversário?

— Vinte de junho.

— Qual é o seu signo? Câncer?

— Gêmeos.

— E por que exatamente não comia assim que ganhava o ovo?

Nossa! Eu realmente sei fazer as coisas soarem sacanas.

Ele afasta meus cabelos do ombro.

— Aquilo fazia Patrick suar. Ele ia ao meu quarto, todo obcecado. E me perguntava todos os dias se eu tinha comido. Ficava descontrolado. Fazia meus pais ficarem loucos pra caramba. Até eles me imploravam para comer logo. Quando eu finalmente comia, o sabor era melhor porque eu sabia o quanto outra pessoa queria.

Ele puxa o ombro do meu vestido vermelho, só um centímetro, e olha direto para a pele antes de se abaixar e sentir meu cheiro. Sua respiração faz minha pele formigar e sinto um golpe de empatia pela tortura maravilhosa que seus ovos de Páscoa sofriam.

— É pervertido eu me sentir excitada por uma história infantil envolvendo dois irmãos, não é?

Ele pressiona a boca em meu ombro e dá risada. Uma risada que vibra por todo o meu corpo. Olho seu lindo quarto ainda aceso. Azul e branco, como uma linda caixa da Tiffany. Um presente com um laço. Um quarto no qual quero passar meus dias. Um quarto do qual eu provavelmente jamais iria querer sair.

— E você comia um pedacinho por dia? Ou acordava um dia e se deliciava com tudo?

— Acho que você vai descobrir. Em algum momento.

Ele pega suas chaves e as gira no dedo enquanto eu visto meu casaco. No elevador, não nos tocamos. Ele me acompanha em silêncio até o carro.

– Tchau, obrigada pelo chá.

O constrangimento toma conta de mim. Eu agi como uma perfeita louca esta noite. Por que será que consigo agir como um ser humano perfeitamente normal com um cara como Danny, mas com Josh acabo parecendo uma descontrolada? Sinto algo em minha mão e olho para baixo. Ah, merda! Ainda estou segurando o carrinho.

– Eu sou uma louca.

Enterro o rosto nas mãos e as rodinhas se esfregam em minha bochecha.

– Sim – ele concorda de bom humor.

– Sinto muito.

– Fique com ele, é um presente.

A primeira coisa que ele me deu além das rosas. Não tenho palavras para expressar como me sinto honrada, então estudo o brinquedo. Tem as iniciais JT gravadas na parte inferior.

– É um tesouro da infância? Parece antigo.

Acho que não vou devolver, nem se ele mudar de ideia.

– Talvez seja o começo da sua nova coleção. Acho que fizemos uma coisa praticamente monumental para nós dois. Tivemos um cessar-fogo. Por toda a duração de um episódio de um seriado.

– Você é bom em ficar de mãos dadas.

– É provável que eu não seja bom com muitas outras coisas, mas tentarei ser – ele me diz.

É a coisa mais esquisita de se dizer e sinto outra rachadura se formando na muralha que nos separa.

– Bem, obrigada. A gente se vê amanhã.

– Não, você não vai me ver. Eu tenho o dia de folga.

Ele nunca, nunca mesmo, tira um dia de folga.

– Vai fazer alguma coisa especial?

Olho para os apartamentos lá em cima e uma onda de solidão me invade.

– Eu tenho um compromisso.

Justamente quando eu penso que estou controlando esse caleidoscópio de sentimentos estranhos, ele gira outra vez e alguma coisa nova me surpreende. A sensação é como se alguém me dissesse que o Natal foi cancelado. Um dia inteiro sem Josh sentado à minha frente? Tenho de morder o lábio para me silenciar.

Por favor, imploro a mim mesma. *Por favor, volte a odiar esse cara. Isso aqui está difícil demais.*

– Você não vai sentir a minha falta, vai? Você consegue enfrentar uma terça-feira sozinha.

Josh toca o carrinho em minha mão e gira a rodinha.

Tento parecer inabalada, mas ele provavelmente percebe meu incômodo.

– Sentir sua falta? Vou sentir falta de olhar para o seu rostinho lindo, mas basicamente só isso.

Espero que minha frase tenha soado meio sarcástica. Empurro meu corpo agitado para dentro do carro. Ele bate na janela para me fazer trancar a porta. Preciso de várias tentativas até conseguir enfiar a chave no contato.

Josh continua ali, no meu retrovisor, até se tornar apenas um pontinho, uma pessoa bem minúscula, mas não consigo afastar meus olhos até ele desaparecer totalmente.

Quando chego em casa, ainda estou segurando o carrinho.

CAPÍTULO 15

Vejo-me sentada à minha mesa de trabalho, pálpebras secas e apertadas, olhando para o assento vazio de Josh. O escritório está frio e silencioso. Um refúgio profissional. Qualquer um dos funcionários nos cubículos lá embaixo matariam por todo esse silêncio.

Josh deveria estar sentado à minha frente e usando uma camisa *off-white* com listras. Deveria estar segurando uma calculadora, digitando números, franzindo a testa, digitando outra vez.

Se estivesse aqui, ele olharia na minha direção, e, quando nossos olhares se encontrassem, uma bolha de energia estouraria dentro de mim. Eu a chamaria de irritação ou desgosto. Chamaria esse lampejo de algum nome que não acredito ser o correto.

Olho para o relógio. Espero uma pequena eternidade e um minuto se passa. Para me distrair, empurro o carrinho de brinquedo de um lado para o outro sobre o mouse pad, depois pego o cartão da floricultura que estava ali embaixo.

Você é sempre linda.

Observo meu reflexo no prisma ridículo de vidros que se espalham à minha volta. Olho para a parede para o teto, analisando minha aparência por diferentes ângulos. Essas quatro palavrinhas agora são o suficiente para me saciar. Ele criou um monstro.

Viro o cartão da floricultura e noto que há um endereço ali. Tenho a melhor ideia do mundo e começo a gargalhar. Pego a bolsa e vou até a esquina, à exata mesma floricultura. Antes de perder a coragem, peço para entregarem a ele um buquê de rosas champanhe e um cartão. Não sei o que escrever, mas logo minhas mãos anotam o seguinte para mim:

Não quero você só por causa do seu corpo. Quero você também por causa dos seus carrinhos de brinquedo.
– Moranguinho

No mesmo instante, sinto uma onda de insegurança, mas a florista já pegou o cartão e levou o buquê para um cômodo nos fundos da loja.

É uma piada, só isso, esse buquê. Ele fez isso por mim antes e eu detesto não estar empatada. Guardo o cartão de crédito na bolsa e imagino Josh abrindo a porta, a expressão em seu rosto. Estou basicamente pensando demais em algo que não devia pensar.

No caminho de volta, compro café e bato gentilmente à porta de Helene.

– Olá. Estou interrompendo?

– Sim, graças a Deus! – ela exclama, jogando os óculos com tanta força que eles chegam a cair no chão. – Café. Você é uma santa. Santa Lucy da Cafeína.

– E eu não trouxe só isso.

Tiro uma caixa de macarons refinados de debaixo do braço. Leio o "Made in France". Estavam guardados em uma gaveta há um tempo, para uma emergência. Sou uma grande bajuladora.

– Eu falei santa? Eu quis dizer deusa!

Ela vai ao armarinho atrás de sua mesa e encontra um prato; é delicado, pintado com flores e com bordas douradas. É claro.

– Está tudo tão quieto ali fora hoje. Acho que eu poderia ouvir um alfinete caindo no chão. É estranho não ser encarada o tempo todo.

– Acostume-se com isso. Ele olha muito para você, não olha, querida? Notei isso nas últimas reuniões da equipe. Aqueles olhos azuis de Josh são bastante adoráveis. Como estão os preparativos para a entrevista?

Helene abre a caixa de macarons com seu abridor de cartas de prata e me sinto agradecida por ela estar momentaneamente distraída. Vira a caixa com cuidado na direção do prato e cada uma escolhe um. Pego um macaron *off-white* de baunilha, como a camisa que não veio hoje, porque sou chegada em uma tragédia.

— Estou tão pronta quanto poderia estar.

— Eu não vou participar do painel para não haver conflito de interesses caso nós treinemos juntas. Como está a apresentação?

— Eu adoraria mostrar para você o que preparei.

— Bexley tem lançado todo tipo de comentário. Lucy, não sei o que vou fazer se, por algum motivo, você não ficar com a vaga...

Helene olha pela janela e sua expressão se torna mais sombria. Passa a mão pelos cabelos, que se ajeitam perfeitamente. Quem me dera meus fios serem tão obedientes.

— Josh pode facilmente ficar com a vaga e me deixar para trás. Ele tem um cérebro voltado para finanças. O meu é mais focado em livros.

— Hum, não estou necessariamente de acordo. Mas, se quiser, podemos trabalhar juntas para educá-la e criar a maior funcionária da próxima geração da B&G. Eu nunca a ouvi chamando-o de "Josh" antes.

Finjo que minha boca está extremamente cheia. Mastigo e aponto para a boca, nego com a cabeça e consigo ganhar vinte segundos. Alimento a esperança de que o telefone toque.

— Ah, bem, você sabe... Esse é... É o nome dele. Joshua. Erm, Josh Templeman. Joshua T.

Ela mastiga enquanto observa meu rosto com um interesse ávido.

— Você está com um ar misterioso hoje, querida.

— Não estou, não.

Ela está sacando. Minhas brincadeiras com Josh começam a me afetar.

— Está toda confusa, parece um coelhinho diante dos faróis de um carro. São esses encontros.

— Tudo anda um pouco confuso. Danny é gentil, realmente é.

— Quando eu era jovem, meus namorados preferidos não eram necessariamente gentis.

Uma pancada na porta que dá acesso ao escritório do senhor Bexley ecoa. Fico profundamente grata ao Gordo do Pinto Pequeno por essa interrupção.

— Entre — Helene rosna.

Ele avança e fica paralisado ao se deparar comigo e com a caixa de macarons sobre a mesa.

— O que você quer?

— Nada, não.

Ele se aproxima, olhar focado na mesa, até Helene suspirar e empurrar o prato na direção dele. Bexley pega dois macarons, mas seus dedos hesitam por um terceiro. Juro que percebo um toque de humor nos olhos dela quando Bexley se afasta e fecha a porta sem dizer uma palavra sequer.

— Deus, esse homem consegue farejar açúcar? Dei um pouco para ele para aumentar o diabetes, querida, e apenas por esse motivo.

— O que ele queria?

— Fica solitário sem Josh. Mas vai ter que se acostumar.

— Quando podemos treinar a apresentação?

— Que tal agora? Me deixe impressionada, querida.

Depois de fazer a apresentação, percebo que conquistei a atenção de Helene.

— Minha apresentação tem como objetivo propor um novo projeto de digitalização. Peguei uma amostra dos principais cem livros publicados pela Gamin e pela Bexley em 1995, apenas para exemplificar. Só cerca de metade deles estão disponíveis em formato digital.

— iPads são uma sensação que logo vai passar — o senhor Bexley interrompe, mastigando, da porta aberta. — Quem vai querer ler uma página de vidro?

— O fato é que o mercado que mais cresce, quando falamos de e-reader, é a população de leitores com mais de 30 anos — explico, tentando me controlar.

Há quanto tempo está parado ali? Como conseguiu abrir a porta tão silenciosamente? Concentro-me em Helene e tento ignorá-lo.

— Essa é uma grande oportunidade, para todos nós. É uma chance de renovar contratos com autores cujas obras estão esgotadas. É uma forma de os funcionários que têm conhecimentos para trabalhar com e-books crescerem dentro da empresa, uma grande chance para os capistas e para alavancar títulos antigos da B&G e colocá-los nas listas dos mais vendidos. O mercado editorial está em constante evolução e temos que acompanhar esse ritmo.

— Por favor, saia. — Helene diz por sobre o ombro para o senhor Bexley.

A porta logo se fecha, mas juro que ainda posso ver a sombra de seus dois pés debaixo da porta.

O pânico crescente agora toma conta. Se esse homem revelar minha estratégia a Josh, ele pode me ferrar. Abro o próximo slide.

— Se eu conquistar essa posição, vou buscar a criação de um projeto formal para transformar essas obras em e-book. Já estipulei o orçamento inicial, o qual apresentarei em alguns instantes. Esses e-books todos terão de ser recriados com capas novas e atualizadas. Haverá custos envolvidos com três novos capistas ao longo do projeto, que deve se estender por dois anos.

Clico na proposta do projeto. Helene levanta questionamentos sobre vários pontos da apresentação e eu posso responder suas perguntas e justificar minhas necessidades com certa facilidade. Por fim, chego ao último slide. Ela olha tanto tempo para a tela que chego a me atentar para saber se está piscando.

— Querida, está muito, muito bom.

Ajoelho-me ao lado de sua cadeira. Lágrimas brotam em seus olhos e ela pega um lenço da minha mão, suspirando como se se sentisse abobalhada.

— Eu fui egoísta ao mantê-la aqui — confessa baixinho. — Eu só... não sei o que fazer sem você. Mas agora percebo como estive errada. Eu deveria ter trabalhado mais para levá-la para o setor editorial depois da fusão. Você também ficou chateada por ter perdido sua amiga.

Não consigo expressar nada. Não sei o que dizer. Helene prossegue:

— Mas toda vez que começava a pensar em recrutar alguém para a sua vaga, eu pensava em como você é boa no que faz, em como basicamente mantém esse escritório funcionando e a minha sanidade sob controle. Aí eu pensava: "Talvez um mês a mais não faça mal a ninguém."

— Eu só faço meu trabalho — comento, mas ela vai logo negando com a cabeça.

— Mais um mês, e mais um mês. E você ficou magoada, Lucy. Você tem ambição, queria conquistar coisas, trazia ideias, mas eu não suportava a ideia de deixá-la ir.

— Então está tudo bem com a apresentação?

Ela dá risada e seca os olhos.

— Ela vai ser sua porta de entrada para essa promoção. E nós vamos recuperar a B&G com esse projeto. Juntas. Quero estar bem ao seu lado, trabalhando como colegas. Ter sido sua mentora talvez seja a melhor conquista de minha carreira.

Helene olha de novo para o último slide e fica paralisada.

— Mas eu preciso saber. Se não tivesse surgido essa oportunidade de entrevista, essa sua ideia teria ficado para sempre dentro da sua cabeça? Por que guardar isso para si mesma?

Sento-me sobre os joelhos e olho para minhas mãos.

— Boa pergunta.

Quantas outras coisas essa possibilidade de promoção fez ganhar vida dentro de mim?

— Pensei que você soubesse que suas ideias são importantes.

Helene está começando a surtar.

— Acho que pode ser que eu estivesse esperando a hora certa. Ou que eu não tivesse a confiança necessária. Agora estou sendo forçada a apostar nisso. E acho que é bom. Mesmo se eu não ficar com a vaga, tudo isso... me acordou.

Penso na noite passada, quando beijei Josh sob a luz de um poste, e aí me lembro de uma coisa:

— E se o senhor Bexley contar a Josh sobre a minha apresentação?

O JOGO DO AMOR/ÓDIO

— Pode deixar que eu cuido disso. Se o corpo dele aparecer morto no rio, fique de boca fechada e me arrume um álibi. Concentre-se na próxima semana. Mas eu tenho, sim, uma sugestão.

— *Ótimo!* — Tiro o pen drive do computador e me sento diante dela. — Diga.

— Está um pouquinho superficial em alguns pontos. Por que não preparar um e-book para a apresentação? Pegue algum título esquecido e digitalize, tomando nota de quantas horas de trabalho foram necessárias, além do valor dos colaboradores. O custo real de criação. Assim você terá um orçamento.

— Sim, boa ideia.

Tomo um gole do meu café quentinho.

— Você acha que os números são o ponto forte de Josh, não acha? Aí está sua chance de provar que você é perfeitamente capaz de estabelecer um orçamento para esse novo projeto.

Estou assentindo e tomando notas, minha mente acelerada.

— Mas para manter a competição justa, você não pode usar recursos da empresa nisso. Seja criativa. Use seus contatos. Talvez alguém que possa trabalhar como *freelance*.

Sem dúvida ela estava falando de Danny.

Tomo mais algumas notas enquanto ela desliga o projetor.

— Vou fazer isso — digo a ela com uma segurança renovada.

— Sem dúvida, querida.

Helene olha para a porta que dá acesso à sala de Bexley e posso ver sua boca rapidamente se curvando em um sorriso maldoso.

— Você pensou mais sobre suas recentes batalhas com Josh? Eu tenho uma teoria interessante.

Um risinho lhe escapa.

— Não sei se quero ouvir — digo, apoiando-me em sua mesa.

— É um tanto impróprio, mas vou dizer mesmo assim. *Josh* pensou que você estivesse mentindo sobre seu encontro porque ele não consegue imaginá-la com ninguém além de si próprio.

— Ah, hum. Ai. — Experimento todas as combinações vocálicas.

O calor se espalha por meu peito, garganta, rosto e raízes dos cabelos, até eu estar completamente vermelha.

– Pense melhor nisso – ela sugere antes de enfiar mais um macaron inteiro na boca.

Fico boquiaberta, hesito, fecho a boca, faço isso algumas vezes mais. Ela se levanta e limpa as migalhas, olhando astutamente para mim.

– Tenho que correr. Tenho que receber um fornecedor às 15h. Por que eles sempre têm que vir nas horas mais inconvenientes? Vá para casa também, querida. Você está parecendo um peixe fora d'água.

Depois que ela sai, sento-me à minha mesa. O caminho está limpo como o dia. Eu deveria estar ao telefone com Danny, discutindo seu trabalho como *freelance* no meu e-book, mas, toda vez que pego o telefone, coloco-o outra vez sobre a mesa. Para manter tudo profissional, pego seu cartão de visita e envio um e-mail perguntando se podemos nos reunir amanhã. Não tenho a menor ideia de quanto ele cobra, mas, a essa altura, é tudo ou nada.

Recebo uma mensagem de texto. Meu estômago afunda e meu coração grita.

Joshua Templeman: Fico feliz em saber.

Então ele recebeu as rosas. Seguro o telefone contra os seios.

Essa entrevista é o pior tipo possível de limbo. Tantas pessoas me desejaram boa sorte pelos corredores. Imaginar sua reação se eu falhar é insuportável.

Se Josh ficar com essa promoção, eu terei de ir embora.

Olho o X na minha agenda, aquele que simboliza a entrevista da próxima semana. Por mais que a simulação da minha apresentação tenha aumentado minha confiança, também preciso ter planos para o pior cenário. No mundo dos negócios, ter uma saída estratégica faz parte de um bom planejamento. Tenho um dinheiro poupado em uma conta sagrada, no qual nunca toco. Eu queria tirar férias no próximo ano, mas acho que essa grana vai ter que funcionar como minha rede de segurança. Pode ser que eu tenha que ir me sentar debaixo de uma sombrinha nos portões da Morangos Sky Diamond. Meus pais provavelmente me abraçariam, pulariam e gritariam de alegria. Sequer teriam a decência de se sentirem desapontados comigo.

Se Josh ficar com essa promoção e eu pedir as contas, minha amargura será mais forte do que aquelas centelhas dentro do meu peito quando ele olha para mim? Será que nosso joguinho esquisito e frágil sobreviveria fora das paredes deste escritório? Minha amizade com Val não sobreviveu.

Será que conseguiríamos nos ver enquanto eu, bem na fila do desemprego, ouço sobre seus sucessos na B&G? Por outro lado, ele ficaria feliz com meus sucessos enquanto estivesse distribuindo currículos por toda a cidade? Seu orgulho é algo que, na minha percepção, ele não abandonaria tão facilmente.

Não estou totalmente sem opções. Tenho alguns conhecidos em editoras menores e poderia entrar em contato com eles, mas eu me sentiria desleal a Helene. Poderia pedir a ela para me transferir para outra equipe aqui dentro. Talvez seja hora de começar de baixo na área editorial. Mas, se eu continuar na B&G, isso quase certamente significaria ter Josh como meu Diretor de Operações.

E é desnecessário dizer que qualquer chance de voltar a me sentar em seu sofá desapareceria para sempre.

A vida seria mais simples se eu conseguisse simplesmente detestar Joshua Templeman. Olho para sua cadeira vazia, fecho os olhos e sou invadida pelo azul de seu quarto.

Estou prestes a perder uma coisa que sequer já tenho.

Vou para casa cedo, conforme sugestão de Helene, e procuro algo com que me ocupar.

Graças a Josh, tudo está arrumado. Procuro novos leilões dos

Smurfs na internet e faço uma breve avaliação da minha coleção até agora. Conto os Papai Smurfs.

Olho para a geladeira vazia e penso no arco-íris de frutas e legumes de Josh. Decido fazer uma xícara de chá, mas não tenho chá em casa. Poderia ir à loja, mas bebo apenas um copo de água. Sinto frio e visto um cardigã.

Agora que vi o apartamento dele, não consigo parar de olhar para o meu com novos olhos. É tão monótono. Paredes brancas, tapete bege, o sofá de uma cor indefinida. Nada de tapetes estampados ou quadros nas paredes.

Tomo banho e me maquio, o que é ridículo. Para que borrifar perfume no meu decote? Ou colocar uma calça jeans legal? Não tem ninguém aqui para me ver ou sentir meu cheiro. Não tenho nenhum lugar para ir. Há tanto tempo não tenho ninguém para quem ligar e com quem sair nesta cidade.

Sento-me e percebo meu joelho tremendo. Meu interior está latejando. Sinto-me como um ímã, tremendo com a necessidade de me movimentar. É assim que os viciados se sentem? Começo a me dar conta do que está acontecendo, mas não posso admitir para mim mesma, ainda não.

Segurar o telefone e olhar para um contato, alguém já definiu isso como aterrorizante?

Joshua Templeman

... quando eu deveria estar aqui olhando para:

Danny Fletcher.

Deveria ligar para Danny, convidá-lo para me encontrar para ir ao cinema ou jantar. Poderíamos trabalhar no meu projeto. Ele é meu novo amigo. E me encontraria onde eu quisesse em vinte minutos. Posso apostar que sim. Já estou vestida. E pronta.

Mas não faço isso. Escolho fazer algo que acho que jamais fiz.

Aperto o botão "Ligar".

Imediatamente desligo e jogo o telefone na cama como se fosse uma granada. Seco as palmas úmidas nas coxas e deixo uma expiração chiada escapar.

Meu celular começa a tocar.

Chamada recebida: Joshua Templeman

— Ah, oi — consigo dizer em um tom discreto quando atendo.

Afundo a palma de mão na têmpora. Não tenho dignidade nenhuma.

— Ligação perdida. Tocou só uma vez.

Tem uma música alta tocando ao fundo. Josh deve estar tomando álcool em algum bar, cercado por modelos altas com vestidos brancos curtos.

— Você está ocupado. A gente se fala amanhã.

— Estou na academia.

— Cárdio?

— Musculação. Eu levanto peso à noite.

A resposta deixa implícito que ele faz cárdio em algum outro momento do dia. Josh solta um leve urro e então ouço um metal pesado batendo em alguma coisa.

— E aí, o que está rolando? Não diga que deixou o celular no bolso e me ligou sem querer.

— Não.

Fingir é inútil.

— Interessante.

Ouço um barulho abafado, parece um tecido, talvez uma toalha, e uma porta fechando. A música desagradável fica mais baixa.

— Agora estou aqui fora. Não sei se meu identificador de chamada já viu o seu número na vida.

— Pois é... Também estava me perguntando isso. — Uma pausa pesada se instala. — Não, não é nada ligado ao trabalho.

— Que pena. Estava com esperança de que Bexley tivesse sofrido uma embolia fatal.

Dou risada. Aí fico sem jeito.

— Eu estou ligando porque...

... porque eu não vi você hoje. Porque estou tendo sentimentos confusos e me sinto desesperadamente triste e, por algum motivo, ver você poderia melhorar essa dor estranha em meu peito. Porque não tenho amigos, exceto você. Mas você também não é meu amigo.

— Sim...

Ele não está me ajudando. Não, mesmo!

— Estou com fome e não tenho comida em casa. E também não tenho chá. E meu apartamento é frio. E estou entediada.

— Que vidinha mais infeliz.

— Você tem muita comida e chá. E seu sistema de aquecimento funciona melhor do que o meu, e eu... — Agora não há nada além de silêncio na linha. Diante disso, prossigo, morta de vergonha: — E eu não fico entediada quando estou com você. Mas é melhor eu...

Ele me interrompe:

— É melhor você ir lá para casa, então.

O alívio se espalha por meu corpo.

— Quer que eu leve alguma coisa?

— O que você poderia levar?

— Posso pegar alguma coisa para comer no caminho.

— Não, não precisa. Eu tenho algumas coisas para preparar em casa. Quer que eu busque você?

— É melhor eu ir com meu carro.

— Provavelmente é mais seguro.

Nós dois sabemos o motivo. Se não fosse assim, seria fácil demais eu passar a noite lá.

Já estou pegando a bolsa, o casaco e as chaves. Meus pés já estão calçados. Estou trancando a porta e correndo a caminho do elevador.

— Você vai me mostrar os músculos que malhou?

— Pensei que você me quisesse por mais do que isso.

O JOGO DO AMOR/ÓDIO

Ouço-o dando partida no carro. Pelo menos eu não sou a única impaciente.

– Vamos ver quem chega primeiro. Quero ver você todo suado. Precisamos empatar nisso também.

– Me dê meia-hora. Não, uma hora – ele soa alarmado.

– Vou esperar no lobby.

– Não saia de casa ainda.

– Até daqui a pouco – respondo antes de desligar.

Começo a rir quando dou partida no carro e me integro ao trânsito. Esse é um jogo novo, o Jogo da corrida, com dois carros em pontos diferentes da cidade acelerando rumo a um ponto de encontro. É assustador perceber que quero estar em seu apartamento, em seu sofá, tão rápido a ponto de meus joelhos tremerem impacientes quando tenho que parar no semáforo vermelho. Eu apostaria qualquer coisa que ele também se sente assim.

Quando estou correndo pela calçada para chegar à entrada do prédio, basicamente esgotei todas as minhas desculpinhas, minhas ressalvas, meu raciocínio. E agora nos resumimos a isso. Corro para chegar ao lobby.

Não vi Josh o dia todo e sinto saudade dele.

O elevador está com a seta para cima acesa. Seguro a respiração. O elevador para.

Ele não consegue imaginá-la com ninguém além de si próprio.

As portas se abrem e lá está ele.

CAPÍTULO 16

Ele está agitado e suando, com o corpo marcado pelo peso dos equipamentos da malhação. As sobrancelhas se apertam quando ele me vê. Seus olhos estão inseguros. Ele estende a mão para segurar a porta do elevador.

Meu. Coração. Explode.

— Eu venci! – grito enquanto corro em sua direção.

Josh tem tempo suficiente para abrir os braços enquanto eu pulo. Colide com a parede ao fundo e deixa escapar um gemido enquanto eu consigo envolvê-lo com meus braços e minhas pernas. A porta se fecha e ele consegue apertar o botão para irmos até seu andar.

— Tecnicamente, acho que venci. Fui o primeiro a chegar ao prédio – ouço-o dizendo.

— Eu venci. Eu venci – repito várias vezes, até ele dar risada e admitir:

— Está bem, você venceu.

Seu suor tem cheiro de chuva e cedro e deixa leves notas de alecrim em minhas narinas. Pressiono meu rosto ao seu pescoço e inspiro, outra vez e outra vez, até chegarmos ao quarto andar e a porta do elevador se abrir. Tento reunir a força necessária para libertá-lo, mas a pressão viciante de nossos corpos é mais forte do que a minha força de vontade.

— Está bem, então.

Ele começa a atravessar o corredor. Eu me prendo como um coala à sua frente, com meu casaco batendo e a bolsa atingindo a mochila da academia. Espero que ele não trombe com nenhum vizinho. Aproximo-me o suficiente para ver seu rosto e, em seus olhos, percebo que ele está gostando. Josh coloca a mochila ao lado da porta e começa a procurar a chave.

— Todo homem devia receber boas-vindas desse tipo.

— Aja como se eu não estivesse aqui. Continue como sempre faz.

Abraço-o com mais força. Sua clavícula se encaixa perfeitamente à minha maçã do rosto. Josh está usando um moletom com capuz e seu corpo parece estar úmido.

Ouço-o jogar os itens de ginástica no cesto. Tira os tênis sem desamarrar o cadarço, o que só me parece dificultar as coisas, e pega a minha bolsa. Aperta um botão pra ajustar o aquecedor.

— Sério, simplesmente finja que eu não estou aqui.

Ele vai até a cozinha e se abaixa para olhar dentro da geladeira, forçando-me a me agarrar com mais força. Enche um copo e pressiona meu ouvido ao seu pescoço para que eu possa ouvi-lo engolir. Aperto as pernas em volta de seu corpo e ele desliza a mão em meu quadril e aperta uma vez, de um jeito amigável. Depois, dá um tapa.

— Ah, o que tem no seu bolso?

— Hum... — Agora lembro o que tem ali e me sinto uma grande nerd. Deslizo para fora do colo dele, até conseguir estar no chão. — Não é nada.

— Machucou a minha mão. — Ele puxa o item para fora do meu bolso e observa atentamente. — É um Smurf. É claro. Com o que mais você encheria seus bolsos? Por que ele está de cara feia?

— Eu tenho uns dez bonecos dele. É o Ranzinza.

— Se não soubesse o quanto você ama os Smurfs, eu me sentiria insultado. — Sua boca se repuxa e percebo que eu o estou alegrando. — Então, por que essa paixão toda pelos Smurfs?

— Meu pai fazia entregas em outro estado. Ele saía antes de clarear e voltava quando eu já tinha ido para a cama. Mas, quando voltava para casa, sempre passava em um posto de gasolina e me trazia um Smurf.

– Então eles lembram seu pai. Que legal.

– Os Smurfs significavam que meu pai estava pensando em mim.

Troco o apoio de uma perna para a outra, mas permaneço no mesmo lugar.

– Bem, obrigado por pensar em mim.

– Claro... você me deu uma coisa sua, então agora estamos empatados.

– Isso é tão importante assim? Essa coisa de estarmos empatados?

– É claro que é.

Percebo que ele tem um quadro branco com um plano alimentar semanal anotado. Esse cara é louco.

– Agora você está toda limpinha e eu não. Preciso de um banho.

– Como você consegue ter um cheiro tão bom depois de treinar?

Vou à sala de estar e me jogo no sofá, deixando um gemido sair por meus lábios. Afundo-me ali como se a superfície fosse uma memória viscoelástica. "Oi, Lucy", o sofá me diz, "eu sabia que você voltaria".

– Eu achei que não tivesse – ele responde da cozinha.

Ouço água fervendo, a geladeira se abrindo e colheres de chá batendo.

– Tem um cheiro bom, sim. – Tento alcançar a almofada. – Como um eucalipto musculoso.

– Deve ser meu sabonete. Minha mãe me dá enormes quantidades. Ela gosta de fazer pacotes com itens de cuidados pessoais.

Ele vem para a sala e posso ver um pedaço de ombro nu revelado pela blusa escorregando. Josh está vestindo uma regata ali embaixo. Minha boca começa a salivar violentamente. Ele me entrega uma caneca e me passa a almofada.

– Tire o moletom. Por favor. Só vou olhar.

Ele leva o dedo ao zíper e eu mordisco o lábio. Em seguida, puxa o zíper até o pescoço, o mais alto que consegue, e eu chego a uivar.

— Tome o seu chá, sua pervertidazinha.

Joshua joga alguma coisa na minha barriga. Fecha a porta do quarto e, depois de um instante, ouço o chuveiro. Pego uma caixa. É um carrinho de brinquedo embrulhado. Não consigo evitar a sensação de repreensão. Ser desejado por seu corpo não é o sonho de todo homem?

Ajeito a almofada debaixo do pescoço. Dessa vez, é uma miniatura preta, bastante parecida com o carro dele. Foi isso que ele fez no dia de folga? Saiu para comprar um presente para mim? Abro o pacote e empurro o carrinho em cima da barriga por um tempo. Sendo a pervertida que sou, imagino-o no banho, esfregando a barra de sabonete pelo corpo.

Tão previsível como a noite que vem depois do dia, começo a surtar com o passar dos minutos. Não sei por que estou aqui outra vez. Só sei que esse sofá é meu lugar preferido em todo o planeta. Eu deveria simplesmente calçar meus sapatos e ir embora. Levo o dedo ao interior da xícara. Ainda não esfriou o suficiente para eu conseguir beber.

Preciso começar a me comportar como uma pessoa normal. Fiquei um pouco excitada demais. Penso no tipo de mulher com quem ele costuma sair. Loiras altas e descoladas. Sinto esse peso nos meus ossinhos pequenos e nos meus cabelos negros. Lembro-me de uma vez em que fui a uma discoteca com Val, em tempos passados, quando eu tinha uma vida social, antes da fusão, antes da solidão.

Avistamos um grupo de mulheres lindas, frias e com cara de paisagem. Estavam paradas perto do bar, ignorando todos os homens que se aproximavam delas. Val e eu passamos o resto da noite imitando-as na pista de dança, fazendo poses com cara de indiferença e morrendo de rir com nossos olhares gelados e fingidos. Eu deveria tentar fazer isso agora.

Quando a porta do quarto de Josh se abre e ele ressurge, sou uma mulher madura. Folheio um livro médico enquanto mantenho as pernas elegantemente cruzadas e tomo meu chá. Ele está usando uma calça de moletom preta e leve, camiseta também preta e pés descalços. Será que esse homem não consegue ter nenhum defeito?

Josh se senta na beirada do sofá, cabelos úmidos e totalmente despenteados. Viro a página e infelizmente a espantosa imagem de um pênis enorme surge bem à minha frente.

— Estou tentando ser um pouco mais normal.

Josh olha para a página.

— E está funcionando?

— Só digo que me sinto grata por esse não ser um livro *pop-up*.

Ele dá risada. Acompanho-o até a cozinha e observo-o cortando os legumes em palitinhos perfeitos.

— Omelete. Pode ser?

Confirmo com a cabeça e olho para o quadro branco. Terça-feira: OMELETE. Observo o que há para jantar no restante da semana. E me pergunto o que preciso fazer para ser convidada outra vez.

— Posso ajudar com alguma coisa?

Ele acena uma negação e eu o observo quebrando seis ovos em uma tigela de metal.

— E aí, como foi hoje no trabalho? Você sem dúvida sentiu minha falta.

Constrangida, levo a mão ao rosto e ele só dá uma risadinha.

— Foi um tédio.

E é verdade.

— Nenhum antagonista para enfrentar, né?

— Tentei abusar de algumas das pessoas gentis lá, mas quase todas saíram chorando.

— O segredo é encontrar alguém que consiga responder à altura.

Josh pega uma frigideira e começa a grelhar os legumes, usando uma única gota de óleo.

— Sonia Rutherford, provavelmente. Aquela mulher assustadora do atendimento ao cliente, aquela que parece uma Mortícia Addams albina.

— Não escolha minha substituta tão rápido. Assim vai acabar ferindo meus sentimentos.

Esse lembrete do possível resultado de todo esse processo me faz encostar o corpo ao dele. O centro de suas costas é o lugar mais perfeitamente ergonômico para esconder meu rosto.

Quando tudo terminar, vou me lembrar disso.

— Você precisa me contar por que está aqui.

— Eu fiquei um pouco... triste hoje, pensando que tudo vai mudar...

— Doutor Josh tem o seu diagnóstico. Síndrome de Estocolmo.

— Até parece!

E ajeito minha bochecha em seus músculos.

— Talvez você tenha medo de mudanças, e não exatamente da possibilidade de ficar sentada sozinha lá.

Fico grata por ele não dizer automaticamente que eu estaria por aí à procura de emprego.

— Não paro de pensar no seu quarto azul. Sinto que é um assunto que precisamos discutir. O quanto antes.

Ouço o frigir dos ovos unindo-se aos legumes. Ele cobre a frigideira e dá meia-volta.

— Você é o tipo de pessoa que precisa se acostumar lentamente com as coisas. — Abro a boca para protestar, mas ele me silencia. — Eu conheço você, Lucy, e você também se conhece. Seus ataques são realmente impressionantes. Imagine o que aconteceria se a gente transasse agora. Bem aqui, no balcão.

Ele bate a mão com firmeza no balcão antes de prosseguir:

— Depois do sexo, você ficaria tão constrangida que nunca mais falaria comigo. E sairia da empresa antes das entrevistas para ir morar na floresta.

— E o que você tem com isso? Eu bem que gostaria de viver em uma floresta.

— Eu preciso que você concorra comigo. E talvez consigamos encontrar uma situação que não envolva esse limite de tempo. — Ele suspira e observa a omelete. — Você fica com caras só por uma noite? Tipo, vai a uma discoteca, fica com um cara legal e o leva para casa?

Ainda enquanto ele lança a pergunta, seu rosto se repuxa em uma careta. Talvez eu não seja a única imaginando concorrentes anônimos.

– É claro que não. A não ser que consideremos você. E eu nem consegui uma noite propriamente dita ainda.

Ele esfrega as mãos suavemente em meus ombros, com a gentileza de um amigo, e a tensão em meus músculos diminui um pouco. Aproximo-me e apoio todo o meu peso contra ele. Quando pressiono a bochecha em seu peito, seu calor me invade.

– Estou tentando garantir que, quando passemos uma noite juntos, você não se arrependa.

– Duvido que eu me arrependa.

– Fico lisonjeado. – Ele cutuca a omelete. – Volte para o sofá, ligue a TV.

Solto o corpo na perfeição macia do sofá. Vou transformar meu iglu em uma fortaleza segura e calorosa como este lugar. Preciso de luminárias, tapetes, mais prateleiras e um quadro da Toscana. Preciso de baldes de tinta e um quarto azul-claro. Roupa de cama branca e uma samambaia.

– Onde você comprou esse sofá? Eu quero um igual.

– Ele é único na face da Terra – responde com uma voz seca que me chega da cozinha.

– Quer me vender?

– Não.

– E essa almofada?

– Essa é mais fácil de achar.

– Acho que já entendi a sua estratégia.

Assisto a um pouco de TV e Josh me entrega um prato e um garfo. Então prossigo:

– Quando estou aqui, eu me sinto uma duquesa. Não precisa me esperar.

Empurro meus sapatos para debaixo da mesinha de centro.

– Existem monstros horríveis que adoram mimar pequenas duquesas. Deveríamos tentar um *cessar-fogo* de duas horas? Começando agora?

— Claro, vamos fazer isso. Nossa, a aparência está ótima!

Sinto o cheiro de manjericão fresco. Como esse homem ainda está solteiro?

Assistimos ao jornal e ele recolhe meu prato vazio. Depois, traz para mim uma taça de sorvete de baunilha, mas ele mesmo não come.

— Por que você perde tempo guardando sorvete no congelador?

— Para o caso de eu receber visitas inesperadas que gostem de doces. Só consigo rir dessa ideia.

— Uma colheradinha não vai estragar esse abdômen. Tem proteína, não tem?

Ele olha para a taça e suspira. Pega a colher da minha mão e rouba um bocado enorme de sorvete.

— Santo Deus!

Suas pálpebras se fecham.

— Você deveria se presentear com algum docinho toda noite. Não há motivo para ser tão cruel consigo mesmo.

— Algum docinho, é? — E olha diretamente para mim. — Está bem.

Tomo mais um pouquinho de sorvete. A colher desliza em minha boca e a intimidade desse gesto chega a ser obscena. A língua dele, a minha língua. Dou uma lambida e ele me observa, peito se abrindo, respiração escapando desesperada.

Ele abre um cobertor cinza e macio sobre o meu corpo e eu me ajeito ali como uma criança mimada. Josh senta-se na outra ponta do sofá, perto dos meus pés, e eu observo seu perfil enquanto ele inclina o corpo para a frente e pega um livro médico.

— Você parece triste.

— Eu estou... feliz. — Sua expressão se transforma, e agora Josh parece surpreso. — Estranho.

— Por que você ainda guarda todos esses livros? Este aqui tem muitos desenhos de pintos.

— Eu planejava seguir a carreira da família. Não consegui me desligar desses livros ainda, acho. E muitos deles são da minha mãe. São bem antigos, mas ela quis que eu ficasse com eles.

Ele abre na folha de rosto e desliza o dedo pelo nome dela escrito à mão. Quero perguntar sobre seus pais, mas, se conheço Josh, ele está prestes a desabar.

— Doutor Josh... Você teria sido um médico muito sensual.

— Ah, sem dúvida.

Ele guarda o livro e aperta um botão do controle remoto.

— As suas pacientes todas teriam problemas cardíacos.

Ele recolhe a taça de sorvete vazia. Beija o meu queixo até eu arfar, depois encontra meu pulso.

— Vejamos. Imagine minha imagem usando um avental branco, deslizando um estetoscópio pelo seu pescoço e por dentro da blusa.

Quase consigo sentir o disco frio pressionado contra a minha pele. Estremeço e sinto meus mamilos entumecerem.

— Você está me fazendo ter sensações novas — digo, demonstrando minha esperteza, mas ele sorri.

— Provavelmente posso ajudar a resolver isso.

Minha mente salta para o que seria nossa vida sexual teórica. Passamos o dia todo fazendo joguinhos, então parece razoável que haja joguinhos também na cama. A imagem me atinge com tanta força que sinto meu corpo se apertar, vazio, ansioso.

Sua voz contra o meu ouvido enquanto estamos na entrada do seu lindo quarto.

O que vamos jogar agora?

— Eu fingiria estar doente todas as noites.

— Todas as noites?

Josh continua verificando meu pulso, olhando para o relógio, lábios se mexendo enquanto fala. É tão sensual que meu coração bate acelerado. Ele enfim solta a minha mão.

— Você tem um coraçãozinho e tanto aí. E sintomas de Olhos de Tesão. Acho que seu caso é sério.

— Eu vou morrer?

— Prescrevo repouso total no sofá, sob a minha supervisão. Mas o seu estado é grave.

— Eu faria alguma piada sem graça sobre seu jeito de se comunicar com os pacientes, mas a essa altura acho que seria inútil.

Ajeito-me outra vez debaixo do cobertor.

— Você consegue imaginar meu jeito de falar com os pacientes? Eu seria o pior. As pessoas ficariam tão assustadas que recuperariam a saúde imediatamente.

— Foi por isso que você não quis ser médico? Porque odeia gente?

— Não deu certo — ele responde com uma voz mais endurecida.

— Alguma coisa específica o incomodou?

— Eu gostava da maior parte. Era bom na parte teórica. Minha memória é boa. E eu não odeio gente. Só… a maioria das pessoas.

— E quanto ao componente prático? Você teve alguma experiência ruim? Fizeram você enfiar o dedo na bunda de alguém?

Ele dá risada enquanto seu nariz se repuxa com nojo.

— Você não começa trabalhando com pessoas vivas. E não começa com bundas. Que tipo de mente pensa isso?

— Cadáveres! Aposto que você viu cadáveres! Como foi?

Penso em todas as cenas de autópsia de *Law & Order*.

— Teve uma vez que meu pai…

Ele hesita, desvia o olhar, repensa. Não o forço a nada e, depois de um demorado silêncio, ele prossegue:

— Meu pai, com toda a sua sabedoria, decidiu me colocar para ter uma experiência informal no hospital onde trabalha, nas férias logo antes de eu começar a faculdade. Em parte, foi legal. Basicamente, eu era passado de um médico para o outro, todos pareciam exaustos demais para negar esse favor a meu pai. Mas aí, certa tarde, ele me deu tapinhas nas costas e me apresentou a um dos médicos legistas e foi embora.

Começo a sentir algo terrível.

— Não precisa me contar se for difícil demais.

— Não, não tem problema. Acho que foi o batismo de fogo ali. Enfrentei cinco minutos antes de vomitar. O cheiro de um defunto, as substâncias químicas, aquilo deixou um gosto na minha boca. Deve ser por isso que comecei a chupar tantas balas. Às vezes, não consigo tirar esse cheiro do nariz, e já se passaram anos.

Ele ergue o meu braço e leva meu punho ao seu nariz.

— A sua pele tem cheiro de doce. Até aquele momento, estava definido que eu estudaria Medicina. Meu tataravô foi médico, e essa sempre foi a vocação dos Templeman. Mas, depois de ver uma caixa torácica aberta... Ali foi o começo do fim.

— Você conseguiu enfrentar o resto da autópsia?

— Consegui suportar mais um ano, depois desisti. — Ele parece angustiado com a memória e adota um tom defensivo. — Então, você veio aqui para questionar as minhas escolhas de vida?

Seguro a ponta de seus dedos e logo estamos de mãos dadas.

— Eu não queria estar em nenhum outro lugar esta noite. Quase me vi me arrastando para fora da minha pele.

Fico orgulhosa por ter tido a coragem de admitir isso.

Ele se vira outra vez para mim e a expressão em seus olhos parece mais suavizada.

— Minha perna estava tremendo assim. — Demonstro e ele sorri. — Você devia ter me visto dirigindo até aqui. Eu dava risada como quem acabou de ser libertado da prisão. Estava completamente perturbada.

— Acha que finalmente perdeu de vez sua sanidade?

— Sem dúvida. A estranha necessidade de olhar para seu rosto me esmagou totalmente. Eu tinha a energia de vinte bombas atômicas.

— Por que acha que eu vou tanto à academia?

Uma enorme bolha de alegria me invade. Esforço-me para me ajeitar junto a ele, minha cabeça cai facilmente em seu pescoço. É verdade, eu caibo em qualquer lugar de seu corpo.

— *Não precisa explicar suas escolhas, nunca. Nem para mim nem para ninguém.*

Josh assente lentamente e eu o cubro com o cobertor.

Jamais imaginaria um dia estar sentada em um sofá, gosto de baunilha na boca e cabeça no ombro de Joshua Templeman. Isso vai terminar em desastre. Fecho os olhos e respiro.

— Quero saber por que você ficou tão triste hoje, Moranguinho.

É impressionante como ele parece notar as minhas mudanças de humor.

— Eu só fiquei, simples assim. Andei pensando em tudo o que está em jogo na minha vida.

— Conte para mim.

— Não posso. Você é minha nêmesis.

— Você fica terrivelmente à vontade com sua nêmesis.

É verdade. Eu estou bem à vontade aqui.

— Não quero falar sobre mim. Nós nunca falamos sobre você. Acho que não sei nada a seu respeito.

Ele entrelaça seus dedos aos meus e descansa nossas mãos em seu abdômen. Faço pequenos círculos com a ponta do dedo e ele suspira com indulgência.

— É claro que sabe. Vá em frente, liste tudo.

— Sei coisas superficiais. Sei das suas camisas, dos seus olhos azuis adoráveis. Você vive à base de balinhas e, em comparação, me faz parecer uma porca. Você assusta três quartos dos funcionários da B&G, mas só porque o outro quarto ainda não o conheceu.

Ele sorri.

— Eles são um monte de maricas delicadas.

Continuo enumerando o que sei:

— Você tem um lápis que usa para motivos secretos, acredito que para registrar assuntos relacionados a mim. Leva as roupas para a lavanderia às sextas-feiras. O projetor na sala de reuniões irrita seus olhos e lhe dá dor de cabeça. Você é bom em usar o silêncio para deixar todo mundo morrendo de medo. É a estratégia à qual apela em reuniões. Senta-se lá e mira com seus olhos de laser enquanto os oponentes desmoronam.

Josh permanece em silêncio.

— Ah, e, no fundo, em segredo, você é boa gente.

— Sem dúvida você sabe mais a meu respeito do que qualquer outra pessoa.

O JOGO DO AMOR/ÓDIO

Posso sentir sua tensão. Quando olho em seu rosto, Josh parece abalado. O fato de eu ficar observando o deixou espantado. Infelizmente, a próxima coisa que digo soa perturbada:

— Quero saber o que se passa em seu cérebro. Quero esprêmê-lo como um limão.

— Por que você quer saber coisas a meu respeito, afinal? Pensei que eu seria seu ataque glorioso de sexo cheio de ódio, algo que tiraria da sua lista antes de seguir a vida com algum Senhor Gentileza por aí.

— Eu quero saber que tipo de pessoa vou usar e tratar como objeto. Qual é o seu prato favorito?

— Sorvete de baunilha. Direto do pote, com colher. E morangos.

— Destino das férias dos sonhos?

— Morangos Sky Diamond

Quando lanço um olhar de frustração, ele cede e aponta para o quadro na parede. E prossegue:

— Exatamente aquela vila toscana.

— Também tenho vontade de entrar dentro desse quadro. O que você faria lá?

— Nadaria em uma piscina com mosaicos no fundo.

Sorri ao perceber como essa imagem me agrada.

— A piscina tem alguma fonte? Tipo um leãozinho cuspindo água?

— Sim, tem. Depois de nadar, eu me sentaria à sombra para comer uva e queijo. Aí tomaria uma grande taça de vinho e dormiria com um livro no rosto.

— Você basicamente acabou de descrever o paraíso. E depois, o que acontece?

— Eu me esqueci de citar que uma bela mulher nadou comigo na piscina e também dormiu comigo ao sol. Ela está com fome. Melhor eu levá-la para comer uma massa. Carboidrato coberto com queijo.

— Estou curtindo essa fantasia gastronômica — consigo dizer.

Quero tanto ser essa garota que estou a ponto de uivar.

— Ao anoitecer, voltaríamos à vila e eu puxaria o zíper de seu vestido. E lhe daria champanhe e morangos na cama para mantê-la fortalecida.

— De onde você tira essas coisas?

Estou tão arrebatada que minha voz sai quase arrastada. Se essas são as férias dos sonhos, eu não sobreviveria ao seu quarto.

— Depois eu acordaria no dia seguinte e faria tudo outra vez. Com ela. Durante semanas.

Olho para o quadro e me imagino com ele sob aquele céu arroxeado, os faróis dos carros distantes iluminando as fileiras de árvores que ladeiam a estrada.

Preciso dizer alguma coisa. Qualquer coisa. Ele está me olhando, claramente entretido.

— Vaca sortuda.

Ele dá risada do comentário. Eu lanço minha próxima pergunta:

— Você é um náufrago em uma ilha deserta. Quais três coisas levaria consigo?

— Um canivete, uma lona. — Ele passa um bom tempo pensando no último item. Por fim, conclui: — E você. Para poder irritá-la.

— Eu não sou um objeto. Não conto.

— Mas eu ficaria solitário demais na ilha — aponta.

Penso nele sentado sozinho durante as nossas reuniões na empresa.

— Está bem. Então estamos nos arrastando na praia e eu estou xingando você por ter me levado para tão longe da civilização e dos produtos de cabelo e batons. E aí?

Estremeço tanto com o movimento de seus lábios em minha orelha que quase sinto o sofá mexer. Quando sua boca pressiona a minha garganta, começo a gemer.

Ele desliga a TV e por um momento tenho certeza de que está prestes a me levar para fora da casa. Ou então me pegar no colo e me jogar em sua cama. Difícil saber. Josh leva a mão aos meus cabelos, suavemente deslizando as pontas dos dedos, até alcançar meu escalpo. Minhas pálpebras tremulam.

O JOGO DO AMOR/ÓDIO

– Eu construiria um abrigo e encontraria um coco para você, e aí faríamos o tempo passar.

– Como? – Minha voz é praticamente um sussurro.

– Provavelmente assim.

E encosta sua boca à minha.

CAPÍTULO 17

Ambos respiramos e roubamos todo o oxigênio da sala.

Ontem à noite, ele me segurou debaixo de um poste e me deu um beijo calculado, só para me deixar com mais desejo. Agora sei qual foi meu problema hoje. Excesso de desejos.

Imagens de nós dois, em outra vida, na Toscana, continuam brotando atrás das minhas pálpebras enquanto ele beija minha boca, toca minha língua, respira e *suspira*. Joshua queria isso. Estava tão desejoso quanto eu própria. Minha boca tem gosto de baunilha; a dele, de menta. E as duas se combinam para criar uma mistura deliciosa.

Um milagre aconteceu. Não sei quando, mas agora sei que aconteceu. Joshua Templeman não me odeia. Nem um pouco. Não tem como me odiar se me beija desse jeito.

Ele solta uma mão dos meus cabelos e a abre em meu maxilar, acariciando a pele, inclinando meu rosto. Tudo é completamente doce, mesmo quando nossas línguas começam a deslizar em movimentos sacanas.

Passo meu joelho sobre seu colo, sentindo a parte interna da coxa alongar.

– Jurei a mim mesma que não viria aqui esta noite.

– Ainda assim, está aqui. Veja que interessante...

Deslizamos o olhar da minha coxa para a dele e não consigo não esfregar meu quadril para a frente.

Essa nova posição derrama poder e adrenalina em meu sangue. Levo as mãos à sua clavícula e o observo. Seus cabelos continuam ligeiramente úmidos. Seguro sua nuca e a puxo na direção do meu coração.

Começo a deslizar lentamente por seu peito e costelas, testando a densidade da carne. Ele é tão firme que sou capaz de traçar a linha entre cada músculo, mesmo com a barreira da camiseta. Aliás, tento puxar a bainha da camiseta, mas ela está presa debaixo dos meus joelhos.

A impaciência toma conta de mim. Quase arranco a camiseta de Josh, mas forço meus dedos a se soltarem. Ele deve perceber esse toque de mulher das cavernas porque fecha os olhos e sua garganta solta um gemido.

– Às vezes você me olha como se fosse uma...

Ele esquece o que estava dizendo quando começo a beijar seu maxilar. Suas mãos descansam na lateral das minhas panturrilhas. Ele está me deixando controlar a situação, e gosto disso. Sinto-o sorrir e mordisco seu lábio inferior.

O sofá cede levemente abaixo dos meus joelhos e, conforme nossas roupas começam a se esquentar com a fricção, sinto sua ereção, dura e pontiaguda, pressionando a parte de trás das minhas coxas.

– Eu preciso disso – digo a ele e vejo seus olhos se tornarem violentamente escuros.

Seguro sua roupa, puxo-o para perto e nos beijamos outra vez.

Esfrego meu quadril lentamente em seu colo largo e suas mãos deslizam por meu corpo em uma série de pausas lentas, apalpando-me. Ombros, axilas, lateral dos seios. Estremeço e ele leva a mão mais para baixo. Costelas, a curva da cintura. Quadril. Nádegas.

Suas mãos deslizam por minhas coxas, seus dedos longos se arrastando pela costura da minha calça jeans. Ele desliza o dedo por minhas panturrilhas. Quando levo meu rosto junto de seu pescoço, suas mãos se apertam em meus tornozelos – um breve lembrete de que, se quisesse, ele poderia assumir o controle.

– Gosto de como você é pequenininha.

Ele certamente soa como quem gosta do meu corpo e quer explorá-lo outra vez.

Enquanto deslizo a língua para dentro de sua boca, começo a pensar em uma reunião da qual participamos algumas semanas atrás. Josh estava sentado próximo à janela e eu me lembro de ver o sol lentamente deslizando pelo parapeito, pelo chão, por sobre a mesa, conforme a tarde se arrastava.

Ele usava um terno azul-marinho que não o vejo usar com frequência e a camisa azul-clara. Sentei-me à sua frente e dali observei o sol lentamente se arrastando por seu corpo. Inspirei o cheiro do tecido aquecendo seu corpo. Ele fechou a cara e voltou a analisar pacientemente a apresentação em PowerPoint, sem tomar uma única nota enquanto minha mão tentava escrever, mas doía com câimbras.

Aqueles olhos, brilhando para mim, fizeram-me pular para fora da pele. Eu não sabia o motivo, mas agora sei.

– Estava lembrando aquela reunião de algumas semanas atrás.

Minha cabeça se inclina para um lado enquanto ele segura meu maxilar. Todo o meu corpo treme. Sua mão se abre em minhas costelas, o polegar cutucando a parte de baixo de meu seio. Todo o meu foco se concentra nesse meio centímetro de contato.

– Sim, o que tem a reunião? Se estiver pensando na reunião agora, é sinal de que não estou me saindo muito bem.

Ele encosta sua boca outra vez à minha e explora um pouquinho. Preciso de minutos antes de conseguir voltar a falar. Possivelmente horas. Minha respiração sai arfada e ele mordisca meu lábio inferior.

Seu polegar desliza, cutuca meu mamilo com delicadeza e sobe até o maxilar. Meu corpo treme e formiga.

Preciso me explicar melhor.

– Você olhou para mim e... e acho que eu queria beijá-lo. Acho que percebi naquele momento.

— Ah, sério?

Sou recompensada por sua outra mão deslizando em minhas costas. Pele contra pele. Dedos brincando languidamente com a alça do meu sutiã.

— Lembro mesmo que você me lançou um olhar...

— ... como se eu estivesse tendo pensamentos sacanas? Eu estava. Você estava com a sua camisa de seda branca e botões de pérola. E um cardigã que parecia de um tecido leve durante metade da reunião. Cabelos presos, lábios vermelhos.

Ele solta o corpo e desliza a ponta dos dedos por minha garganta, até chegar ao decote. E seus dedos se afundam ali enquanto eu estremeço pensando na única coisa em que consigo pensar.

— Era um cardigã de casimira.

— Você gosta do doutor Josh... Eu gosto de bibliotecárias retrô cheias de frescuras, Lucy. Lucy de casimira sedosa. Minha fantasia. Um lápis nos cabelos, informando ao chefe de departamento as estatísticas do último trimestre.

Ele continua apalpando meu torso, dedos pressionando minhas costelas.

— Que fantasia mais específica. Não consigo acreditar que você ainda lembra o que eu estava vestindo. Mas eu posso fazer isso. Posso usar um par de óculos todo nerd e repreendê-lo. — Franzo a testa, toda séria, e levo um dedo aos lábios. — Faça *silêncio*.

Ele emite um gemido teatral.

— Eu não aguentaria isso.

— Pode imaginar como seriam as coisas entre você e mim? O dia todo, todas as noites?

Ele sabe exatamente do que estou falando.

— Ah, sim.

— Como você disse antes: o segredo é encontrar alguém forte o suficiente para aguentar. Aquela pessoa capaz de devolver na mesma moeda.

— E você dá conta?

Seus olhos parecem o de um viciado. Pupilas dilatadas, íris brumosas.

— Sim.

Beijamo-nos com uma nova intensidade, uma intensidade incendiada por nossas fantasias na sala de reunião. Lucy e Josh olhando para imagens pornográficas muito ardentes.

Ele arqueia o corpo na direção do meu. Sua ereção pressiona tão forte a minha perna que chego a sentir dor no tendão.

Joshua interrompe o beijo.

— Devagar. Eu quero fazer uma pergunta.

Ele se afasta um pouquinho e fitamos os olhos um do outro. Sua boca está suavizada, rosada, e quero tê-la em mim. Lambendo e mordendo bocados da minha carne. Minha respiração é tão alta que quase não consigo dizer o que Josh diz em seguida:

— Esta noite, quando você me ligou, quase ligou para Danny antes, não foi? — Começo a protestar, mas ele aperta a mão em meu braço e prossegue: — Não estou sendo nenhum psicopata ciumento. Só fiquei interessado em saber.

— Você já saiu vencedor dessa competição com ele. Danny é meu amigo agora. Ele e eu seremos só amigos.

— Mas você não respondeu.

— Ele é a opção sensata. E eu não ando fazendo muitas coisas sensatas durante as minhas noites nos últimos tempos. Fico contente por não ter ligado para ele. Ou provavelmente estaria agora em um cinema, e não aqui.

E me esfrego um pouquinho em seu colo.

Josh tenta sorrir, mas não consegue.

— Eu iria ao cinema com você. Olhe, está ficando tarde.

Suas mãos escorregam outra vez para agarrar as minhas nádegas. Ele me faz inclinar o corpo para o lado e me puxa na direção de sua ereção. Depois, me ergue e me coloca ao seu lado.

Ajeita-se na beirada do sofá e apoia o rosto nas mãos. Sua respiração está tão pesada quanto a minha. Isso não traz prejuízo nenhum ao meu ego.

— Porra! — exclama. — Estou com tanto tesão — admite com um sorrisinho constrangido.

Entendo completamente seu desespero.

Certamente deve estar se perguntando por que está se sujeitando a isso. Josh é um homem adulto, mas agora está reduzido a sessões de amassos com essa colega esquisita.

— Quer saber com quanto tesão estou? — pergunto.

— Melhor não — admite com esforço.

— Acho que eu deveria ir para casa.

Rezo para ele me pedir para ficar. Mas não pede.

Mexendo as mãos, diz:

— Só um minuto.

Recolho nossas canecas e a minha tigela e levo à cozinha para enxaguar. Olho a frigideira e a coloco na pia, enchendo-a com água e sabão. Minhas pernas estão tremendo e se mostrando ineficientes em seu trabalho de me manter em pé.

— Eu lavo — Josh diz atrás de mim. — Pode deixar.

Meus olhos querem desesperadamente observar abaixo de sua cintura, mas, como sou uma dama recatada, resisto.

Ele me ajuda a vestir o casaco e nós dois nos calçamos. Ficamos cuidadosamente em lados opostos do elevador, mas olhamos um para o outro como se estivéssemos prestes a apertar o botão de emergência para acabar com o nosso desespero.

— Estou me sentindo como se eu fosse seu ovo de Páscoa.

Na calçada, ele segura a minha mão e atravessa a rua ao meu lado. Quando chegamos ao meu carro, levo minha boca para junto da dele. Josh cuidadosamente segura meu rosto e me beija. Um arfar de choque escapa simultaneamente de nós dois. É como se não tivéssemos nos beijado em toda uma eternidade. Ele pressiona o meu corpo contra a porta do carro e me faz gemer. Línguas, dentes, respiração.

— Você tem o gosto do meu ovo de Páscoa.

— Por favor, por favor... eu preciso tanto de você.

— Vamos nos ver amanhã no trabalho — responde.

Ele me segura em seus braços e esfrega a boca em minha nuca. Seu calor atravessa meus cabelos e me faz inspirar com tanta força que quase solto um gemido.

— Essa é aquela coisa idiota de ser louco por controle? — pergunto enquanto me solto.

— Possivelmente. Parece consistente com minha personalidade.

Um pensamento me ocorre:

— Está planejando me seduzir até eu ficar em coma na manhã da entrevista e, com isso, sair vencedor?

Josh enfia as mãos nos bolsos.

— Funcionou para todas as outras promoções que recebi na vida. Por que parar agora?

— Você quer ter certeza de que eu esteja toda apaixonada por você no dia do casamento do seu irmão.

Alguma coisa em seu semblante me faz dar um passo atrás e encostar na porta fria do meu carro.

— Você não mentiu e contou a eles tudo sobre a neurocirurgiã de quem está noivo?

Josh sorri.

— Doutora Lucy Hutton. Ela é brilhante, embora não seja nada ortodoxa.

— Estou falando sério. Responda a pergunta. Eu não preciso fingir ser quem não sou, preciso? Ou é para eu fazer algum papel?

— Não.

Mordisco o indicador e observo a rua. Por que tenho a sensação de que Joshua está mentindo?

— Bem, você está começando a achar que, se me deixar com tesão, isso é uma garantia de que eu vou voltar aqui. Sou como uma gata. Você está deixando um pires com leite na sua casa.

Josh dá risada, uma risada forte, como se eu fosse hilária. Uma eletricidade me invade. Estou estalando com ela. Neste momento, me sinto mais viva do que nunca.

Brigue comigo, me beije. Ria de mim. Converse comigo se estiver triste. Não me faça ir para casa.

— Teremos que ver se isso é verdade. Se você voltar amanhã à noite, eu admito que é parte de uma estratégia bem pensada.

Ele olha para mim todo alegre, sem disfarçar o bom humor.

Voltar amanhã é um pensamento que realmente não tinha me ocorrido. Agora o dia de amanhã parece promissor.

— Mais um.

Ele beija minha bochecha e eu gemo em meu desespero.

— Dê o fora daqui, Moranguinho. E lembre-se: não quero ver você surtando amanhã.

Não consigo prender direito o cinto de segurança. Estou tão agitada que é como se estivesse passando por uma fase de abstinência de alguma droga. Ele dá tapinhas na janela para avisar que preciso trancar a porta.

Estou na metade do caminho quando um pensamento louco se cristaliza: eu mal vejo a hora de ir trabalhar amanhã.

Hoje a camisa dele é da cor de um pires de creme.

Aja naturalmente, Lucy. Entre como uma mulher sensual. Nada de ficar sem jeito. Vá.

Ele olha para mim, meus tornozelos tremem e eu solto a bolsa. A tampa do pote onde trago meu almoço se abre e um tomate rola pelo chão. Relaxo as mãos e os joelhos e meu salto agulha se prende no cinto solto do casaco.

— Droga! — exclamo enquanto tento me arrastar.

— Vá com calma.

Josh se levanta e se aproxima.

— Cale a boca.

Ele solta meu casaco e recolhe meu almoço antes de estender a mão para mim. Hesito por um instante antes de aceitar, permitindo que Josh me ajude a levantar.

O JOGO DO AMOR/ÓDIO

— Posso rebobinar o filme e refazer minha entrada?

Ele tira o casaco dos meus ombros e o dependura para mim.

A porta do senhor Bexley está aberta; as luzes, acesas. Helene costuma chegar mais tarde. Provavelmente ainda está na cama.

— Como foi sua noite, Lucinda? Parece cansada.

Meu estômago afunda em consternação com o tom impessoal de Joshua até eu olhar seu rosto e perceber que seus olhos estão iluminados como o de quem está aprontando alguma travessura. Se o senhor Bexley estiver bisbilhotando, não vai ouvir nada fora do comum.

Esse é um jogo novo e perigoso, o Jogo do Aja Naturalmente, mas vou arriscar mesmo assim.

— Ah, foi boa o suficiente, acredito.

— Legal. Hum. Fez alguma coisa especial?

Ele está com o lápis na mão.

— Fiquei no sofá.

Joshua se mexe em sua cadeira e eu olho para seu colo.

— Olhos de assassino em série — balbucio para ele.

Sento-me na beirada da minha mesa, pego o Lança-Chamas e começo a deslizá-lo por meus lábios, usando a parede mais próxima como espelho. Josh olha para as minhas pernas com uma luxúria tão exposta que quase chego a molhar a calcinha.

— E você, Josh, o que fez à noite?

— Eu tive um encontro. Pelo menos acho que foi um encontro.

— E como ela era?

— Pegajosa. Realmente se jogou em cima de mim.

Dou risada.

— Ser pegajosa não é um traço atraente. Espero que tenha se livrado dela.

— Acho que me livrei, de certo modo, sim.

— Isso vai ensinar uma boa lição a essa mulher.

Começo a ajeitar os cabelos para prendê-los em um coque alto antes de ajeitar meu vestido. É um vestido de lã creme, elástico e quente, e admito que o escolhi para combinar com a camisa de

Josh. Ele gosta de bibliotecárias cheias de frescuras? Hoje é isso que vai ter.

Ele observa minhas mãos. Eu observo as dele. Os nós de seus dedos estão pálidos.

— Mas não sei se vou voltar a vê-la.

Ele soa entediado e está clicando em seu mouse. Quando seu olhar perfurante encontra o meu, penso na última noite e meu interior se aperta.

— O que acha de levá-la ao casamento do seu irmão? É sempre gratificante ir a um evento assim com alguém interessante.

Nós dois nos encaramos e eu relaxo lentamente na cadeira. O Jogo de Encarar nunca foi tão sacana. O telefone toca. Olho para o identificador de chamadas e a palavra "PORRA!" se acende em neon no meu cérebro.

Josh dá uma olhada em meu rosto.

— Se for ele, eu vou...

— É Julie.

— Um pouco cedo para ela, não é? Você vai ter que ser firme com ela.

O telefone continua tocando. E tocando.

— Vou deixar cair na caixa de recados. Estou cansada demais pra enfrentar isso agora.

— Não vai, não.

Ele digita asterisco e nove e atende na extensão. Por aí, ensinam os operadores de call center a sorrir quando atendem uma chamada. As pessoas podem ouvir o sorriso em sua voz. Joshua precisa aprender isso.

— Telefone de Lucinda Hutton. Joshua falando. Um instante. — Ele aperta um botão e aponta o aparelho na minha direção. — Atenda. Estou de olho.

Nós dois observamos a luz de ligação em espera piscando.

Eu ainda sou aquela menininha sorridente na plantação de morangos. Olhe para mim, sou uma garota boazinha. Sou a menina mais meiga, mais doce e adorada por todos. Nenhum problema é grande demais.

— Quero ver você ser tão forte com outras pessoas quanto é comigo.
Pressiono a luz piscando.
— Oi, Julie, como está?
Meu ouvido quase explode de tão alto que é seu suspiro.
— Oi, Lucy. Não estou nada bem. Estou insuportavelmente cansada. Nem sei por que vim trabalhar hoje. Acabei de me sentar aqui e a tela já está me matando.
— Que pena que está se sentindo assim.
Olho fixamente nos olhos de Josh. Ele intensifica seu semblante com aqueles lasers azuis assustadores. Está me imbuindo com seus poderes. NÃO vou ligar para as desculpas ou pedidos que ela fizer.
— O que posso fazer por você, Julie? — pergunto em um tom profissional, mas com um toque de calor humano.
— Era para eu estar trabalhando em um documento para o Alan, um documento que ele vai editar e enviar para você.
— Ah, sim. Preciso receber antes do fim do horário comercial.
Josh ergue o polegar, mas com sarcasmo.
— Bem, estou tendo problemas para encontrar alguns dos relatórios antigos na rede. Aqui me diz que o atalho foi excluído. Tentei de várias formas e acho que preciso descansar um pouco, sabe?
— Contanto que eu receba o relatório até às 17h, fique à vontade.
Josh olha para o teto e dá de ombros. Pensei que eu estivesse sendo firme, mas ele não parece impressionado.
— Estive pensando se eu não poderia ir para casa e terminar amanhã bem cedinho, quando estiver me sentindo melhor.
— Mas você não acabou de chegar? Ou eu estou ficando louca? Acabei de verificar para ter certeza de que horas são.
— Eu entrei rapidamente para verificar meu e-mail — ela conta com o tom de um soldado. — Alan disse que não teria problema, contanto que eu combinasse antes com você.
Julie já está balançando a chave do carro ao fundo.
Aquele laser azul me dá uma força de aço.

— Sinto muito, mas para mim não funciona. Preciso receber até as 17h, por favor.

— Estou ciente do prazo — ela rebate com sua voz subindo um tom. — Estou tentando avisar que Alan não vai conseguir enviar o documento dentro do prazo.

— Mas é você quem precisa de mais tempo, e não ele.

Uma longa pausa se instala e eu espero ouvi-la dizer alguma coisa.

— Pensei que seria um pouco mais flexível com isso. — Seu tom de voz já começa a se tornar uma impressionante combinação de gelo e petulância. — Realmente não estou me sentindo bem.

— Se você precisar ir para casa... — começo enquanto Joshua repuxa as sobrancelhas e fecha a cara. — Bem, vai precisar tirar licença-médica e trazer um atestado amanhã.

— Não vou ao médico só porque estou cansada e com dor de cabeça. Ele vai me dizer para dormir. É só isso que quero ir fazer.

— Eu realmente sinto muito se você não está se sentindo bem, mas essa é a política do RH.

Josh ergue a mão para cobrir a boca e esconder seu sorriso. Agora estou jogando o Jogo do RH com Julie.

— Sente muito? Eu não chamaria isso de sentir muito, de forma alguma.

— Estou sendo justa com você, Julie. Eu já dei prazo extra em várias outras ocasiões. Mas não posso ficar aqui até tarde toda vez para finalizar esses relatórios.

Josh gira a mão no ar. Eu continuo:

— Se você atrasa, eu acabo tendo que ficar até tarde.

— Você não tem família nem namorado nesta cidade, tem? Ficar até tarde não afeta a sua vida como afeta as das pessoas com maridos e... digamos, pessoas que têm família.

— Bem, eu não vou arrumar marido ou ter uma vida se ficar todo dia aqui até 21h, vou? Espero receber o relatório de Alan antes das 17h.

— Você passou tempo demais na companhia daquele Joshua horrível.

— Parece que sim. Aproveitando, não vou poder acompanhar sua sobrinha no estágio, não é conveniente para mim.

E assim encerro a ligação.

Joshua relaxa na cadeira e começa a rir.

— Cacete!

— Eu fui incrível, não é? Você viu?

Dou um soco no ar e finjo acertar Julie. Josh descansa as mãos sobre a barriga e me observa enquanto finjo ser uma boxeadora.

— Tome essa, Julie, e leve junto com você sua vida, seu marido e seu distúrbio ridículo do sono.

— Coloque tudo para fora.

— Tome essa, Julie, você e sua enxaqueca.

— Você foi mesmo incrível.

— Tome essa, Julie, você e suas unhas francesinhas.

— É isso aí!

Ele está sorrindo abertamente para mim, nesse mesmo escritório que no passado foi um campo de batalha, então solto o corpo na cadeira, fecho os olhos e sinto o calor de sua satisfação vindo do outro lado da passarela de mármore. Então é essa a sensação? Poderia ter sido assim esse tempo todo? Não era tarde demais.

— Chega de ficar aqui até tarde. Eu certamente destruí minha relação com ela, mas valeu muito a pena.

— Em breve você vai ter uma vida e um marido.

— Em breve mesmo. Provavelmente na próxima semana. Espero que ele seja muito gentil.

Abro os olhos e o jeito como ele me encara me faz desejar não ter dito isso. Nós dois hesitamos e seus olhos brilham. Acabo de interromper a fluidez que havia entre nós.

— Por favor, deixe-me desfrutar deste momento. Joshua Templeman é oficialmente meu amigo.

Entrelaço meus dedos e alongo os braços sobre a cabeça.

— Vou sair para uma reunião durante o café da manhã. Josh, preciso dessas estatísticas na hora do almoço — o senhor Bexley informa, passando entre nós.

Acho que todos sabemos que essa reunião vai ser regada a um enorme prato de bacon.

— Já estão prontas. Vou enviar por e-mail agora mesmo.

O senhor Bexley raspa a garganta. Imagino que esse seja seu jeito de agradecer ou elogiar. Em seguida, vira-se para mim.

— Bom dia, Lucy. Belo vestido, esse seu.

— Obrigada.

Que nojo.

— Afie as garras. A entrevista é em breve. Tique-taque.

Ele vem até a beirada da minha mesa e me analisa do pescoço para baixo. Resisto à vontade de cruzar os braços. Não sei como Bexley não percebeu o olhar assassino de Joshua refletido em dezenas de superfícies. Continua avaliando minha aparência com aqueles seus olhos de bêbado.

— Pare com isso — Josh ordena com uma voz dura a seu chefe.

— Estou preparadíssima para a entrevista. — Olho para baixo, analisando meu corpo. — Senhor Bexley, o que o senhor está olhando?

Calmamente miro nos olhos de Bexley e ele praticamente leva um choque. Em um instante, desvia o olhar e começa a passar os dedos por seus cabelos esparsos, o rosto queimando, vermelho.

Cara, hoje eu estou do caralho!

Josh aperta o maxilar e olha para sua mesa de vidro com tanta raiva que me surpreende o fato de ela não estilhaçar.

— Pela amostra que tive aquele dia no escritório de Helene, imagino que esteja bem-preparada. Doutor Josh, talvez tenhamos que discutir sua estratégia.

Puta merda! Ele vai contar a Joshua sobre meu projeto. Lanço um olhar cheio de pânico na direção de Josh, que olha para seu chefe como se aquele velho fosse um completo idiota.

E aí ele me lembra que não é meu amigo. E, não importa quantas vezes nos beijemos em seu sofá, ainda estamos no meio de nossa maior competição.

– Não vou precisar de nenhuma ajuda para derrotá-la.

CAPÍTULO 18

Ele está frio como gelo e seu tom de voz me faz ter *flashbacks*. Pronunciou as palavras como se fossem a coisa mais ridícula que já ouviu na vida. A bobinha da Lucy Hutton, aquela que é impossível de se levar a sério e sem dúvida não é páreo para Joshua Templeman em nenhuma área. Sou uma piada. Não vou ficar com a promoção. Afinal, por que ficaria? Eu sou aquela que tem de receber orientações para enfrentar até mesmo um simples telefonema.

– Talvez não – o senhor Bexley reflete.

Claramente contente por ter sido expulso de nossas mesas, ele vai embora. Enquanto espera o elevador, olha outra vez em nossa direção.

– Mas, doutor Josh, você pode querer repensar isso.

A porta do elevador se fecha e Joshua balbucia "vá se foder". Em seguida, olha para mim.

– Eu estava mentindo.

O silêncio ecoa como duas taças de cristal que se tocam.

– Bem, você é um excelente ator. Eu sem dúvida acreditei.

Pego minha garrafa de água e tomo um gole, tentando acalmar o aperto furioso em minha garganta. Na verdade, sou grata a ele. Era justamente isso que me faltava. Somos dois cavalos de corrida avançando a caminho da linha de chegada. Eu estou chicoteando, mas acabo de sentir o primeiro golpe do chicote. Preciso me apegar a esse sentimento até a entrevista terminar.

– Sempre fui. Estava nervoso com o fato de ele ficar olhando daquele jeito para você e aí acabou saindo. Tenho o péssimo hábito de estourar. Olhe para mim, Lucy.

Quando o encaro, ele repete lentamente:

– Aquelas palavras não foram sinceras.

– Tudo bem. Era o que eu precisava – respondo com o mesmo tom frio e direto que ele acabou de usar com Bexley.

Não sei o quão fria consigo soar enquanto a raiva parece uma chama em meu peito. Ao mesmo tempo, sou também uma boa atriz.

Sua testa franze daquele jeito preocupado que é sua marca registrada.

– Você precisava disso? Precisava me ver sendo um idiota? Porque foi só isso que recebeu de mim.

A vida é uma questão de perspectiva e, se eu escolher acreditar que acabei de receber um impulso de motivação vindo de meu concorrente, posso ignorar meu orgulho ferido. Vou me concentrar no futuro. Meu foco agora é um raio laser que Joshua me deu.

Meu computador bipa. Cinco minutos para eu e Danny nos encontrarmos para discutir o projeto de meu e-book.

– Espere. Precisamos resolver isso. Mas ainda não posso explicar. – Seu rosto se repuxa agitado. – É um péssimo momento. Eu não queria que tivesse soado como soou.

– Eu vou sair – respondo enquanto pego minha bolsa e meu casaco.

– E aonde está indo? Para caso Helene me pergunte... – indaga, e parece se sentir péssimo. – Você volta hoje?

– Vou encontrar alguém para um café.

– Bem... – Josh diz depois de um instante. – Eu não tenho como impedir.

– Obrigada por me permitir fazer meu trabalho.

Depois de maliciosamente empurrar sua bandeja de papéis, marcho até o elevador.

E, depois, até a Starbucks do outro lado da rua. O problema de estar em combate com Joshua Templeman? Eu nunca realmente saio vitoriosa. E isso é o que há de mais ilusório nessa história toda. Assim que penso que venci, acontece alguma coisa para me lembrar que não venci coisíssima nenhuma.

Por favor, que eu me permita apreciar este momento. Joshua Templeman é oficialmente meu amigo.

Este momento não é nada além de uma derrota antecedida por perdas, perdas e mais perdas.

Danny já está sentado próximo à janela. O fato de eu estar atrasada é mais um prego no caixão onde jaz meu profissionalismo.

– Olá, obrigada por me encontrar. Desculpe pelo atraso.

Peço meu café e rapidamente esboço a minha ideia.

– Tenho tempo nesse fim de semana – Danny oferece com toda a nobreza.

Ele olha para mim com um interesse nada disfarçado – para os meus cabelos presos, minha garganta exposta e o vermelho em meus lábios. Tenho a má sensação de que ainda alimenta a esperança de que nosso beijo ruim foi apenas um mau momento.

– Eu vou pagar do meu bolso. Pode me dar uma ideia de quanto custaria?

Danny não parece preocupado.

– Por que não fechamos um acordo? Dê os créditos do meu trabalho durante a entrevista e fale a Helene sobre o meu novo software editorial. Talvez existam algumas cruzadas que se adequem a seu projeto e... trezentos contos.

– Está ótimo. E claro que farei isso – apresso-me em garantir.

Indicá-lo é uma coisa que posso fazer. Ajudá-lo, expondo seu trabalho aos executivos, contribuir para que sua empresa ganhe espaço.

Parte do pessoal da B&G está na fila esperando café e nos observando com olhares especulativos. Outro funcionário passa pela rua e acena para mim. Estou sentada em um enorme aquário redondo. Minhas bochechas começam a queimar quando penso em tudo o que falei e fiz com Joshua no último andar. As farpas, os insultos, os beijos eletrizantes. Em nosso mundinho isolado, tudo parecia normal e aceitável.

— Obrigado por se lembrar de mim para esse projeto — Danny agradece antes de tomar um gole de seu café.

— Bem, depois do nosso jantar na segunda-feira, eu sabia que podia confiar meu segredinho a você. E, conforme você disse, precisei de ajuda e você foi a primeira pessoa em quem pensei.

— Então é um segredo?

— Helene sabe, obviamente. O senhor Bexley sabe do conceito do projeto, mas desconhece o produto final que espero apresentar.

Eu queria não ter que dizer a próxima parte, e fico chateada com quão complicada essa situação se tornou:

— Preciso lhe pedir para, por favor, não dizer nada a Josh. Sei que você não vai voltar a vê-lo, mas vamos manter isso entre nós. Ele está com toda a certeza de que vai ficar com a vaga. Agora, vencê-lo é mais importante do que nunca.

— Não vou dizer nada, mas, se você reparar, Joshua está bem ali, atrás de você.

— O quê?! — quase grito. Não consigo dar meia-volta. — Aja de maneira totalmente profissional.

Desenho um diagrama no meu bloco de notas e Danny traça algumas linhas aleatórias.

— Qual é o *problema* desse cara? Ele parece estar sempre furioso.

Danny acena na direção do bloco de notas e fingimos mais alguns movimentos profissionais.

— É essa cara dele.

— Vocês dois têm uma dinâmica estranha.

— Não tem dinâmica nenhuma. Dinâmica nenhuma.

Começo a mexer meu café. Está quente demais e foi uma ideia terrível vir a este lugar.

— Mas você sabe que ele é apaixonado por você, não sabe?

Inspiro uma enorme lufada de ar e começo a me arrastar em um

O JOGO DO AMOR/ÓDIO

terreno seco. Danny se aproxima e me toca a área entre as minhas omoplatas. Lágrimas descem por meu rosto. Eu queria que ele me deixasse morrer.

– Não é, não – chio. Uso um guardanapo para secar o rosto. – Essa foi a coisa mais idiota que já ouvi. Em toda a minha vida.

– Como seu amigo – Danny articula com um sorrisinho –, digo que ele é, sim.

– O que ele está fazendo?

– Assustando o caixa. As pessoas estão preocupadas com como será se ele ficar com a vaga. Sabemos como Joshua é bom em cortar empregos. Tem um pessoal da área de design que já anda atualizando o currículo, só por precaução.

– Tenho certeza de que seria tranquilo trabalhar com ele – respondo, exercendo minha diplomacia.

Não vou descer ao mesmo nível de Josh. Levanto-me e reúno as minhas coisas.

– Vamos falar oi para ele – Danny propõe, e tenho certeza de que é só para me provocar.

Sua boca já forma um sorrisinho.

– Não, vamos escapulir pela janela do banheiro. E rápido.

Ele ri e faz que não com a cabeça. Mais uma vez, fico impressionada com sua coragem. Todo mundo tenta evitar o monstro que vive rondando. Mas conheço um segredo de Josh. Penso nele ontem à noite, medindo meu pulso, contando cada batida do meu coração. Cobrindo-me com uma manta, ajeitando meus pés. É impressionante o fato de ele ter conseguido manter essa fachada fria e assustadora por tanto tempo.

– Oi – nós dois cumprimentamos em uníssono quando nos aproximamos.

– Ora, olá – Josh responde maliciosamente.

– Pare de me perseguir tanto.

Meu tom é tão ofendido que a menina preparando os cafés chega a gargalhar.

Josh arruma o punho da camisa.

— Sentiram saudade um do outro, não sentiram?

Estou gravando a laser a palavra SEGREDO no cérebro de Danny. Arqueio as sobrancelhas e ele assente. Josh observa essa troca.

— Lucy veio falar comigo sobre uma... oportunidade de... trabalhar com ela.

Danny é um gênio. Nada mais verossímil do que a verdade.

— Verdade. Danny está me ajudando na minha... apresentação.

Não poderíamos ser mais escusos, nem se tentássemos.

— Você está trabalhando na sua apresentação. Certo. Entendi. — Josh pega seu café quando seu nome é anunciado e lança um olhar tão acusador que meu rosto quase derrete. — E nós também estávamos fazendo isso, Lucinda? Ontem à noite no meu sofá?

Danny fica tão boquiaberto que seu maxilar deve ter tocado o chão. Eu não estou achando a situação nada engraçada. Se essa informação se espalhar, minha reputação vai ficar em frangalhos. Danny ainda tem contato com muita gente da área de design. E também é um cara do tipo que vive em busca de uma fofoca.

— Nos seus *sonhos*, Templeman. Ignore o que ele diz, Danny. Vamos embora.

Puxo Danny para ele não ser lançado no meio do trânsito. Josh segue a passos lentos, tomando goles de seu café. Seguro o braço de Danny tão apertado que ele chega a repuxar o rosto enquanto atravessamos a rua.

— Mesmo se ele sequestrar e torturar você, não conte o que está fazendo para mim. Esse cara vai usar todas as informações que tiver para me ferrar.

— Nossa, vocês dois são *mesmo* inimigos mortais.

— Sim. Até a morte. Revólveres, espadas e tudo o mais.

— Então ele está tentando descobrir sua estratégia para a entrevista? Danny cumprimenta um colega e verifica seu celular.

— Exatamente. — Deixo escapar um choramingo nervoso. Acho que tudo já foi explicado a Danny. — Eu ligo para você depois do horário comercial, assim que eu definir qual livro quero que diagrame para mim.

Josh está mesmo em cima da gente. Começo a pensar que talvez eu mesma jogue Danny no meio do trânsito, só para acabar de vez com essa situação agonizante.

— Está bem, conversamos à noite. Tchau, Josh. Boa sorte na entrevista.

Danny segue seu caminho.

Josh e eu não trocamos uma palavra sequer enquanto dividimos o elevador. Ele está irritadíssimo, é uma coisa visceral mesmo. Enquanto isso, ainda me pego um pouco impressionada com o que Danny falou. *Mas você sabe que ele é apaixonado por você, não sabe?*

— Ele não é extremamente gentil? Que cara mais gentil! Acho que entendo o que você vê nele — Josh diz com tanta dureza que chego a dar um salto para trás. — Devo ter tido um sonho vívido ontem à noite.

— Ei, o que posso dizer? Eu menti. Sou boa atriz.

Abro os braços e vou à minha mesa.

— Então, você está com vergonha de mim?

— Não, é claro que não. Mas ninguém pode saber. Acho que ele curte uma fofoca. Ah, não olhe com essa cara torta. As pessoas vão falar de nós.

— Grande coisa. As pessoas sempre falaram de nós. E você não liga se falarem de você com ele, mas liga se falarem de você comigo?

— Você e eu trabalhamos a dois metros um do outro. É diferente. Eu quero restabelecer um nível mínimo que seja de profissionalismo neste escritório.

Josh aperta sua ponte nasal.

— Tudo bem. Vou entrar no seu jogo, então. Se essa é a última conversa pessoal que teremos neste prédio, então vou aproveitar para dizer: traga a sua mala na sexta-feira.

— O quê? O que vai acontecer na sexta-feira?

— Traga as suas coisas para o casamento. Vestido e tudo o mais.

Enquanto estou de olhos arregalados, ele prossegue:

— Você vai ao casamento do meu irmão. Você insistiu, lembra?

— Espere, por que eu tenho que trazer o vestido na sexta-feira? O casamento é no sábado. Por acaso vai ter algum ensaio? Eu não concordei em ir duas vezes ao casamento.

— Não. O casamento é em Port Worth e teremos de fazer o caminho de carro.

Ainda sem entender, olho em volta.

— Não fica tão longe daqui.

— Longe o suficiente para precisarmos sair depois do trabalho. Minha mãe precisa de ajuda com os preparativos na noite anterior.

Estou explodindo de irritação, terror, mágoa e a certeza absoluta de que isso vai ser um desastre. Fitamos um nos olhos do outro.

— Eu sabia que você não ficaria feliz, mas também não esperava um terror tão grande. — Josh se ajeita na cadeira e me avalia. — Não surte.

— A gente nunca nem foi ao cinema juntos, nem a um restaurante. Eu fiquei nervosa quando aceitei uma carona no seu carro. E agora você está me dizendo que vou passar horas no carro com você e que tenho que levar meu pijama? Onde eu vou ficar?

— Provavelmente em algum hotel decadente de beira de estrada.

Estou prestes a perder o controle. E mais perto ainda de sair correndo pela porta de incêndio. Eu imaginava que em algum momento voltaríamos a jogar o Jogo do Ou Algo Assim. Imaginei que aconteceria em seu quarto azul ou enquanto eu sussurrasse insultos para ele na despensa. Mas hoje já aconteceram coisas demais.

— Foi uma brincadeira, Lucy. Ainda preciso conversar com minha mãe para saber onde vamos ficar.

— Eu não tinha pensado direito no fato de que acabaria conhecendo seus pais. Olha só, eu não vou. Você acabou de ser um completo idiota comigo agora, lembra? Não precisa de ajuda para me vencer, lembra? Eu teria que ser louca para ajudá-lo. Vá sozinho, como um grande fracassado.

— Você se comprometeu. Você prometeu. E você nunca quebra sua palavra.

Dou de ombros e minhas fibras morais se repuxam com desconforto.

– Como se eu me importasse com isso.

Ele decide jogar com seu coringa.

– Você é meu apoio moral.

Essa é a coisa mais intrigante que poderia ter dito. Não consigo resistir.

– Por que exatamente você precisa de apoio moral?

Joshua não responde, mas se mexe desconfortavelmente na cadeira. Arqueio a sobrancelha até ele ceder.

– Não a estou levando como uma escrava sexual. Não vou encostar um dedo em você. Só não posso chegar sem uma acompanhante. E minha acompanhante é você. Você me deve, lembra? Eu a ajudei enquanto você vomitava.

Joshua parece tão sombrio que chego a arrepiar.

– Apoio moral? Vai ser tão ruim assim?

Seu celular começa a tocar e, dividido, ele desliza o olhar entre o aparelho e o meu rosto.

– A questão aqui é o momento certo. Vou ter que atender.

Josh atravessa o corredor e eu me resigno a observar seu caminho porque, infelizmente, é verdade. Eu prometi.

Certa vez, uma pequena eternidade atrás, eu podia me deitar em meu sofá como qualquer outra pessoa. Podia assistir TV, comer um lanchinho e fazer as unhas. Podia ligar para Val e sair com ela para experimentar roupas. Mas, agora que sou uma viciada, tenho que agarrar as almofadas com minhas unhas descascando para resistir e não me levantar, colocar os sapatos e sair correndo rumo ao prédio de Josh. O esforço me faz sentir dor. Tento me acalmar com o laptop no colo e distraidamente dou uma olhada nos sites de notícias, na minha apresentação, nos leilões de *merchadise* dos

Smurfs e em meu site favorito de roupas peculiares e retrô.

Um *pop-up* surge com a notificação de que meus pais estão on-line no Skype, então ligo tão imediatamente para eles que chega a ser constrangedor. Minha mãe aparece na tela, franzindo a testa e perto demais da câmera.

— Coisa ridícula — murmura antes de sorrir. — Smurfette! Como você está?

— Bem, e você?

Antes que minha mãe consiga responder, a tela é preenchida com o botão de sua calça jeans. Ela se levantou e chama meu pai várias vezes por um longo minuto. *Nigel! Nigel!* Até mesmo o tom e a cadência familiares de sua voz me fazem encolher, tamanha a minha saudade de casa. Minha mãe enfim desiste.

— Seu pai deve estar no campo ainda — explica, sentando-se outra vez. — Deve chegar logo.

Olhamos uma para a outra por um longo momento. É tão raro ter a atenção de minha mãe só para mim, sem a força de meu pai impulsionando a conversa, que sinto que nem sei por onde começar. Aparentemente não posso falar sobre o tempo e sobre quão ocupada tenho andado. Enquanto seus olhos azuis astutos se estreitam e eu escolho minhas palavras, percebo que é melhor fazer a pergunta que vem me torturando durante essas últimas semanas — e talvez durante toda a minha vida. É uma coisa que eu devia ter perguntado anos atrás.

— Antes de eu nascer, quando você conheceu meu pai... Como conseguiu desistir do seu sonho?

A pergunta ecoa no ar estático entre nós duas. Minha mãe não diz nada por um longo instante, então chego a pensar que falei algo que não devia. Quando me encaram outra vez, seus olhos são firmes e resolutos.

— Você está perguntando se me arrependo de minha escolha? Não.

Ela ajeita o corpo na cadeira. Eu me ajeito no sofá. E, de repente, é como se não existisse uma tela entre nós. Nenhuma moldura em volta de nossos rostos e nenhuma tela intrusa nos distraindo de nossos próprios semblantes. Sinto que poderia estender minha mão e segurar a dela. É o mais próximo que já estivemos desde a última vez que a vi, quando a abracei no aeroporto e senti o seu cheiro de xampu e brilho do sol. Observo-a pensativa e o relógio tiquetaqueando antes de meu pai chegar e nos interromper.

— Como poderia me arrepender? Eu tenho seu pai e tenho você.

Essa é a resposta, e ela abre aquele sorriso que eu sabia que viria. Como minha mãe poderia dizer qualquer coisa diferente disso?

— Mas você não se pergunta onde estaria agora se tivesse escolhido a carreira em vez de escolher meu pai?

Ela evita responder mais uma vez.

— Isso tem a ver com a sua entrevista no trabalho? Está preocupada com o que pode acontecer se perder sua grande chance?

— Mais ou menos. Só comecei a pensar que, mesmo se eu ficar com a vaga, poderia sair perdendo outras... oportunidades.

— Não acho que precise desistir dos seus sonhos por nada. Percebo que você realmente quer essa promoção. Posso ouvir na sua voz. Os tempos mudaram, meu amor. Você não precisa desistir de nada. Não precisa fazer uma escolha como eu tive que fazer no passado. Só precisa dar tudo de si.

Uma porta bate atrás de minha mãe, que olha para a tela.

— É o seu pai.

Começo a me sentir frenética. Não posso contar a ela sobre a transformação no meu relacionamento com Josh ou sobre nossa competição ou que vou sair perdendo, independentemente do resultado. Não há tempo. Aliás, só me resta tempo para dizer:

— Se eu estivesse na mesma posição, andando em um pomar, possivelmente prestes a me perder em algum lugar, o que você me diria para fazer?

Ela desvia o olhar da tela e posso ouvir as botas pesadas batendo nas escadas, a caminho do escritório. Sua resposta me convence de que a semente do "e se" sempre esteve alojada em seu coração.

— Para você? Eu diria para continuar andando. Só quero que as coisas aconteçam para você. Mantenha um olho no prêmio e, independentemente do que fizer, siga em frente.

— O que está acontecendo aí? — meu pai pergunta ao aparecer, antes de beijar o topo da cabeça da minha mãe e ver meu rosto na tela. — Você devia voltar para casa, para mim! Como está minha menina? Pronta para massacrar aquele Jimmy na entrevista? Imagine só a cara dele quando você vencer. Eu já consigo ver!

Ele solta o corpo no assento ao lado da minha mãe e sorri para o céu, celebrando minha suposta vitória e sua sagacidade.

Posso ver meu rosto praticamente cair na tela. Aliás, esse desânimo poderia ser visto do espaço, e minha mãe claramente percebeu.

— Ah, entendi. Lucy, por que você não me contou?

Meu pai segue em frente sem minha resposta. Próximo assunto:

— Quando você vem para casa?

Admito que faço uma pausa mais longa para aumentar o efeito dramático.

— No feriado prolongado.

É a resposta que meu coração está dolorido para dar e, quando vejo o sorriso de meu pai se formando e seus dentes desgastados aparecendo, fico contente por ter dado essa resposta. Minha mãe continua olhando fixamente para mim.

— Apenas continue andando, a não ser que a árvore seja tão especial quanto esta aqui.

— De que diabos vocês duas estão falando? Você ouviu o que ela disse? Ela vai vir para casa!

A cadeira do meu pai range quando ele começa a dançar e, exatamente como minha mãe, estou nos portões de um pomar importante e assustador e preciso focar o olhar adiante, para encontrar uma saída do outro lado. Um olhar de laser, um olhar sempre focado no horizonte.

O JOGO DO AMOR/ÓDIO

É sexta-feira. Era para ser o dia da camisa cor de mostarda horrível, mas não é. Estou com a mala pronta no porta-malas do carro e passei os últimos dois dias tão nervosa com esse fim de semana que não consegui ingerir nenhum alimento sólido. Sobrevivi à base de vitaminas de frutas e chá. Nesta última noite, dormi duas horas.

É um alívio esse momento ter chegado. Quanto mais cedo sairmos daqui, mais cedo essa situação toda vai chegar ao fim. Minha mente já esboçou todos os cenários possíveis – em meus sonhos, em todos os meus momentos acordada. E a minha única certeza é que, seja lá o que acontecer, logo tudo terá ficado no passado.

Josh está no escritório do senhor Bexley há uma hora. Já ouvi vozes altas, Bexley gritando e silêncio. Isso não ajudou em nada minha ansiedade.

Helene entrou lá mais cedo para intervir. E mais assustador: Jeanette passou apressada por mim há 45 minutos e entrou na briga. Talvez a estratégia de Josh envolva grandes cortes de pessoal e ela foi chamada para uma consulta.

Quando saiu, Jeanette parou em minha mesa, me analisou e deu risada. Foi o tipo de risada com um toque de histeria, como se ela tivesse acabado de ouvir a mais engraçada das piadas.

– Boa sorte – ela me diz. – Você vai precisar. Isso está além da alçada do RH.

Nós fomos descobertos. Alguém me viu junto de Josh; fomos flagrados. Danny contou alguma coisa. Já está na boca de todo mundo. Esse cenário não apareceu em meus devaneios. Abaixo-me e pressiono a maçã do rosto ao joelho. *Inspire, expire.*

– Querida!

Helene está alarmada quando encosta em minha mesa. Minha visão está turva. Tento me levantar, mas cambaleio. Ela me faz sentar outra vez e me entrega uma garrafa de água.

– Está tudo bem com você?

– Eu vou desmaiar. O que está acontecendo aqui?

– Eles estão conversando sobre as entrevistas. A ideia de Josh para o futuro não está exatamente alinhada com a de Bexley.

Helene puxa uma cadeira e se senta ao meu lado. Estou prestes a ser demitida. Começo a ofegar.

— Eu estou encrencada? Ele está fazendo alguma espécie de pré-entrevista? Por que não estou fazendo uma também? E por que o RH está envolvido? Ouço grito atrás de grito daqui. E Jeanette falou uma coisa assustadora: que eu ia precisar de sorte. Estou encrencada? — termino com o mesmo questionamento doloroso com o qual comecei.

— *É claro que não.* Os dois estão tendo uma discussão horrível ali dentro, querida. Eles discordaram o tempo todo. Achei melhor chamar Jeanette para lembrá-los de ter um pouco de etiqueta profissional. Nada pior do que dois homens latindo como cães um para o outro.

Helene me olha de um jeito estranho. Minha aparência deve estar terrível.

— Ele está...? — Engulo minhas palavras, mas Helene não vai me deixar sair ilesa.

— Ele está o quê?

— Ele está bem? Josh... ele está bem?

Helene confirma com a cabeça, mas sei que ele não está bem. Os últimos dois dias foram exaustivos. Josh não demonstrou nada além de civilidade, mas agora posso ler melhor do que nunca as nuanças em seu rosto. Está cansado, triste e estressado. Não consigo decidir o que é pior: manter contato visual ou não.

E eu entendo. Realmente entendo.

Percebo que, se mantiver meu olhar longe dele e fixo na tela do computador, há uma chance menor de sentir meu estômago virar. Posso evitar o frio na barriga se conseguir evitar o azul de seus olhos e o desenho de sua boca — que eu beijei, várias e várias vezes. Ninguém sabe me beijar como ele, e essa é mais uma prova de que o mundo é injusto.

A dor gerada por seu comentário — *não vou precisar de nenhuma ajuda para derrotá-la* — transformou-se em um calo que não consigo deixar de apertar. Que merda enorme Josh falou. Mas, se os papéis fossem invertidos, se fosse Helene vindo aqui para nos atormentar, quem pode garantir que eu não teria dito a mesmíssima coisa? Eu não sou a vitimazinha totalmente inocente nessa nossa guerra particular.

Estamos nessa situação porque encontramos alguém capaz de tomar e retribuir as pancadas. E uma coisa posso garantir: eu vou retribuir na entrevista. Em meus sonhos já sei a resposta que vou dar a qualquer pergunta que fizerem. Joshua certamente vai precisar de ajuda para me vencer. Helene agora me observa com olhos cheios de compaixão.

— É doce de sua parte se preocupar com ele, querida, mas Josh já é bem crescidinho. Deveria estar mais preocupada com Bexley. Eu sei em quem apostaria.

— Mas por que o senhor Bexley...?

— Isso eu não posso dizer. É um assunto confidencial. Vamos falar sobre a *sua* entrevista. Como foi a reunião com Danny?

— Está indo bem. Ele vai transformar *Bloodsummer,* aquele thriller antigo, em e-book para mim. Foi o livro preferido do meu pai. Danny vai trabalhar no projeto no fim de semana e pediu um preço inacreditável.

— Bem, que bom para ele. Se a apresentação impressionar a comissão, talvez ele acabe trabalhando como consultor para nós. Como está seu pai? E quando você vai para a casa deles, querida? Seus pais devem estar morrendo de saudade.

— No fim de semana prolongado. É quando posso ir. Na verdade, eu gostaria de ficar uma semana inteira.

Na pausa que se segue, percebo que não acrescentei "se isso não for problema" em minha fala. A Lucy antiga já balança a cabeça, descrente.

Olho para minha adorável e generosa amiga e, como eu já previa, ela faz que sim com a cabeça.

— Sem problemas. Tire uma pausa antes de começar seu novo trabalho.

Sua fé em mim nunca vacila.

Minha assertividade recém-descoberta não me ajuda a afastar a sensação de que há algo ruim acontecendo. Olho outra vez para a porta fechada do senhor Bexley.

— Vá para casa, querida. Ninguém deve telefonar para cá tão tarde assim em uma sexta-feira. Aliás, deveria ser ilegal ligarem de sexta à tarde. O que vai fazer esse fim de semana?

Tenho a estranhíssima sensação de que Helene está jogando verde para cima de mim.

E eu só sei mentir se for para Josh.

— Acho que vou pegar a estrada com um... amigo. Na verdade, não é exatamente um amigo. Mas ainda não decidi se devo mesmo ir.

A palavra "amigo" parece uma palavra estrangeira que não consigo pronunciar do jeito certo. "Amigo". Ela percebe a minha pausa e sorri.

— Deveria ir. Espero que se divirta muito com seu... amigo. Você precisa de um. Sei que anda solitária desde a fusão, quando perdeu Valerie.

Ela inesperadamente encosta as mãos em meus ombros e beija as minhas duas bochechas.

— Estou vendo seu cérebro em ação. Acho que, só por esse fim de semana, deveria deixar tudo de lado. Esqueça a entrevista. Um dia, essa entrevista vai ser uma memória muito distante.

— Espero que uma memória boa. Uma memória de triunfo.

— Agora depende dos deuses do recrutamento. Sei que você fez tudo o que estava ao seu alcance.

Devo admitir que é verdade.

— Contanto que a diagramação do e-book não me ferre, eu estaria pronta agora mesmo para a entrevista.

— Eu sou sua chefe e estou ordenando que você viva um pouco esse fim de semana. Andou se desgastando demais nesses últimos dias. Veja como estão seus olhos. Vermelhos. Sua aparência está tão ruim quanto a de Josh. Nós levamos vocês dois a quase sofrerem um colapso nervoso quando anunciamos essa promoção.

Ela franze os lábios, nada feliz.

– Há momentos em que desejo que isso não tivesse acontecido. Nada disso. A fusão. Este escritório. Essa promoção. Essa oportunidade significa o fim de uma etapa, mas eu ainda não estou pronta.

– Sinto muito. – Helene dá tapinhas em minha mão. – Muito, mesmo.

– Eu venho me preparando para o caso de ter que deixar a editora. Já enviei meu currículo para cinco ou seis empresas de recrutamento. Limpei minhas gavetas. Estou basicamente de malas prontas. Só por precaução.

Helene olha para a mesa de Josh, que parece ainda mais limpa do que de costume. Ele andou fazendo a mesma coisa. Seria possível realizar uma cirurgia naquela mesa.

– Não posso perdê-la. Vamos encontrar outro lugar para você, em outra equipe da editora. Em alguma posição que a deixe feliz. Não quero que passe o fim de semana surtando, achando que não tem opções aqui dentro.

– Mas como eu me sentiria encontrando o novo diretor de operações no elevador? Pense na humilhação.

Agora consigo imaginar a cena. O calor subiria por meu corpo e a penugem em minha pele eriçaria só de lembrar. Ele olharia para mim com olhos frios e profissionais. Eu o cumprimentaria educadamente e me lembraria do dia em que ele me pressionou contra a parede daquele elevador – o dia em que tudo mudou. Depois, chegaria ao meu andar e o deixaria para trás para seguir seu caminho rumo ao último andar.

É melhor deixar tudo para trás do que ter de olhá-lo do outro lado da mesa de reuniões ou encontrá-lo no estacionamento subterrâneo. Ele vai encontrar uma nova mulher para atormentar e fascinar. Um dia, talvez, eu me depare com uma aliança de ouro em seu dedo.

– Por que eu continuaria me torturando assim?

Acho que minha expressão deve ser assustadora, afinal, Helene faz um esforço para me animar.

— Viva um pouco esse fim de semana. Acredite em mim. Vai dar tudo certo.

— Vou desviar as ligações daqui para o meu celular e avisá-la se alguma coisa urgente surgir.

Preciso ir ao subsolo, ao meu carro. Quero abrir o porta-malas, olhar para a minha mala já arrumada e tentar me esquivar um pouco mais da grande pergunta. Como me sinto em relação a Josh? As chaves do carro brilham dentro da bolsa. Posso simplesmente entrar no carro e dirigir.

Bato as mãos nos bolsos e percebo que tenho um problema enorme. Meu celular sumiu. Olho por debaixo da mesa, na minha bolsa, nas pastas, nos papéis. Não consigo me lembrar de quando foi a última vez que o vi.

Encontro-o perto da pia do banheiro feminino. Quando volto à minha mesa, Josh está saindo da reunião com o senhor Bexley, e não traz um fio de cabelo sequer fora do lugar.

CAPÍTULO 19

– O que foi aquilo?

Agarro o encosto da minha cadeira.

– Divergência profissional.

Ele ergue um ombro descuidadamente, lembrando-me do que está vestindo.

Quando chegou hoje, trajava uma camisa verde-clara que eu nunca tinha visto. Passei o dia tentando descobrir se esse verde é um prenúncio do fim dos tempos ou se eu adoro a cor.

– Por que essa camisa verde?

– Verde me pareceu adequado, considerando meu showzinho na Starbucks.

O senhor Bexley coloca a cabeça para fora do escritório, olha para nós dois e acena uma negação com a cabeça.

– Mas que inferno. Já disse, um inferno.

Uma megera shakespeariana não perderia em nada para ele agora. Josh dá risada.

– Richard, por favor.

– Cale essa boca, Bexley – ouço Helene dizendo.

Bexley raspa barulhentamente a garganta e bate a porta do escritório. Josh olha para sua mesa, pega sua lata de balinhas e enfia-a no bolso. Mexe no telefone para desviar todas as ligações para a caixa de mensagens e arruma a cadeira. A aparência é exatamente a de sua mesa no dia em que o conheci. Esterilizada. Impessoal. Ele vai até a janela e olha lá fora.

É outra vez aquele primeiro momento. Estou parada em minha mesa, nervos me rasgando de dentro para fora. Há um homem enorme olhando pela janela, cabelos escuros e deslumbrantes, mãos nos bolsos. Quando me viro, torço para que não seja tão lindo quanto eu acho que é. A luz atinge seu maxilar e eu me dou conta.

Quando seus olhos apontam para mim, tenho certeza.

Ele me observa. Do topo da cabeça até a ponta dos sapatos. *Diga as palavras,* penso desesperadamente. *Você é linda. Por favor, vamos ser amigos.*

— Pode me contar o que está acontecendo?

— Eu jurei confidencialidade.

Em uma estratégia inteligente, ele utilizou justamente aquilo que sabe que não vou questionar.

— Por favor, diga que eles não simplesmente ofereceram, informalmente, o trabalho para você.

— Não, é claro que não.

Minha voz se transforma em um sussurro:

— Eles sabem sobre... a gente?

— Não.

Meus dois grandes medos parecem infundados.

— E aí... Como vamos dar o fora daqui? Eu ainda tenho que ir?

— Sim. Aquela coisa bem ali... — Ele aponta enquanto tira meu casaco do cabide. — Aquilo ali é um elevador. Você já esteve nele antes. Aliás, esteve nele comigo. Vou acompanhá-la durante todo o processo.

— E se alguém nos vir?

— Você me diz isso agora? Lucinda, você é mesmo hilária.

Uso o teclado para desligar o computador, pego minha bolsa de mão e vou batendo o salto atrás dele. Tento puxar meu casaco de seu braço, mas ele faz que não e mostra desdém. As portas do elevador se abrem e Josh me empurra para dentro, sua mão em minha cintura.

Dou meia-volta e vejo Helene apoiada no batente de sua porta, adotando a postura casual de quem está se divertindo com o que vê. Em seguida, joga a cabeça para trás e ri toda alegre, batendo palmas. Joshua acena para minha chefe enquanto as portas se fecham.

Uso as duas mãos para empurrá-lo para o outro lado do elevador.

— Fique aí. Estamos transmitindo sinais óbvios demais. Ela ouviu a gente. E viu a gente. Você está levando meu casaco. Ela sabe que você jamais faria isso.

Estou quase rouca, tamanho o meu constrangimento.

— Digno de manchete, eu estar fazendo isso.

Josh gira o dedo sobre o botão de parada de emergência. Seguro sua mão com uma pegada firme. Acho que ele engole uma risada.

Quando chegamos ao porão, eu me arrasto na frente.

— O caminho está limpo.

Vou ao meu carro e abro o porta-malas. Minha mala está toda torta e de cabeça para baixo, e isso me parece um sinal. Quero pular dentro desse carro, sair cantando pneu e vencê-lo em uma corrida. Assim que essa imagem se forma, ele se materializa, pega minha mala e vai andando até seu automóvel. Pego o saco com meu vestido, tranco o carro e aí me dou conta de uma coisa:

— Se eu deixar o carro aqui, Helene vai saber o que aconteceu. Ela vai ver.

— Quer que o escondamos debaixo das árvores em uma floresta?

Que ideia excelente. Esfrego a mão na barriga.

— Eu não...

— Nem precisa começar com essa coisa de que você não quer ir. Está estampado no seu rosto. Eu também não quero ir, mas nós vamos mesmo assim.

Ele está adotando um tom mais seco. Meus pertences estão em seu porta-malas; minha bolsa, no banco do passageiro.

— Posso levar meu carro para casa?

— Até parece. Você vai fugir. Se alguém perguntar na segunda-feira, diga que o carro quebrou outra vez. É o álibi perfeito, já que seu carro é uma porcaria, mesmo.

— Josh... Eu estou surtando!

Tenho que apoiar as mãos na porta do carro para me equilibrar. Se eu achava que as coisas estavam indo rápido demais, agora elas afundaram de vez o pé no acelerador. Ele tira a gravata e abre dois botões da camisa. Joshua é lindo, mesmo neste subsolo horroroso.

— Sim, isso é óbvio. – O franzir em sua testa se torna mais intenso. – Eu também estou. Você parece exausta.

— Eu não consegui dormir esta noite. Por que você está surtando?

Ele ignora minha pergunta.

— Você pode dormir no carro.

Ele abre a porta para mim. Tenta me ajudar, mas eu faço tudo sozinha.

— A entrevista, o trabalho...

— Que se dane tudo isso. A entrevista vai acontecer. A gente vai enfrentar o resultado.

Ele segura meu ombro.

— Não é tão simples assim, Josh. Eu perdi uma amiga importante na fusão, minha amiga Val. Mantive meu emprego; ela perdeu o dela. E agora não somos mais amigas. Só um exemplo.

Mas apresso-me em me calar. Quase confessei a Joshua Templeman que ele é importante para mim. E acabei de dar uma pista de que somos amigos. Ele estreita os olhos.

— Ela parece ser uma idiota.

— É por isso que sou uma fracassada solitária. Bem, eu vou conhecer sua família amanhã. Encaramos os fatos, é quase certo que nos veremos nus em algum momento. Um pouquinho de prazer.

Ele me ignora outra vez.

— Esta é a nossa última chance de dar um jeito no nosso relacionamento.

Ainda hesito, teimosa como uma mula.

— Esse fim de semana vai ser complicado para mim. Mas, com você lá, talvez não seja tão ruim.

Talvez seja a surpresa dessa confissãozinha, mas meus joelhos enfraquecem o suficiente para me permitirem entrar no carro e, por um momento, entregar o controle à última pessoa a quem pensei que um dia entregaria.

Sinto-me fraca e derrotada. Ainda enquanto fazia a mala e comprava o vestido, estava certa de que encontraria uma maneira de escapar no último minuto, de fugir dessa situação. Somente quando imaginei os piores cenários pensei que estaria em seu carro, deixando o estacionamento no subsolo da B&G.

O sol se aproxima um pouco mais do horizonte enquanto Joshua nos guia pelo trânsito carregado da tarde. Parece que todos os habitantes da cidade tiveram a mesma ideia: é hora de escapar e fugir para a beleza da serra.

Preciso quebrar esse silêncio desconfortante.

— Então, quanto tempo de carro?

— Quatro horas.

— O Google Maps está dizendo cinco — rebato sem pensar.

— Sim, se você dirigir feito uma vovozinha. Fico contente por eu não ser o único *stalkeando* a cidade natal dos outros.

Ele suspira e freia quando um carro corta à nossa frente.

— Filho da puta!

— Como vamos passar essas quatro horas?

Sei bem o que quero fazer. Deitar-me aqui, nesse banco de couro, e olhar para ele. Quero inclinar o corpo e pressionar meu rosto junto à firmeza de seu ombro. Quero respirar e gravar tudo em minha memória, para o dia em que eu precisar.

— A gente sempre consegue passar as horas de algum jeito.

— E então, onde vamos ficar hospedados? Por favor, não diga que será na casa dos seus pais.

— Na casa dos meus pais.

Quase dou um pulo no banco.

— Puta merda! Por quê? Por quê?

— Eu estou brincando. A festa será em um hotel. Patrick reservou um monte de quartos. É só falar que estamos lá para o casamento quando chegarmos.

— É um hotel decadente?

— Desculpa, mas não, nem de longe. Mas vou dar um jeito para você ficar sozinha em um quarto.

Ele parece estar levando muito a sério a promessa de não encostar um dedo em mim. É um balde de água fria no fogo queimando em meu coração, e agora só restam as cinzas, e eu nem sei se me sinto aliviada.

— Por que você não fica na casa dos seus pais, então?

Ele acena uma negação.

— Não quero.

Sua boca se repuxa, fazendo o rosto parecer entristecido. Em um ímpeto, dou tapinhas em seu joelho.

— Eu te apoio esse fim de semana, está bem? Como no paintball, mas a oferta só vale para esse fim de semana.

— Obrigado por me cobrir. Você foi atingida várias vezes. Até hoje não sei por que fez aquilo.

Josh aperta os olhos para protegê-los do sol. Encontro um par de óculos escuros no porta-luvas. Pego-os e limpo as lentes na manga da blusa.

— Bem, você me fez ser a última pessoa atrás da bandeira. A mais dispensável.

— Fiz isso porque você parecia prestes a cair. — Ao aceitar os óculos, completa: — Obrigado.

— Ah, pensei que fosse mais um dos seus truquezinhos. Não havia ninguém para me dar cobertura. Lucy Hutton, escudo humano.

— Eu estava dando cobertura para você.

Ele dá uma olhada no retrovisor e troca de faixa na pista.

Sinto uma leve centelha se acendendo em meu coração.

— Mas você tinha que ter visto meus hematomas.

— Eu vi alguns.

— Ah, é mesmo... Quando tirou a minha blusa do Dorminho-cossauro. — Descanso a bochecha no banco e abro os olhos. Estamos parados no semáforo e posso ver um sorrisinho brotando no canto de sua boca.

— Você não tem ideia do quanto me arrependo por você ter visto meu pijama. Minha mãe me deu aquela peça alguns anos atrás, no Natal.

— Ah, não se sinta constrangida por isso. Fica ótimo em você.

Dou risada e parte do estresse deixa meu corpo. A cidade logo se transforma em distritos menores e o sol começa a se pôr enquanto seguimos nosso caminho cercado por campos verdes. Nunca estive tão longe assim da capital. Preciso começar a viver, em vez de simplesmente fazer o mesmo caminho todo dia, entrando e saindo da B&G como uma ovelhinha de rebanho.

— Você comentou que estou indo para dar apoio moral. Pode me explicar por quê? Sinto que preciso ter acesso a algumas informações de antemão.

— Eu tenho... — ele começa a dizer, mas para e suspira.

— Bagagem? – arrisco. – Do que você está falando?

— Em grande parte, é um problema que causei. Cometi alguns erros e não me dediquei o suficiente a me tornar um profissional importante. Agora tenho que ir para casa e ver o pessoal esfregar isso na minha cara. Vai doer um pouco.

— Medicina. — Sem pensar, reduzo toda a situação a uma única palavra. — Sinto muito, fui insensível.

— Você está falando com o rei da insensibilidade, esqueceu?

Ele mexe os ombros, desesperado para mudar de assunto. Sinto pena.

— Eu deveria vir a este lugar um fim de semana qualquer e explorar um pouco. Poderia comprar algumas coisas para decorar meu apartamento.

Olho de soslaio para Josh. *Buscando um coleguinha para comprar antiguidades? Sério, Lucy, tome jeito.*

— Bem, tenho certeza de que seu novo amiguinho Danny adoraria trazê-la aqui.

Cruzo os braços e ficamos em silêncio por 23 minutos, de acordo com seu relógio digital perfeitamente pontual.

Sou a primeira a voltar a falar:

— Antes de esse fim de semana terminar, eu vou estourar sua cabeça. E aí vou descobrir o que se passa nesse seu cérebro maldoso.

— Tudo bem.

— Estou falando sério, Josh. Você está destruindo minha sanidade.

Inclino-me para a frente, apoio os cotovelos nos joelhos e esfrego as mãos no rosto.

— Meu cérebro maldoso está pensando em parar para jantar em breve.

— O meu está pensando em estrangular você.

— Estou pensando que, se a gente pular de uma ponte, não terei que ir a esse casamento.

Ele olha para mim e parece não estar totalmente de brincadeira.

— Que ótimo. Preste atenção ao trânsito ou seu desejo vai se tornar realidade.

Quando de fato cruzamos uma ponte, eu o supervisiono toda desconfiada.

— Estou pensando… no consumo de combustível do meu carro.

— Obrigada por dividir essa informação valiosa sobre o que se passa na sua cabeça.

Ele olha para mim pensativo.

— Estou pensando em beijá-la no meu sofá. Penso nisso com uma frequência perturbadora. Penso o tempo todo em como seria estranho passar meus dias sem tê-la sentada à minha frente.

O problema da verdade é que estamos viciados.

— Mais conteúdos do seu cérebro, por favor.

Josh sorri ao ouvir minha exigência.

— Ninguém nunca tentou fazer isso comigo antes.

— Fazer o quê? Estourar seu cérebro? Posso usar um martelo, se for necessário.

O JOGO DO AMOR/ÓDIO

— Tentar me conhecer. E jamais pensei que a pessoa a tentar isso seria justamente você.

— Quer que eu pare?

Quase não consigo ouvir sua resposta, que vem em um sussurro:

— Não.

Viro a cabeça, fingindo olhar para a paisagem. Estacionamos em frente ao restaurante de um posto de gasolina e ele toca minha mão. O que diz em seguida faz meu coração se acender com uma maldita esperança, muito embora eu saiba que está brincando.

— Vamos. É hora de um jantar romântico.

No meu primeiro encontro falso com Joshua Templeman, todas as cabines e mesas estão tomadas, então sentamo-nos lado a lado diante do balcão. Meus pés se dependuram como se eu tivesse cinco anos quando me ajeito no banquinho, depois que ele me ajudou a subir. Fazemos nosso pedido e imediatamente esqueço o que vou comer. Ele apoia o queixo na palma da mão e jogamos o Jogo de Encarar para passar o tempo.

Eu poderia sobreviver ao fim de semana se ele não tivesse mãos tão lindas. Ou um cheiro tão agradável em sua pele. Meus olhos deslizam, analisando. As luzes das TVs deixam todo mundo sem graça, inclusive eu própria, mas, por algum motivo, Joshua brilha com vitalidade. Percebo as discretíssimas sardas em seu nariz. Eu devo ter usado meus óculos do ódio durante a maior parte do desenvolvimento da nossa relação porque, para ser sincera, nunca vi um homem tão atraente diante de mim.

Tudo nele é lindo. Ele esbanja qualidades, luxúria, tudo de forma tão certa. Cada parte de Josh foi criada e é mantida perfeitamente. Não consigo acreditar que desperdicei todo esse tempo sem admirá-lo.

— Você é como um belo cavalo de corrida — suspiro um pouco afobada.

Eu devia ter tentado dormir um pouco ontem à noite.

Ele pisca.

— Obrigado. Seu nível de açúcar no sangue está no fundo do poço. Você está pálida.

Deve ser verdade. Meu estômago emite um ruído escandaloso. Um grupo de universitários passa rindo perto da gente e Josh apoia a mão em minha lombar. Exatamente como se fosse um encontro de verdade – ele se mostra protetor, dizendo-lhes "ela é minha". Em seguida, pede um suco de laranja para mim e me faz beber. Ouço um caminhoneiro segurar um arroto e depois liberar lentamente com um gemido. As chapas com os hambúrgueres chiam ao fundo como o barulho de um rádio não sintonizado.

– O ambiente aqui não é dos mais propícios – Josh me diz. – Desculpa. Encontro ruim.

A garçonete olha de soslaio para ele pela quinta vez, sua língua deslizando distraidamente no canto da boca. Toco seu pulso e acabo segurando-o.

– Não tem problema, está legal.

Nossos pratos chegam e eu quase enfio meu queijo quente inteiro na boca. Tenho que lembrar a mim mesma para mastigar. Ele pediu algo que parece peito de frango grelhado. Os próximos minutos não são nada além de uma mancha de sabor e sal. Josh rouba algumas fritas do meu prato como se isso fosse a coisa mais natural do mundo.

– Onde você costuma almoçar? Sempre me perguntei.

– Eu vou à academia na hora do almoço. Corro sete quilômetros e tomo um shake de proteína no caminho de volta.

– Sete quilômetros? Está treinando para o Apocalipse ou algo assim? Talvez eu também devesse fazer isso.

– Eu tenho uma energia que nunca acaba.

– Você poderia me matar. Seu corpo é uma loucura. Você sabe disso, não sabe? Não vi mais do que um centímetro da sua pele, mas é uma loucura.

Josh olha para mim como se essa fosse a coisa mais louca que já ouviu. Toma um gole de sua bebida e parece constrangido.

– Eu sou muito mais do que um corpo que é uma loucura.

Sua voz faz soar como se ele estivesse fingindo dignidade e ele soa tão nojentinho que nós dois rimos. Deslizo a mão por seu braço, do ombro até o punho.

– Eu sei. Você é, mesmo. É areia demais para o meu caminhãozinho.

– Não sou, não. Eu queria perguntar se você ainda está nervosa por causa daquele dia, do que falei a Bexley sobre não precisar de ajuda para derrotá-la.

– Sabe o que dizem por aí? Não fique nervosa, fique empatada. – Afasto o prato e lambo os dedos. Devorei meu sanduíche como se eu fosse um animal faminto. – Você estava errado, sabia? Vai precisar de ajuda para me vencer. Eu vou lutar pelo que quero.

Seco meu segundo suco de laranja, depois bebo água, e depois a água no copo dele.

– Devidamente anotado. – Josh amassa um guardanapo de papel. – Nossa! Você come feito um viking.

– Por este fim de semana, peço um cessar-fogo. Este fim de semana, seremos nós mesmos.

– E quem mais seríamos?

– Funcionários da B&G. Concorrentes. Trabalhadores que, às escondidas, quebram as regras do RH. Inimigos mortais. Ah, cara, eu me sinto tão melhor agora.

Salto do banco e imediatamente agradeço ao sentir minhas pernas mais estáveis e fortalecidas.

– Não quero ter nenhuma surpresa, Josh. Se eu estiver prestes a entrar em um furacão de merda, quero saber desde já.

Uma sombra cruza seu rosto. Ele pega a conta, dobrada ao lado de seu prato, e me lança um discreto olhar de desdém enquanto mexo em minha bolsa.

– A gente é a gente. Eu sou eu. – Conta algumas notas. – Vamos indo?

Vou ao banheiro. Quando lavo as mãos, olho no espelho e quase salto para fora da minha própria pele. Minha cor voltou. Aliás, estou tão luminosa quanto uma strip de Las Vegas. Olhos azuis fortes, bochechas brilhando em tom rosado, cabelos preto-azulados. Minha boca está corada, mas o batom já foi embora faz tempo.

Uma refeição sólida claramente me fez voltar a ter vida, mas eu apostaria que teria esse semblante vivo em qualquer ocasião depois de passar um período recebendo toda a atenção de Josh.
– Mantenha. O. Controle – digo em tom sério a mim mesma enquanto uma mulher entra no banheiro e me lança um olhar estranho.
Seco as mãos e saio correndo.

CAPÍTULO 20

A noite está perfumada com as nuvens pesadas no céu. Ele está encostado ao carro, olhando para o outro lado da rodovia. Há um tipo estranho de elegância nas curvas pesadas de seu corpo. Se eu tivesse que dar um nome a essa imagem, seria *Desejo*.

– Oi, está tudo bem?

Josh me contempla com uma expressão que faz meu coração tremer. Como se estivesse se lembrando de que eu estou aqui. Como se descobrisse que eu não estou apenas dentro da sua cabeça.

– Você está triste?

– Ainda não – responde, fechando os olhos.

– Eu dirijo um pouco.

Estendo a mão. Ele nega com a cabeça.

– Você é minha convidada. Eu dirijo. Você está cansada.

– Ah, agora eu sou sua convidada?

Demonstro toda a ameaça que consigo reunir em meus passos e ele coloca as duas mãos para trás. Sorrio para ele, que sorri em resposta. Fico surpresa pelo fato de as estrelas no céu não explodirem em poeira prateada. A tristeza que percebo em seus olhos se desfaz, abrindo caminho para um tom de diversão.

– Minha refém. Minha cativa chantageada e teimosa. Estocolmo, Moranguinho.

— Chaves.

Levo os braços em volta de sua cintura para tomar as chaves de seu punho fechado. Em seguida, encosto-me a ele e aperto os braços.

— Solte, vamos.

Consigo pegar a chave, mas ele abraça meus ombros. Ficamos mais um momento assim, enquanto os carros passam por nós.

— Quero que saiba que não espero nada de você neste fim de semana — Josh diz com a boca acima da minha cabeça.

Afasto-me e olho para ele.

— Seja lá o que vier a acontecer, tenho certeza de que vamos sair vivos na segunda-feira de manhã. A não ser que sua sexualidade seja tão mortal quanto eu suspeito. Nesse caso, eu saio morta.

— Mas... — ele protesta impotente.

Abraço-o com mais força e pressiono a bochecha em seu plexo solar.

— Vai acontecer, Josh. Precisamos nos livrar dessa ansiedade. Acho que tudo está levando para isso.

— Você parece um pouco resignada.

— Só posso me desculpar de antemão pelas coisas que vou fazer com você.

Ele estremece e me afasta.

— Veja, é só um fim de semana — afirmo, mantendo a voz leve.

Acho que sou capaz de convencer nós dois com essa afirmação.

Tenho que puxar o banco do motorista mais ou menos um quilômetro para a frente, tendo que dar vários golpes com a pélvis. Ele desliza o banco do passageiro sem dizer nada, apenas observando meu esforço. Fecho o cinto de segurança e trago o retrovisor quase um quilômetro para baixo.

— Quer uma lista telefônica para se sentar? Como você consegue ser tão pequena?

— Eu encolhi na máquina de lavar roupa.

Dirijo de volta à rodovia.

— Já percorremos mais de metade do caminho.

O JOGO DO AMOR/ÓDIO

Seu joelho está agitado.

— Tente relaxar.

Nunca vi Josh nervoso antes. Sinto-o virando-se para me encarar. Fazemos isso o tempo todo.

— Por que a gente faz isso? Essa coisa de se encarar?

— Eu sei o meu motivo, mas primeiro diga o seu.

Ele acha que não percebi seu blefe, então eu respondo:

— Eu sempre tento descobrir em que você está pensando.

Lanço um olhar de triunfo para ele, como para dizer: "Está vendo? Eu posso ser sincera. Mais ou menos".

— Eu encaro porque gosto de olhar para você. Você é interessante.

— Aff! Interessante? Pior cumprimento da minha vida. Pobrezinho do meu ego.

Imediatamente dou um tapa mental em mim mesma. Implorar por elogios é um pecado capital. Tento corrigir:

— Não ligue, não. Eu só estava brincando. Ei, veja aquela casa de fazenda antiga. Eu quero morar ali.

— São seus olhos.

Sua voz fica suspensa no espaço entre nossos ombros. Uma leve garoa começa a cair no para-brisa. Agarro o volante com mais força. Ele continua:

— Esses olhos completamente insanos. Nunca antes vi olhos assim.

— Uau, obrigada. Insanos. — Percebo que estou sorrindo. — Essa me parece uma definição adequada.

— Você chamou meu corpo de loucura. Eu digo insanos no mesmo sentido. E ajuda o fato de você não poder olhar para mim. Assim eu consigo dizer esse tipo de coisa para você.

A chuva agora fica mais forte e eu ligo o limpador de para-brisa, tentando focalizar o carro à nossa frente. Josh liga o rádio e não sei por quê, mas a sensação é de que é uma ameaça. Como o clique de uma porta me prendendo em um cômodo.

— Os olhos mais lindos que já vi — diz como se tentasse me fazer entender a importância dessa declaração.

Ainda bem que está escuro, porque eu enrubesci.

– Obrigada.

Ele libera uma lufada de ar e, quando volta a falar, sua voz é um veludo esfregando-se em minha orelha sensível. Tento olhar; ele se esquiva.

– Mas a sua boquinha vermelha...

Ele deixa a frase suspensa e emite um barulho que está entre um gemido e um suspiro. Arrepios percorrem meus braços. Mordo o lábio para não responder. Talvez se eu ficar em silêncio ele continue soltando mais informações.

– Teve um dia que você estava com uma camisa branca e eu pude ver seu sutiã. Era de renda... rosa ou roxo clarinho. Consegui ver o contorno. Foi um dos dias em que tivemos uma briga enorme e você acabou saindo mais cedo porque estava muito nervosa.

– Isso já aconteceu em várias ocasiões. Você precisa me dar mais detalhes desse dia específico.

Quem me dera ele não se lembrasse de momentos assim.

– Passei tantas noites deitado na cama pensando no seu sutiã de renda debaixo daquela blusa branca. Que constrangedor – confessa, ajeitando-se no banco.

Quando volta a falar, sua voz envolve minha orelha:

– E o sonho que você me contou uma vez? Que você estava coberta só com os lençóis e um cara misterioso roçou em você?

– Ah, sim. Meu sonho idiota.

– Pensei que talvez pudesse ser eu em seu sonho.

As palavras escapam da minha boca:

– Foi tudo mentira.

– Entendi – ele diz depois de uma longa pausa. – Você atuou direitinho, então. Me fez ficar todo animado.

Acabei de destruir seu impulso de seguir falando as coisas, e lamento muito assim que me dou conta disso. Ele adota uma postura mais ereta.

– Eu de fato tive o sonho mais sacana de toda a minha vida, mas não foi como contei.

Josh afunda o corpo outra vez no banco. Posso sentir seu rosto virando. Consigo imaginar seu constrangimento. Se ele tivesse me contado um sonho e me fizesse acreditar que eu era a personagem, eu me sentiria ridícula por alimentar essa mentira em minha mente.

– Não tenha dúvida de que era você no sonho, Josh.

Agora é minha vez de falar como se ele não estivesse aqui. O som da minha própria voz é rouco e instável, e a chuva cai mais forte enquanto dirijo. Posso ver o reflexo do farol nos olhos de gato na lateral da rodovia e começo a fazer uma longa curva.

– Eu fui para a cama pensando em você e no meu desejo de me divertir com você, e aí resolvi apostar naquele vestido preto curto. Queria que olhasse para mim e... me notasse. Ainda não sei por que exatamente eu quis usar aquele vestido. E, durante a noite, você apareceu no meu sonho. Você, roçando seu corpo no meu e me prendendo na cama.

Ele expira agitado. Preciso expressar isso.

– Foi uma coisa que você me disse durante o dia no trabalho. Você falou "vou fazer você trabalhar pra caralho". Qualquer mulher teria um sonho erótico depois que você dissesse isso a ela. Mesmo aquela que mais o detesta.

Um silêncio se espalha entre nós. Então, prossigo:

– "Vou fazer você trabalhar pra caralho", você me dizia no sonho. E sorria para mim. Eu acordei prestes a gozar.

– Sério? – Josh consegue dizer.

– Quase gozei só de pensar em você me pressionando na cama e sorrindo para mim.

De canto de olho, percebo que seus punhos estão cerrados sobre os joelhos.

– Isso é tudo o que preciso fazer? Porque posso repetir.

– Fiquei muito chocada e agi de modo estranho no outro dia. Saímos da rodovia aqui?

Quando a saída se aproxima, ele emite uma afirmação que soa quase estrangulada. Dou seta e deixo a pista. Ele se mexe outra vez no banco. Olho em seu colo. A luz de um poste me ajuda a ver uma forma linda, ereta, grossa.

— Por que mentiu, então? Sobre o seu sonho...

— Eu não queria dizer nada, mas você não me deixou ficar em silêncio. Como poderia confessar? Eu estava tão constrangida. Pensei que você me provocaria, então menti.

— Seu vestido curto...

Ele murmura algo para si mesmo. Nós dois nos repuxamos em nossos bancos. Seu olhar desliza para o meu colo e nós dois entendemos perfeitamente um ao outro.

A rua principal de Port Worth é ampla e dividida por grandes jardins de petúnias e gerânios que reluzem vermelhos com a luz do farol e dos postes nas laterais da via. Esse lugar sem dúvida é lindíssimo durante o dia.

— Foi no mesmo dia em que pensei que estivesse mentindo sobre seu encontro. Pegue a esquerda aqui, depois siga até o fim.

É claro que ele vai rir. É engraçado falar a respeito.

— Sim, eu menti naquele dia.

Então, uma pausa se instala, e dessa vez percebo que estou encrencadíssima.

— Lucinda, que porra é essa? Por que fez isso?

Sua raiva é visceral.

— Você estava ali, sentado à sua mesa, olhando para mim como se eu fosse uma fracassada.

— Puta merda! É tão difícil assim ler meu rosto?

Eu não respondo e ele acena uma negação. Enfim prossegue:

— Então, de certa forma, fui eu que causei tudo aquilo? Danny ficar farejando como um cachorro?

— Sim, foi uma mentira, mas você não dava um tempo. Disse que iria ao mesmo bar que a gente. Como eu poderia ficar lá, sentada sozinha? Tive que ir até a equipe de design e encontrar alguém. Ele era o único que eu sabia que diria sim.

— Você não teria ficado lá sozinha. Eu estaria lá. Teria sido eu.

O JOGO DO AMOR/ÓDIO

Fico boquiaberta e ele logo ergue a mão para me silenciar e prosseguir:

— Você pensa que aquele cara é seu amigo, mas ele quer mais de você. Isso está muito claro. Quando voltar a vê-lo, vou explicar algumas coisas sobre nós. Assim ele fica sabendo de uma vez por todas.

— É isso, então? Acho que deveria tentar explicar as coisas para mim antes.

— A entrada é aqui.

Estaciono diante do Port Worth Grand Hotel. É opulento e dourado, com um gramado perfeitamente podado diante dos nossos faróis. Um manobrista acena para mim e consigo deixar o carro no estacionamento e sair com pernas trêmulas e bolsa na mão.

Vou ao porta-malas, mas outro funcionário do hotel, vestido como um soldadinho de chumbo, já está tirando as bagagens. Josh observa com um semblante irritado.

— Obrigada. — Dou uma gorjeta aos dois. — Muito obrigada.

Josh vai à recepção para falar sobre as reservas. A recepcionista fica claramente impressionada ao ser encurralada por aqueles olhos azuis. Giro em um círculo de 360 graus no lobby. Tudo aqui é em tons de vermelho; morango, rubi, sangue, vinho. Uma tapeçaria gigante com uma imagem de temas medievais se dependura em uma parede. Um leão e um unicórnio ajoelhados diante de uma mulher. Há um lustre suspenso, bem acima de mim, no centro de um teto cheio de cornijas. Uma escada espiral sobe por mais ou menos quatro andares em círculos concêntricos. É como se estivéssemos dentro de um coração.

— Impressionante, não? — um homem usando terno diz para mim no bar ali do lado.

— É lindo.

Mantenho as mãos unidas à frente do corpo, como se fosse uma estudante. Procuro Josh, mas não consigo avistá-lo.

— Daqui do bar, a imagem é melhor ainda — anuncia o cara de terno, acenando para mim.

— Bela tentativa — Josh rebate duramente, aproximando-se de mim.

Passa um braço em minha cintura e me guia rumo ao elevador. Ouço um pedido de desculpa – "foi mal, cara" – acompanhado de um risinho atrás de nós.

– Quantas chaves você tem na mão?

Ele pressiona o botão do elevador e ergue um único cartão como se estivesse vencendo um jogo de pôquer.

– Apenas um número limitado de quartos foi reservado para o casamento. Tentei arrumar um quarto só para você, mas o hotel está lotado. Essa é uma das gracinhas de Patrick.

Sei conhecer quando Josh está contando mentiras, e claramente agora não está. Sente-se completamente irritado. Olho para trás, para a recepcionista, que está sendo acalmada por seu supervisor.

Quando encontramos nosso quarto, ele tem que passar o cartão quatro vezes para abrir a porta. Tento entrar na frente enquanto Josh segura a porta aberta, mas acabo trombando nele com todas as minhas curvas, como uma bola em uma máquina de pinball.

Nossas malas são colocadas dentro do quarto. Josh oferece a gorjeta. A porta se fecha e estamos sozinhos.

CAPÍTULO 21

A maneira como ele coloca o cartão na gaveta à sua esquerda é lenta e decidida. Por um breve instante, sinto medo. Josh é uma massa enorme, escura e trêmula vindo em minha direção, átomos vibrando, manchando a minha visão conforme se aproxima e pressiona seu dedão no meu casaco.

O Jogo de Encarar nunca aconteceu enquanto estávamos trancados em um quarto de hotel.

Com um movimento rápido dos dedos, Josh liberta o primeiro botão. A peça traiçoeira se abre totalmente, como se dissesse: "Sirva-se, senhor!". Ele desliza a mão para dentro do casaco e seus cílios baixam um pouco quando, ao receber seu toque, meu corpo arqueia. Apoia os dedos em minha lombar, pressionando suavemente a espinha.

— Vamos fazer logo.

Eu deveria escrever sonetos.

Seguro seu cinto e puxo-o na direção da cama. Ele me abaixa cuidadosamente na beirada do colchão e usa uma de suas mãos para segurar meus punhos. Posso senti-lo tremer. Josh tira meus sapatos e os ajeita ao lado da cama.

Muito tempo já se passou desde a última vez em que senti a pele de um homem tocando a minha. Desde que conheci Josh, sou uma celibatária. A confusão deve estar estampada em meus olhos agora que me dei conta disso. Ele percebe e leva um dedo ao meu queixo.

– Eu só estava nervosa comigo mesma.

Ele se abaixa entre os meus pés. Um menino bonzinho, ajoelhando-se ao lado da cama, prestes a fazer suas preces.

Os olhos azuis parecem teimosos quando ele volta a olhar para mim. Tenho certeza de que está prestes a beijar minha bochecha e se afastar, então o prendo com uma perna e o puxo para o ninho entre minhas coxas. Um gemido escapa por sua boca e eu seguro seu maxilar com as duas mãos e o beijo.

Em geral, Josh gosta de beijos leves. Esta noite, eu quero beijar forte. Abro sua boca assim que nossos lábios se tocam. Ele tenta me conter, mas não vou permitir. Cutuco-o até ele empurrar o quadril junto a mim. Sinto um baque.

Se eu achava que era viciada antes, o vício não passava de um enorme eufemismo. Quero ter uma overdose de Joshua. Ao final dessa semana, estarei em um beco, sem conseguir andar, sem conseguir sequer dizer meu próprio nome. Pelo menos entendo essa luxúria. Posso lidar com ela e, francamente, é a minha única saída. Estou segurando-o com minhas pernas e braços em uma pegada de aço e me pego surpresa quando tenho a sensação de que estou suspensa. Abro os olhos e percebo que ele está se levantando e me levando consigo.

– Vai me matar esta noite? – pergunta, sua boca contra a minha.

Beijo Joshua furiosamente.

– Vou tentar.

Meu último namorado, o último homem com quem transei, mil anos atrás, só tinha 1,70 m. Jamais conseguiria me erguer assim. Teria rompido um disco em sua espinha frágil, quase pueril. Josh abaixa-se em uma linda poltrona que percebi que existia assim que entramos.

Antes de Joshua, passei toda a vida achando um horror os homens mostrarem sua força. Mas talvez parte de mim ainda goste de ser levada e agradada. Minha saia deslizou tanto que ele provavelmente é capaz de ver a calcinha, mas seu olhar não desce. A palavra "cavalheiro" surge em minha mente.

Josh ergue a mão e, no passado, eu teria estremecido, mas agora me entrego.

— Mais devagar.

Descrente, aceno uma negação, mas ele me observa nos olhos.

— Por favor.

A dúvida começa a tomar conta de mim.

— Você não está a fim?

Ele mexe o quadril. A prova pesada, dolorosamente ereta, toca em mim. Ele quer tanto que seus olhos voltaram a ficar daquele jeito característico, escuros como os de um assassino em série. Pressiono minha sobrancelha à dele. Respiramos juntos, lábios por pouco não se tocando.

Josh quer encostar a boca em minha pele. Morder. Comer. Devorar. Ele me deseja. Pele úmida e ar frio. Dedos me invadindo. Suas palavras sussurradas são quase inaudíveis em meio à minha respiração ofegante. Lágrimas de frustração e rímel escorrendo criam uma estampa que mais parece um Teste de Rorschach na fronha.

Já sei o que vou receber dele. Persuasão, tormento, um aviso obscuro quando eu chegar perto demais. Serei colocada na posição que ele tiver vontade, mãos autoritárias vão me tocar, me roçar, me apertar, me acarinhar.

Mas também sei que ele vai me fazer rir. Suspirar. Vai me provocar, repreender meus gestos dramáticos, me fazer sorrir mesmo quando eu quiser estrangulá-lo. Meu desafio vai resultar em espera. Minha aquiescência derrama-se em um beijo.

É o que ele está criando, obviamente. Espera. Quer brincar comigo até o orgasmo chegar, horas depois do primeiro toque. Vai fazer este ovinho de Páscoa durar dias. Pedaço a pedaço. Derretendo em sua boca. Quer fazer isso tantas vezes até perdermos as contas e provavelmente morrermos no processo. Quer ter certeza de que eu esteja viciada nele. Sei o que vou receber desse homem na cama, isso eu sei bem. É o que sempre recebi dele.

Todas as imagens pornográficas do mundo agora surgem diante de meus olhos enquanto ele lambe os lábios e seus olhos deslizam na direção da renda da minha meia-calça. Joshua tenta falar, mas não consegue.

Desajeitada, abro sua camisa, arrastando cada botão até ouvir uma costura estourar.

— Por que todas as cores deixam sua pele tão linda? Até aquela peça amarelo-escura horrível. — Levo a boca a seu pescoço. — Homem lindo, desumanamente lindo banhado pelas luzes fluorescentes do escritório.

— Verde, a cor do ciúme. Ultimamente, tenho agido como um ciumento psicótico.

— Amarelo-escuro, cor dos coronéis. Vamos atear fogo naquela camisa.

— Claro, Moranguinho. Pode queimar minha camisa. Em um barril, em um beco.

Ele dá risada e suspira em minha garganta, não facilitando, nem de longe, o processo de abertura dos seus botões. Enfio a mão dentro da camisa.

— Você mais parece um pôster de anatomia guardado dentro dessas roupas sociais perfeitamente passadas. Sempre suspeitei. Clark Kent.

— Devagar...

Josh afasta minhas duas mãos da camisa. Tento resistir, mas ele segura meus punhos e inclina o rosto na direção do meu.

Começamos a nos beijar outra vez, beijos suaves como seda, mais leves do que eu acreditava ser possível depois que minhas garras o apalparam tanto.

Seus polegares pressionam levemente meus punhos, e eu me pego com o corpo arqueado, seios pressionando seu peito enquanto nos beijamos, eu me arqueando cada vez mais. A impaciência selvagem que estava sentindo diminuiu um pouco, talvez porque ele esteja tentando me convencer a aceitar a demora.

— Você apressou as coisas no passado, acredito — ele comenta, como se estivesse lendo a minha mente. — Para que a pressa?

Ser beijada por Josh, por esses lábios suaves e maravilhosos, é um prazer que se iguala ao do sexo. Ele não está pensando em nada além de mim e das minhas reações, descobrindo o que eu gosto, segurando, entregando e conversando comigo sem usar palavras. Quando abro os olhos um pouquinho, vejo que ele também está abrindo seus olhos.

Meu estômago afunda quando ele sorri diante dos meus lábios.

– Como Você Está? – sussurra, e eu mordo as palavras que saem de sua língua.

– Como você diria que estou?

Suas mãos decidem me testar e se afastam dos meus punhos. Quando Josh percebe que pode confiar em mim, quando percebe que vou manter nosso ritmo lento, apalpa fortemente minhas nádegas.

– Você está sendo ótima. Caramba, Lucy.

– Pode apostar.

É animador saber que agora posso encostar minha boca nele sempre que eu quiser. Olho para sua pele como se eu fosse uma chefe militar e ele meu novo território.

– Vamos brincar de um jogo especial – proponho. – Chama Quem Goza Primeiro.

– Também conhecido como Medalha de Ouro, Medalha de Prata.

Damos risada. Estou desabotoando o punho de sua camisa quando seu celular toca. Ele ignora, levando minha boca de volta junto à sua. Meu lábio inferior recebe uma pequena mordida de seus dentes.

– Tão linda – ele me elogia. – Mas tão linda.

O telefone continua tocando. Quando enfim para, suspiro aliviada. Mas já começa a tocar outra vez. Ele me olha nos olhos. Frustrada, dou de ombros e me levanto.

– Vou desligar.

Ele enfia a mão no bolso e eu analiso seus movimentos. Está com o corpo espalhado na cadeira, cada perna para um lado, camisa desabotoada, cabelos completamente despenteados, olhos embaçados e sombrios.

– Você parece um virgem bobo e gostoso que ficou desgrenhado no banco traseiro do meu carro.

Seus olhos brilham como os de quem está se divertindo.

— É bem assim que me sinto.

Ele enfim pega o celular e olha para o aparelho com desdém. Porém, em seguida, olha com mais atenção.

— É minha mãe. Caralho, eu me esqueci dela.

Vou ao banheiro para me esconder. A timidez toma conta assim que penso em conhecê-la. Não sei o que fazer, então ouço o tom de voz apaziguador do outro lado da porta. Lavo as mãos, passo o dedo em meus lábios inchados e me olho no espelho. Pareço uma versão pornográfica de mim mesma.

Ele fala do outro lado da porta.

— Lucy, eu sinto muito, mas tenho que descer um pouco.

Abro a porta.

— Está tudo bem?

— Minha mãe está lá embaixo. Parece que fez a decoração da mesa com rosas do próprio jardim, mas não consegue encontrar nenhum funcionário do hotel para ajudá-la a levar até o salão e já está ficando nervosa. Um saco. Vou ter que descer lá e chutar o rabo de alguém.

E fecha os botões da camisa.

— Claro. Vá lá. Faça algum funcionário jovem do hotel chorar. Quer que eu ajude com alguma coisa?

— Não, você está cansada. Quer que eu peça algo para você? Que traga café quando voltar?

— Não, não precisa. Vou tomar um banho enquanto você desce. E vestir alguma renda sensual para quando voltar.

Ele estremece e ajeita as calças. Está tão abatido que me faz sentir pena.

— Você não pode deixar sua mãe se matando lá embaixo.

— Não sei quanto tempo vou levar, mas espero que não passe de alguns minutos. Relaxe, vou tentar não demorar muito.

— Não tem problema. Eu não me interessaria em pegar um cara que não ajuda sua mãe quando ela está chateada. Vá lá.

O banheiro é quase do tamanho do meu quarto. Tomo banho e

lavo o rosto. Quando estou escovando os dentes, percebo meu rosto pálido e sem maquiagem, e me dou conta de que ele me viu assim. Bem, na verdade, já me viu em situação pior.

Já me viu suada, vomitando, febril e dormindo. Já me viu com raiva, frustrada, com medo. Com tesão, solitária, magoada. Nada disso parece espantá-lo. Josh sempre me olha exatamente do mesmo jeito. Saber disso me dá confiança de ficar à vontade com o pijama do Dorminhocossauro e shorts de dormir. Parece uma ideia engraçada, mas dou uma olhada em minha aparência na cômoda. Pareço ter dez anos. Ah, que pena. A Lucy com roupas despretensiosas seria uma fraude.

O silêncio se arrasta. Dou uma olhada no celular. Nada. Afasto a manta e me deito na cama. Não consigo segurar o gemido de alívio. Depois do estresse e da tensão dos últimos dias, estar aqui não é tão assustador quanto pensei. Os lençóis rapidamente se aquecem e relaxo meus pés cansados.

Recosto-me à pilha de travesseiros e ligo a TV. Encontro um canal passando *ER* e o programa é estranhamente reconfortante. Josh provavelmente já viu este episódio. Tento encontrar imprecisões médicas, mas, quando meus olhos ficam secos, eu os fecho. Para acalmar meus nervos, aperto *play* na memória e engulo um bocejo.

Estou outra vez lá. Na noite em que engoli meu maldito orgulho e fui ao apartamento dele. O lugarzinho feliz na minha mente. Estou à vontade em seu sofá, as almofadas macias formando um berço para minhas costas. Sinto o peso do corpo dele sentado ao lado do meu e sei que, enquanto ele estiver aqui, tudo estará bem. Não sei quanto tempo passamos assim. Fico sentada, de mão dadas com o homem mais fascinante que já conheci. Josh me observa com uma doçura feroz nos olhos. Olhos que dizem que ele me ama.

Agora sei que devo estar sonhando.

Acordo quando um raio de sol alcança metade do meu travesseiro, passando por uma fenda nas cortinas do hotel. Meu primeiro pensamento é: "Não, aqui está gostoso demais".

Meu segundo pensamento é: "Finalmente vou conseguir ver Josh dormindo".

Deitados com as cabeças apoiadas em travesseiros que se tocam, passamos a noite toda brincando do Jogo de Encarar, mas com os olhos fechados. Seus cílios são escuros e grossos. Eu mataria por cílios assim, mas eles sempre parecem recair sobre os homens. Josh segura meu braço como se fosse um ursinho de pelúcia. Eu não odeio esse cara. Nem um pouquinho. É um desastre não odiá-lo. Deslizo o dedo por sua sobrancelha e ele franze a testa. Eu a massageio para acalmar a pele.

Apoio-me em um cotovelo e vejo no relógio ao lado da cama que já são 12h42. Tenho que verificar várias vezes para ter certeza. Como foi que dormimos até depois do meio-dia? Nossa exaustão mútua dos últimos dias resultou em um sono muito impressionante.

– Josh. – Não há motivo para continuar com a formalidade de chamá-lo por seu nome, e não apelido, considerando que estamos dormindo na mesma cama. – A que horas é o casamento?

Ele dá um salto e abre os olhos.

– Oi.

– Oi. A que horas é o casamento?

Tento sair da cama, mas ele me abraça apertado.

– 14h. Mas temos que chegar um pouco antes.

– Já são quase 13h.

Ele fica ligeiramente assustado.

– Não durmo até tão tarde assim desde o colegial. Vamos nos atrasar.

Mesmo sabendo disso, ele puxa meu cotovelo como se fosse o descanso de uma bicicleta e eu me solto outra vez no colchão. Consigo ver parte de seu braço nu. Está usando uma regata preta.

– Belos braços.

Deslizo as mãos, vendo-as tocar cada curva definida. E repito o movimento. Ele observa e, dessa vez, uso as unhas. Arrepios. Hum. Aproximo-me para beijar.

– Você é... diferente, Joshua Templeman.

Afasto seus cabelos da testa. Estão bagunçados. Passo alguns instantes arrumando-os.

– Estou me esforçando demais para seduzi-lo?

Ele me puxa mais para perto. Jamais imaginaria que Josh é do tipo que gosta de abraçar.

– Bem, você sempre pode tentar um pouco mais.

Como ele é doce! Deitar-me com ele é luxuriante. Sem pensar, lanço uma pergunta que sempre quis fazer:

– Quando foi a última vez que você namorou?

A pergunta é estridente como se eu tivesse espancado um gongo. Muito bem, Lucy, isso mesmo, traga outras mulheres para a cama enquanto está deitada com ele.

– Hum...

Uma longa pausa se instala.

Por tanto tempo que chego a pensar que Josh voltou a dormir ou que está prestes a explicar que já foi casado. Mas ele é novo demais. Sem dúvida. Então, tenta outra vez:

– Bem. Hum.

– Não me diga que está esperando o divórcio sair ou algo do gênero.

Seu braço desliza em minhas costas e minha cabeça se ajeita em seu ombro. Mal consigo manter os olhos abertos, estou tão à vontade. Tão quentinha. Cercada por seu cheiro e lençóis de algodão.

– Ninguém seria masoquista o suficiente para se casar comigo.

Fico um pouco indignada com essa resposta.

– Alguém se casaria. Você é completamente lindo. E é organizado. Alto e musculoso. E tem um emprego. E um carro legal. E dentes perfeitos. É basicamente o oposto de todos os caras que já namorei.

– Então todos eles foram... bagunceiros, horríveis, terríveis... desempregados... e menores do que você? Como isso pode ser possível?

— Você andou lendo meu diário. O último cara que eu namorei era tão pequeno que minhas calças jeans serviam nele.

— Mas ele devia ser gentil. Para ser o oposto de mim, deve ter sido muito, muito gentil.

Josh olha para a parede.

— Ele era, eu acho. Mas você sabe ser gentil. Está sendo gentil agorinha mesmo.

Sinto dentes em minha clavícula e começo a rir.

— Está bem, você nunca é gentil.

Os dentes desaparecem, abrindo espaço para um beijo gentil no mesmo ponto do meu corpo.

— Então, quando foi que você terminou com esse anão?

Começa a beijar minha garganta preguiçosamente, com cuidado, gentileza. Quando inclino a cabeça para lhe permitir melhor acesso, vejo outra vez o relógio. O relógio do mundo real anda a passos largos. E eu me pergunto se tenho uma barra de granola na bolsa.

— Alguns meses antes da fusão da B&G. Não estava dando certo já havia um tempo. Foi uma época muito estressante no trabalho e eu não o via muito. Então concordamos em dar um tempo. E o tempo nunca terminou.

— Faz um bom tempo, então.

— Por isso estou tão sedenta por você. Mas você não respondeu a minha pergunta. Espere aí, não diga nada, não quero saber.

A imagem de Josh dando prazer a outra mulher é demais para mim.

— Por que não?

— Ciúme — resmungo, fazendo-o rir levemente.

Mas ele logo fica sóbrio outra vez. Parece terrivelmente desconfortável quando enfim explica:

— Eu estava saindo com alguém, mas a gente terminou na primeira semana depois da mudança para o prédio da B&G. Ela terminou comigo, na verdade.

O JOGO DO AMOR/ÓDIO

— Veja só! A B&G arruinando outro relacionamento... — Quero morder a língua, mas as palavras não param de sair: — Aposto que ela era alta.

— Sim, muito alta.

Ele estende a mão na direção do criado-mudo e pega seu relógio de pulso.

— Loira.

Fecha o relógio no punho e não olha para mim:

— Sim.

— Puta merda! Por que elas sempre são loiras e altas? Aposto que tinha olhos castanhos e era bronzeada, e que o pai era cirurgião plástico.

— Você andou lendo meu diário? — ele pergunta, ligeiramente perturbado.

Pressiono o rosto em seu ombro.

— Estava mesmo imaginando que ela e eu fôssemos totais opostos.

— Ela era...

Ele deixa um suspiro doloroso escapar, fazendo meu coração torcer. A mulher das cavernas dentro de mim aparece na entrada da caverna e fecha uma carranca.

— Ela era tão gentil.

— Ah, gentil... Que nojo!

— E tinha olhos castanhos.

Ele me vê ponderando.

— Parece um motivo legítimo para terminar. Quer saber? Seus olhos são azuis demais. Não vai funcionar.

Eu esperava uma resposta mais sagaz, mas, em vez disso, percebo seu tom de voz intimidado.

Agora é minha vez de dizer "hum". Estou parcialmente recolhida em meu mundinho quando ele expira pesadamente.

— Desculpa. Deu errado. Não consigo não ser um idiota cínico.

— Isso não é novidade para mim.

— É por isso que não tenho namorada. Todas me trocam por caras gentis.

Josh olha para o teto com uma dor tão profunda que chego a ter um pensamento horrível. Ele está sofrendo por alguém. A Loira Alta partiu seu coração quando foi ficar com alguém menos complicado. Isso certamente explicaria seu desgosto por rapazes inteligentes. Tento pensar em como perguntar isso a ele, mas Josh olha para o relógio.

– É melhor nos apressarmos.

CAPÍTULO 22

— Por favor, me dê um curso rápido sobre as informações básicas da sua família. Algum assunto é tabu? Não quero perguntar ao seu tio onde está a esposa dele só para descobrir que ela foi assassinada – digo enquanto enfio a mão na bolsa.

— Bem, antes de ontem à noite, quando carreguei 45 arranjos florais para dentro do hotel porque ninguém achava a porra de um carrinho para minha mãe, e eu não a via há alguns meses. Ela me telefona na maioria dos domingos para contar informações de vizinhos e amigos com quem nunca me importei. Minha mãe era cirurgiã cardíaca. Criancinhas e pessoas que mais parecem santos. Vai adorar você. Na verdade, ela vai te amar.

Percebo que estou com as mãos no coração. Quero que ela me ame. Ai, caramba.

Joshua prossegue:

— Ela vai dizer que quer tê-la para sempre. De qualquer jeito. Meu pai é açougueiro.

Estremeço. Josh logo explica:

— É o apelido dos cirurgiões. Quando conhecer meu pai, você vai entender. Ele vivia de plantão, esperando um chamado para fazer alguma cirurgia. Você vai ouvir todo tipo de coisa durante o café da manhã. Coisas do tipo: "o idiota conseguiu enfiar um taco de sinuca na garganta". Acidentes de carro, brigas, tentativas de assassinato que não deram certo. Ele sempre trabalhou com bêbados tropeçando, mulheres violentadas e costelas quebradas. Fosse lá o que fosse, meu pai dava um jeito de consertar.

— É um trabalho duro.

— Minha mãe também era cirurgiã, mas nunca foi açougueira. Ela se importava com a pessoa na mesa cirúrgica. Meu pai... ele só cuidava da carne.

Josh se senta no peitoril, perdido em pensamentos por um instante, e eu procuro roupas na mala, dando a ele um pouco de privacidade. No banheiro, começo a me maquiar.

Depois de alguns minutos, espreito pela porta entreaberta. No reflexo do espelho da cômoda, ele aparece sem camisa, glorioso, e está abrindo o plástico com o meu vestido. Segura a peça entre dois dedos, com a cabeça inclinada, reconhecendo. Depois, esfrega a mão no rosto.

Acho que cometi um erro ao escolher o vestido azul.

Minha corridinha durante o almoço de quinta-feira à boutique perto do trabalho me pareceu boa ideia na ocasião, mas eu devia ter usado alguma peça que já tinha em casa. De todo modo, agora é tarde demais. Ele abre uma tábua de passar e ajeita sua camisa ali em cima.

Abro a porta com o pé.

— Caramba! Qual academia você frequenta? Todas elas?

— Aquela no térreo do prédio McBride, a meio quarteirão do trabalho.

Tenho de engolir toda a minha saliva.

— Tem certeza de que precisamos ir ao casamento do seu irmão?

Nunca vi uma área tão grande de sua pele exposta, e agora ela brilha com saúde, ouro dourado, sem qualquer falha. As linhas profundas de sua clavícula e quadril são impressionantes. Ali no meio há uma série de músculos distintos, cada um representando um objetivo estabelecido e conquistado. Um peitoral reto, quadrado, com bordas arredondadas. A pele de sua barriga se repuxa bem junta aos músculos que costumo ver nas finais de natação das Olimpíadas.

Ele passa a camisa e *todos* os músculos se mexem. O bíceps e o abdômen inferior são marcados com aquelas veias claramente masculinas. Essas veias passam por cima dos músculos, declarando "eu conquistei isso aqui". O quadril tem aquelas marcas que seguem na direção da virilha escondida dentro da calça social.

A quantidade de sacrifício e determinação para simplesmente manter esse corpo é impressionante. Tão Josh.

– Por que você está com essa cara? – pergunto, soando como quem está prestes a ter um ataque cardíaco.

– Tédio.

– Não estou entediada. Será que não podemos ficar aqui? Posso pegar alguma coisa no frigobar e jogar no seu corpo todo.

– Nossa! Esse olhar é de tesão ou o quê? – Ele aponta o ferro de passar na minha direção. – Termine de se arrumar aí.

– Para um cara com a sua aparência, você é insuportavelmente tímido.

Ele passa um tempinho sem dizer nada, acariciando a gola da camisa com o ferro de passar. Posso ver seu esforço para ficar com o peito nu na minha frente.

– Por que tanto constrangimento? – questiono.

– Eu saí com algumas garotas no passado... – ele deixa a frase no ar.

Estou de braços cruzados, minhas orelhas prestes a começar a soltar vapor.

– Que tipo de garota?

– Todas elas... em algum momento deixaram muito claro que minha personalidade não é...

– Não é o quê?

– Não é nada agradável.

Até o ferro de passar solta vapor de indignação.

– Alguém o quis só por causa de seu corpo? E disse isso abertamente?

– Sim. – Ele passa um punho outra vez. – Eu deveria me sentir lisonjeado, não? Num primeiro momento, acho que me senti, mas aí começou a acontecer o tempo todo. Não é bom ouvir com frequência que você não é interessante para manter um relacionamento.

Ele aproxima o rosto da camisa e observa se está bem passada. Finalmente compreendo o código do carrinho de brinquedo. "Por favor, me enxergue. Me enxergue pelo que realmente sou."

– Quer saber o que eu acho, francamente? Você seria incrível até mesmo se tivesse a aparência do senhor Bexley.

– Você está dopada. Tomou suco em pó demais, Moranguinho.

Ele abre um pequeno sorriso enquanto continua passando a camisa. Estou quase tremendo de necessidade de fazê-lo entender alguma coisa que eu mesma não entendo. Só sei que dói pensar que Joshua se sente mal com relação a um aspecto tão fundamental da sua existência. Decido tratá-lo menos como um objeto e me viro até ele vestir a camisa. Azul bebê.

– Adoro essa cor. Combina com que eu vou usar, hum, obviamente.

Estremeço outra vez ao ver meu vestido. Vou até minha bolsa para pegar o batom.

– Posso ver uma coisa?

Ele está com a gravata solta enquanto pega o batom da minha mão e lê o rótulo.

– Lança-Chamas. Que apropriado.

– Quer que eu use algo mais discreto? – pergunto enquanto mexo na bolsa em busca de outra opção.

– Eu adoro esse vermelho. Pra caralho.

Ele beija a minha boca antes de eu começar a passar o batom. E me observa passando o bastão nos lábios, limpando, aplicando outra vez, e, quando termino, ele parece ter enfrentado uma tormenta.

– Quase não suporto vê-la fazendo isso – consegue dizer.

– Cabelos presos ou soltos?

Ele parece indeciso. Segura minhas madeixas e diz:

– Presos.

Solta os fios, mas continua mexendo neles como se fossem flocos de neve.

— Soltos.

— Metade preso, metade solto. Que assim seja, então. Pare de ficar agitado, você está me deixando nervosa. Por que não vai beber alguma coisa no bar, lá no térreo? Coragem na forma de álcool. Eu posso dirigir até a igreja.

— Esteja lá embaixo em, hum, quinze minutos, está bem?

Quando Josh vai, o silêncio preenche o quarto como se eu estivesse dentro de um balão. Então, sento-me na beirada da cama e me analiso. Meus cabelos caem por sobre os ombros, minha boca é um coraçãozinho. Pareço estar ficando louca. Tiro as roupas, visto as roupas íntimas, coloco a meia-calça e olho para o vestido.

Eu ia comprar uma peça azul-marinho, algo que pudesse usar em outras ocasiões, mas, quando vi o vestido cerúleo, sabia que teria de ser esse. E a cor não teria como combinar mais com a cor das paredes do quarto dele.

A vendedora me garantiu que o caimento estava perfeito, mas o jeito como Josh esfregou a mão no rosto deixou transparecer que ele estava lidando com uma psicótica. É a verdade inegável. Estou praticamente me pintando com o mesmo tom de azul de seu quarto. Com alguns movimentos dignos de uma contorcionista, consigo fechar o zíper.

Escolho descer a enorme escada em espiral em vez de tomar o elevador. Quantas oportunidades mais terei? A vida começou a parecer uma grande chance de transformar cada momento em uma memória. Desço em círculos e sigo na direção do homem maravilhoso de terno e camisa azul-claro no bar.

Ele ergue o rosto e me olha de um jeito tão intenso a ponto de me deixar tímida. Mal consigo colocar um pé na frente do outro. "Psicótica, psicótica", sussurro para mim mesma enquanto me ajeito diante dele e apoio o cotovelo no balcão do bar.

— Como Você Está? — consigo dizer, mas ele só me encara. — Já sei, já sei, sou uma psicótica, usando a mesma cor das paredes do seu quarto.

Constrangida, esfrego a mão no vestido. É uma peça que mais parece digna de uma formatura retrô, com o decote profundo e a cintura bem justinha. Sinto o cheiro do almoço sendo servido no restaurante do hotel e meu estômago resmunga penosamente.

Ele balança a cabeça como se eu fosse uma idiota.

– Você é linda. Você é sempre linda.

Enquanto o prazer dessas palavras aquece meu peito, lembro-me que tenho de ter modos.

– Obrigada pelas rosas. Em momento algum agradeci, não é? Eu adorei. Ninguém nunca tinha me mandado flores antes.

– Batom vermelho. Vermelho Lança-Chamas. Eu nunca me senti tão péssimo quanto naquela ocasião.

– Eu já perdoei você, lembra?

Dou um passo, posicionando-me entre seus joelhos e segurando seu copo. Sinto o cheiro.

– Nossa, esse suco em pó é bem forte.

– Eu precisava. – E engole sem nem piscar. – Ninguém nunca me mandou flores também.

– Todas essas mulheres ridículas não sabem como se deve tratar um homem.

Ainda estou agitada com a revelação de mais cedo. Claro, ele é um idiota crítico, calculista e territorialista 40% do tempo, mas nos outros 60% tem humor, doçura e vulnerabilidade.

Parece que fui eu quem bebeu todo o suco em pó.

– Pronto?

– Vamos.

Esperamos o manobrista trazer o carro. Olho para o céu.

– Bem, dizem por aí que chuva no dia do casamento é sinal de sorte.

Apoio a mão no joelho agitado dele quando estamos a caminho.

– Por favor, relaxe. Não sei por que tudo isso é tão importante.

O JOGO DO AMOR/ÓDIO

Ele não responde.

A igrejinha fica a dez minutos do hotel. O estacionamento está repleto de mulheres com aparência fria e usando tons pastéis, abraçando-se, disputando a atenção de homens e crianças.

Estou prestes a começar a abraçar a mim mesma para me proteger do frio quando ele me puxa ao seu lado e me leva para dentro, dizendo "oi, conversamos melhor mais tarde" para vários parentes que o cumprimentam em tom de surpresa antes de olharem para mim.

– Você está sendo muito grosseiro.

Sorrio para todos enquanto passamos e tento não tropeçar.

Seus dedos deslizam na parte interna do meu braço e ele suspira.

– Primeira fila.

Ele me arrasta pelo corredor. Sou uma pequena nuvem no caminho de um avião de guerra. A musicista está ensaiando alguns acordes no órgão e deve ter sido a expressão de Josh que a fez apertar várias teclas em uma dissonância carregada de medo. Chegamos ao primeiro banco. A mão de Josh agora mais parece um torno apertando a minha.

– Oi – ele diz, soando tão entediado a ponto de merecer um Oscar. – Chegamos.

– Josh! – A voz é de sua mãe, presumo, que se levanta rapidamente para abraçá-lo.

A mão dele solta a minha e eu o vejo abraçá-la. É preciso dar os créditos a Josh. Ele a abraça bem apertado.

– Oi – cumprimenta-a, beijando sua bochecha. – Está muito bonita.

– Em cima da hora... – comenta o homem sentado no banco, mas acho que Josh não percebe.

A mãe dele é uma mulher pequena, de cabelos claros, com aquela covinha rosada na bochecha, aquela que sempre desejei ter. Seus olhos acinzentados adotam um tom misterioso quando ela se afasta para olhar para seu filho alto e lindo.

– Ah, lindo!

Ela sorri para ele e olha para mim:

— Esta é...?

— Sim. Esta é Lucy Hutton. Lucy, esta é a minha mãe, doutora Elaine Templeman.

— É um prazer conhecê-la, doutora Templeman.

Antes que eu possa piscar, ela já está me abraçando bem apertado.

— Pode me chamar de Elaine, por favor. Finalmente a conheci, Lucy! – diz contra meus cabelos. Então, afasta-se um pouquinho para me analisar. – Josh, ela é linda.

— Muito bonita, sim.

— Ah, eu vou guardar você para sempre! – ela me diz, e não consigo segurar um sorriso bobo.

O olhar que Josh lança para mim diz claramente: "Está vendo?" Ele esfrega as palmas das mãos na calça do terno e seus olhos quase parecem os de um louco. Talvez sofra de eclesiofobia.

— Eu vou guardá-la no meu bolso! Que bonequinha! Venha, sente-se aqui na frente com a gente. Este é o pai de Josh. Anthony, olhe que garota mais linda. Anthony, esta é Lucy.

— Prazer em conhecê-la – ele diz com uma voz grave, e eu pisco os olhos em choque.

Esse homem é como um Joshua que entrou na máquina do tempo. Ainda é insuportavelmente lindo; mais parece uma raposa grisalha, imponente em sua roupa social. Temos a mesma altura quando ele está sentado, então deve ser um gigante quando se coloca em pé. Elaine encosta a mão na lateral do pescoço do homem e, quando ele olha para a esposa, um leve sorriso brota em seus lábios.

Em seguida, lança um olhar de laser para mim. A genética nunca deixa de me impressionar.

— É um prazer conhecer o senhor – respondo.

E nos encaramos. Talvez eu devesse tentar ganhar sua simpatia. É um instinto antigo e eu tento segurá-lo. Depois, resolvo não fazer nada.

— Oi, Joshua – ele cumprimenta, direcionando seu olhar de laser para o filho. – Quanto tempo.

— Oi — Josh cumprimenta e me segura pelo punho, puxando-me para que me sente entre ele e sua mãe. Assim estarei protegida. Tomo uma nota mental: mais tarde, tenho que repreendê-lo por isso.

Elaine dá um passo e se posiciona entre os pés de Anthony. Acaricia os cabelos do marido, arrumando-os. A Bela domou a Fera. Então, ela se senta e eu me viro em sua direção.

— A senhora deve estar muito feliz. Conheci Patrick em uma ocasião nada agradável.

— Ah, sim, ele me contou em um dos nossos telefonemas aos domingos. Ele disse que você estava muito mal. Intoxicação alimentar.

— Eu acho que foi um vírus — Joshua rebate, segurando minha mão e acariciando-a como um feiticeiro obcecado. — E ele não deveria discutir os sintomas dela com outras pessoas.

Elaine olha para o filho, observa nossos dedos entrelaçados e sorri.

— Bem, fosse lá o que fosse, eu fiquei mesmo péssima. Acho que ele nem vai me reconhecer hoje. Espero que não. Mas sou grata aos seus filhos por me ajudarem a sair viva daquela situação.

Elaine olha para Anthony. Empurrei Josh para perto demais do elefante branco nesta sala: só faltava o pai dele usar um estetoscópio.

— Os arranjos de flores estão lindos! — comento, apontando para uma massa enorme de lírios rosados na ponta de um dos bancos.

Elaine baixa a voz e sussurra:

— Obrigada por fazer companhia para ele. A situação é complicada para Josh.

Ela lança um olhar de preocupação para o filho.

Como mãe do noivo, Elaine logo pede licença para cumprimentar os pais de Mindy e ajudar várias pessoas a encontrarem seus assentos. A igreja está cada vez mais lotada; gritos de surpresa e risos preenchem o ar conforme família e amigos se reencontram.

Francamente, não entendo o que é tão complicado nessa situação. Tudo parece estar bem. Não vejo nada estranho. Anthony assente para as pessoas. Elaine beija, abraça e anima todo mundo com quem conversa.

Eu não passo de um livro solitário em uma prateleira enorme. Anthony não é o tipo de homem que gosta de conversa fiada.

Deixo pai e filho sentados em silêncio no banco polido e seguro a mão de Joshua. Não sei se estou sendo útil até ele me olhar nos olhos.

– Obrigado por estar aqui – diz ao meu ouvido. – A situação fica mais fácil.

Penso nas palavras enquanto Elaine se senta novamente e a música começa a tocar.

Patrick toma seu lugar ao altar, lançando um olhar seco para o irmão, analisando-me em seguida, como se quisesse avaliar minha recuperação. Sorri para os pais e deixa escapar uma bufada.

Todos ficamos em pé e Mindy entra usando um belíssimo vestido rosa. É loucamente exagerado, mas ela parece muito feliz enquanto se aproxima do altar, sorrindo e chorando, tudo ao mesmo tempo, como uma lunática. E eu acho a cena linda.

Ela toma seu lugar em frente a Patrick e eu enfim posso vê-la melhor. *Minha nossa! Essa mulher é lindíssima! Parabéns, Patrick.*

Casamentos sempre acabam me causando uma sensação estranha. Eu me pego toda emocionada quando os amigos dos noivos leem poemas especiais e quando o padre ou ministro fala sobre comprometimento. Fico com um nó na garganta na hora dos juramentos. Aceito o lenço oferecido por Elaine e seco o canto dos olhos. Observo com suspense a aliança deslizar por cada dedo e respiro aliviada quando elas cabem perfeitamente.

E aí as palavrinhas mágicas "pode beijar a noiva" são pronunciadas e deixo escapar um suspiro de felicidade como se eu visse a palavra "FIM" na tela de um filme com final feliz.

Olho para Elaine e nós duas rimos em deleite e começamos a aplaudir. Os homens ao nosso lado suspiram indulgentes.

Os noivos descem do altar usando suas novas alianças e todos ficam em pé, conversando e exclamando até as notas do velho órgão serem quase abafadas. Pela primeira vez, percebo alguns olhares de especulação sendo lançados na direção de Josh. *O que está acontecendo?*

— Eles vão tirar fotografias na ponte de madeira. Espero que o vento não estrague a aparência de Mindy — Elaine comenta comigo, acenando educadamente para alguém. — Agora, todos vamos ao hotel para beber alguma coisa. Depois, um almoço antecipado e os discursos. Vamos pegar Josh emprestado em algum momento para tirarmos algumas fotos de família.

— Parece ótimo, não é, Josh? — comento apertando sua mão.

Ele está distraído já há alguns minutos. Assustado, parece voltar ao corpo.

— Claro. Vamos.

Olho para os pais dele, que espero estarem felizes e não alarmados de me verem segurando o braço de seu filho. Então, deixamos a igreja.

— Devagar, Josh. Espere. Meus sapatos.

Quase não consigo manter o ritmo. Ele se ajeita no banco do passageiro e deixa um gemido escapar.

Enfrento dificuldades para conseguir dar ré. Todo mundo resolveu sair ao mesmo tempo do estacionamento.

— Quer ir direto para o hotel? Ou quer que eu passe um tempo dirigindo pela cidade?

— Para casa. Pegue a rodovia.

— Eu sou uma observadora independente. E garanto, deu tudo certo.

— Acho que está certa — diz pesadamente.

— Perdão? Pode repetir isso daqui a um instante para eu gravar? Quero usar como *ringtone* para ouvir toda vez que receber uma mensagem: "Lucy Hutton, você está certa."

Provocá-lo talvez o acalme. Ele me observa.

— Eu posso gravar a mensagem de voz também, se quiser. "Esta é a caixa de mensagens de Lucy Hutton. Ela está ocupada demais chorando no casamento de um desconhecido e não pode atender agora, mas, por favor, deixe seu recado."

— Ah, cale a boca. Acho que vejo filmes demais. Foi tão romântico.

— Você é quase bonitinha.

– Joshua Templeman me acha quase bonitinha. Ele deve estar louco.

Sorrimos um para o outro.

– Deve haver um motivo para você ter chorado. Está sonhando com o seu casamento?

Olho na defensiva para ele.

– Não, é claro que não. Que idiota. Além do mais, meu noivo é invisível, lembra?

– Mas por que o casamento de um desconhecido a fez chorar, então?

– O casamento é um dos ritos mais antigos da civilização, eu acho. Todo mundo quer encontrar alguém que o ame o suficiente para usar uma aliança de ouro. Sabe, para mostrar para o mundo que seu coração está tomado.

– Não sei se isso é relevante hoje em dia.

Tento pensar em uma forma de explicar.

– É algo tão completamente primitivo. Ele está usando a minha aliança. Ele é meu. Nunca vai ser seu.

Enfrentamos o trânsito lento e enfim chegamos ao hotel. Entrego a chave ao manobrista e Josh tenta me levar até a lateral do prédio.

– Josh, não. Vamos.

– Vamos para o quarto.

Ele está me freando. Seu peso é enorme.

– Você está sendo ridículo. Explique o que está acontecendo.

– É bobagem – murmura. – Não é nada.

– Bem, nós vamos entrar.

Seguro sua mão firmemente e arrasto-o pela porta aberta para nós.

Respiro o mais fundo que meus pulmões aguentam e entro em um salão tomado por membros da família Templeman.

CAPÍTULO 23

Em uma sala adjacente ao salão de baile, passamos quase duas horas interagindo em vários níveis de desconforto na recepção regada a uma quantidade infinita de champanhe. Quando digo interagindo, quero dizer que forço Joshua em uma sucessão de encontros sociais com parentes distantes enquanto ele fica ao meu lado, observando-me beber champanhe para acalmar os nervos, o que queima meu estômago vazio como se fosse gasolina. Toda vez que sou apresentada a alguém, a sensação é essa.

– Lucy, esta é a minha tia Yvonne, irmã da minha mãe. Yvonne, Lucy Hutton.

Quando essa tarefa é concluída, ele começa a se ocupar acariciando a parte interna do meu braço, abrindo as mãos em minhas costas para encontrar a pele nua sob meus cabelos ou entrelaçando e soltando nossos dedos. Sempre me encarando. Josh quase não consegue parar de me olhar. Provavelmente está impressionado com minha capacidade de jogar conversa fora com as pessoas.

Depois de um tempo, é levado por sua mãe ao jardim e eu observo pela janela enquanto ele posa para fotos com vários membros da família. Seu sorriso é forçado. Quando ele me vê espiando, sou conduzida para o lado de fora e posamos diante de uma linda roseira. Quando ouço o clique do obturador, aquela versão antiga de mim mesma acena uma negação e se pergunta como chegamos a esse ponto. Joshua Templeman e eu, capturados lado a lado na mesma fotografia e sorrindo? Cada novo acontecimento entre nós parece a realização de algo impensável.

Ele me faz virar e segura meu queixo. Ouço o fotógrafo dizer "lindo". Mais um clique da máquina fotográfica e esqueço o mundo assim que seus lábios tocam os meus. Queria poder afastar nossas antigas desconfianças, mas isso tudo se parece demais com um sonho. Do tipo que eu devo ter tido uma vez na vida e me odiado depois.

Vejo Patrick e Mindy do outro lado do gramado, em uma posição romântica clichê diante de outra câmera e então me dou conta de que também estou em uma posição romântica clichê. O homem que me odiou por tanto tempo agora está me exibindo aos outros, puxando-me para perto de si. Voltamos para dentro e ele beija minha têmpora. Sua boca desliza para perto do meu ouvido e ele me diz que sou linda. Tenho de me virar outra vez para ser apresentada a mais alguns parentes. Joshua realmente está me exibindo.

O que ainda não consegui entender é: por quê?

Cada vez que sou apresentada a alguém, depois de conversarmos sobre como Mindy estava linda e como a cerimônia foi maravilhosa, sempre surge a pergunta inevitável.

— E Lucy, como foi que você conheceu o Josh?

— A gente se conheceu no trabalho — Josh respondeu da primeira vez, quando o silêncio se estendeu por tempo demais.

Depois disso, essa se tornou minha "resposta padrão".

— Ah, e onde vocês trabalham? — é a próxima pergunta.

Ninguém da família tem a menor ideia de onde Joshua trabalha ou do que faz. Eles se sentem desconfortáveis, como se ter abandonado a faculdade de Medicina fosse algo de que se envergonhar. Pelo menos trabalhar para uma editora parece ter glamour.

— É tão legal vê-lo com uma namorada — outra tia comenta.

Ela me lança aquele olhar significativo. Talvez corram por aí rumores de que Josh seja gay.

Peço licença e puxo-o de lado, para trás de uma pilastra.

— Você precisa se esforçar mais. Estou exausta. É a minha vez de ficar lá parada e vê-lo falar.

Um garçom passa e me oferece mais um canapé minúsculo. A essa altura, ele me conhece, pois já comi pelo menos doze. Sou sua melhor cliente. Estou obcecada pelo jantar, que esse garçom me garantiu que será servido às cinco em ponto. Observo os ponteiros do relógio de Joshua, convencida de que provavelmente vou morrer de fome antes desse horário.

— Não consigo pensar em nada para dizer.

Ele percebe um hematoma da partida de paintball em meu braço e fica agitado.

— Pergunte como as pessoas estão, costuma funcionar. — Percebo o número de pessoas que estão nos espreitando. — Você precisa me dizer por que todo mundo está me olhando como se eu fosse a esposa do Frankenstein. Sem ofensas, seu louco.

— Detesto quando perguntam como eu estou.

— Já percebi. Ninguém aqui sabe qualquer coisa sobre você. E você não respondeu minha pergunta.

— Eles estão olhando para mim. A maioria não me vê desde o "grande escândalo".

— É por isso que você quer que eu faça o papel de namorada? Para todo mundo esquecer que você não é médico? Você se sairia muito melhor se entregasse seu cartão de visita. Pare de tocar em mim. Não consigo pensar direito.

Puxo meu braço para longe dele.

— Agora que comecei, acho que não consigo mais parar. — Ele me puxa para mais perto e encosta a boca em meu ouvido. — Você é inteira macia assim?

— O que acha?

— Eu quero descobrir.

Seus lábios tocam em meu lóbulo e não consigo me lembrar do assunto em curso.

— Por que você está agindo assim, cheio de beijos e como meu namorado?

Observo atentamente seus olhos e, quando ele responde, tenho certeza de que está escondendo alguma coisa.

— Eu já disse. Você é meu apoio moral.

— Por quê? O que está escondendo de mim? — Minha voz fica um pouco dura e algumas cabeças se viram em nossa direção. — Josh, sinto que estou à espera de algo inevitável.

Joshua acaricia a lateral de meu pescoço. Tremo tanto que ele percebe. Quando se aproxima para beijar meus lábios, fecho os olhos e não há nada além dele no mundo. Quero existir apenas aqui, na escuridão, com seu antebraço em minha lombar. Com seus lábios me dizendo "Lucy, pare de surtar". É um movimento injusto da parte dele.

Abro os olhos e um casal (que acredito serem os pais de Mindy) está conversando com a gente. Os dois me inspecionam com olhos atentos.

— Pare de me distrair. Precisamos estar inteiros e aqui até o jantar. E você vai pensar em alguns assuntos e conversar com a sua família. Por que está tão tímido? — Assim que digo isso, me dou conta: — Ah, porque você é tímido.

Essa descoberta me faz vê-lo por um outro ângulo. Continuo:

— Durante esse tempo todo, pensei que você fosse apenas um idiota arrogante. Quer dizer, você é. Mas tem algo mais. É incrivelmente tímido.

Ele pisca os olhos e percebo que acertei em cheio.

Uma sensação estranha borbulha em meu peito. Ela cresce, multiplica-se e aumenta um pouco mais. E não para: é cada vez mais rápida, maior, estufa meu peito como uma almofada. Não sei o que está acontecendo, mas essa coisa incha em minha garganta e não consigo respirar. Ele parece saber que tem alguma coisa acontecendo comigo, mas não me pressiona; em vez disso, decide me abraçar na altura do ombro, a outra mão embalando minha cabeça. Tento falar mais uma vez, mas não consigo. Ele simplesmente me abraça e eu aperto inutilmente as mãos nas lapelas de seu terno e o hall vermelho ao longe brilha como uma joia.

— Josh — Elaine chama. — Ah, você está aqui.

Sua voz é calorosa. Josh dá meia-volta sem me soltar, fazendo meus sapatos deslizarem pelo chão de mármore.

Os olhos dela estão um pouco acesos demais quando ela nos olha.

— Quando estiverem prontos, podem entrar. Vocês estão na nossa mesa.

— Eu vou levá-lo para dentro agorinha mesmo.

A sensação em meu peito se desfaz um pouquinho quando percebo que sua mãe está feliz em vê-lo com alguém. Ajeito a postura e sinto suas mãos deslizarem em minha lombar. As pessoas se apressam para tomar seus assentos e vejo cabeças girando enquanto passam por nós.

— Quem sou eu? — tento uma última vez. — Sua empregada doméstica? Sua professora de piano?

— Você é minha Moranguinho — ele declara de forma direta. — Não precisa inventar história nenhuma. Vamos... vamos acabar logo com isso.

Sinto uma trepidação enquanto nos aproximamos da nossa mesa e o corpo de Josh fica enrijecido. Sentamo-nos em nossas cadeiras e passamos alguns instantes analisando a decoração e os cartões com nossos nomes. Os outros cartões foram digitados, mas o meu nome está escrito à mão — acredito que em virtude da confirmação tardia.

A mesa acomoda oito pessoas. Eu, Josh, sua mãe e seu pai, os pais de Mindy, o irmão e a irmã de Mindy. Estou na mesa da família dos noivos. Se soubesse que isso aconteceria quando ofereci impetuosamente meus serviços como motorista de Josh, teria dado um soco na minha própria cara.

Converso um pouco com o irmão de Mindy, sentado à minha esquerda. Taças tocam-se em um brinde. Torço para Josh dizer alguma coisa, qualquer coisa. Estou prestes a golpear a lateral de sua coxa quando o silêncio é quebrado por Elaine. A tão temida pergunta.

– Lucy, conte para nós como você e Josh se conheceram.

Meu interior congela. Eu já respondi essa pergunta pelo menos oito vezes hoje, mas nem isso facilita lidar com ela.

– Bem, bem... Hum...

Ah, droga! Estou soando como uma acompanhante dessas que cobram por hora e são incapazes de contar uma mentira convincente. O que tínhamos combinado, mesmo? Que sou a Moranguinho? Não posso dizer isso a eles. Se eu em algum momento tivesse sentido vontade de humilhar Josh, agora seria a hora certa. Posso quase me imaginar dizendo: *Ele me forçou a vir.*

– Trabalhamos juntos – Josh diz claramente, cortando um pãozinho na metade. – A gente se conheceu no trabalho.

– Um romance profissional – Elaine comenta, piscando para Anthony. – É o melhor tipo. O que você achou dele assim que o viu?

Conheço um romântico inato assim que o vejo. Ela é o tipo de mãe que entende qualquer elogio aos filhos como um elogio a ela própria. Agora está contemplando Josh com o coração nos olhos e não consigo evitar me apaixonar um pouquinho por ela.

– Eu pensei: "Santo Deus, como ele é alto!"

Todo mundo, exceto Anthony, dá risada. Ele está estudando o garfo, verificando a higiene.

– Qual é a sua altura, Lucy? – questiona Diane, a mãe de Mindy.

Mais uma questão temida.

– 1,53 m redondo – é a minha resposta padrão, que sempre desperta risos.

Os garçons começam a servir as entradas e meu estômago ronca faminto.

– E o que você pensou quando viu Lucy? – Elaine questiona.

É como se estivéssemos sentados no meio da mesa, como se fôssemos itens de decoração. Essa situação já está beirando o ridículo.

– Pensei que ela tinha o sorriso mais lindo que já vi – Josh responde como se simplesmente declarasse um fato.

Diane e Elaine olham uma para a outra e mordiscam os lábios, olhos arregalados e sobrancelhas arqueadas. Conheço esse semblante. É a expressão da Mamãe Esperançosa.

Mas não consigo evitar:

– Achou isso, é?

Se estiver mentindo, Josh está realmente se superando. Conheço seu rosto melhor do que o meu próprio, e não percebo nenhuma mentira ali. Ele assente e aponta para o meu prato.

Descubro que Patrick e Mindy vão passar a lua de mel no Havaí.

– Eu sempre quis ir ao Havaí. Preciso tomar sol. A essa altura, tirar férias me parece uma boa ideia.

Afasto meu prato depois de quase lambê-lo e lembro que há uma visita à Morangos Sky Diamond no horizonte. Quase conto a Josh, afinal, ele é fascinado por aquele lugar, mas sua mãe interrompe:

– O trabalho anda muito agitado? – Elaine pergunta.

Faço que sim.

– Muito corrido. E Josh é tão ocupado quanto eu.

Percebo Anthony bufando, desviando um olhar cheio de desprezo. Cara, essa expressão é familiar. Josh fica com o corpo rígido e Elaine franze a testa para o marido.

O prato principal é servido e começo a devorá-lo com gosto. Pequenas linhas de tensão penetram esse jantar. Meu raciocínio deve ser muito lerdo, pois não consigo descobrir a fonte desse desconforto. É verdade que Anthony não falou muito, mas parece um homem gentil. Elaine está cada vez mais tensa; seu sorriso, mais forçado conforme ela se esforça para manter o clima leve. Vejo seus olhos suplicantes voltados para Anthony.

Depois do prato principal, enquanto os garçons recolhem as louças, posso ver os familiares se preparando para seus discursos. Anthony puxa um cartão do bolso interno do paletó. Enquanto testam os microfones, empurro minha cadeira um pouco mais para perto de Josh e ele apoia um braço em meu ombro. Recosto-me a ele.

Ouvimos o discurso do padrinho e da dama de honra de Mindy. Seu pai faz um discurso para receber Patrick na família e sorrio ao perceber o tom sincero de sua voz. Ele fala sobre o prazer de ganhar um filho. Josh me abraça mais apertado, e eu deixo.

Anthony vai ao púlpito e segura o cartão com uma expressão que beira o desgosto. Aproxima-se do microfone.

— Elaine escreveu algumas sugestões, mas acho que vou improvisar. — Sua voz é lenta e decidida, com o toque de sarcasmo que começo a acreditar ser hereditário entre os homens da família Templeman.

Uma risada se espalha pela sala e Josh se ajeita na cadeira. Nem preciso olhar para saber que está franzindo a testa.

— Sempre esperei coisas boas do meu filho — Anthony prossegue, segurando a lateral do púlpito e olhando para seu público.

Sua escolha lexical também deixa transparecer que ele só tem um filho. Mas talvez eu esteja vendo coisas demais.

— E ele não me decepcionou. Nem uma vez sequer. Nunca recebi um daqueles telefonemas que os pais tanto temem. Aquela coisa de "Oi, pai, eu estou preso no México". Nunca recebi nada assim de Patrick.

Agora o público ri com mais entusiasmo.

— Nem de mim — Josh murmura ao meu ouvido.

— Ele se formou entre os melhores alunos da turma. Foi um privilégio vê-lo crescer e se transformar no homem que vocês veem aqui — Anthony entona. — Suas experiências foram brilhantes e ele é muito respeitado por seus pares.

Não consigo detectar nenhuma emoção específica na voz daquele homem, mas ele olha para Patrick tempo demais.

— Devo dizer que, no dia em que Patrick se formou em Medicina, eu me vi ali. E foi um alívio saber que daríamos continuidade à nossa dinastia médica.

Ouço Josh arfar duramente. Seu braço segura meus ombros cada vez com mais força.

Anthony ergue a taça.

— Mas acredito que você seja tão forte quanto a pessoa com quem escolhe passar sua vida. E hoje, ao se casar com Melinda, ele me deixou, mais uma vez, orgulhoso. E Mindy, devo dizer, você escolheu um Templeman impressionante para se casar. Bem-vinda à família, Mindy.

Erguemos nossas taças, mas Josh não acompanha. Olho para trás e vejo duas pessoas, cabeças próximas, sussurrando e nos observando. A mãe de Mindy olha para Josh com pena.

Mindy e Patrick cortam o bolo e oferecem um pedaço um para o outro. Passei a maior parte do dia com desejo de bolo e não saio da festa decepcionada. Uma grande porção de alguma coisa pesada de chocolate é colocada diante de mim.

— Belo discurso. Obrigado por aquele comentário — Josh diz a seu pai.

— Foi uma brincadeira — Anthony responde, sorrindo para Elaine, mas ela não parece nada satisfeita.

— Hilário — ela rebate com uma expressão glacial.

Sei que é hora de mudar de assunto.

— Esse bolo está simplesmente divino. Espero que não seja calórico demais.

— Você ficaria impressionada com os danos que as dietas ricas em gordura causam às artérias — Anthony comenta.

— Mas tudo bem comer um agradinho de vez em quando? Espero que sim — digo levando mais uma garfada à boca.

— Idealmente, não. Gordura saturada, gordura trans... Quando essas coisas entram nas suas artérias, elas não saem mais. A não ser que tenha um ataque cardíaco e encontre alguém como Elaine para cuidar de você.

— Ele é muito rígido, inclusive consigo mesmo — Elaine me conta enquanto solto o garfo e levo a mão ao peito. Ela prossegue: — Não tem problema comer um agradinho de vez em quando. Na verdade, eles fazem até bem.

— Ela perguntou minha opinião — Anthony aponta irritadiço. — E eu a dei.

Percebo que não há uma fatia de bolo à sua frente. Lembro-me da reunião na empresa. Josh também não comeu bolo naquele dia. Olho de soslaio e, para minha surpresa, Josh pega o garfo e também começa a comer. É um grande sinal de "vai se foder" para seu pai. Várias e várias vezes levamos garfadas de bolo em direção aos nossos rostos gulosos, até a testa de Anthony se repuxar enojada, claramente desacostumado a ver seu sábio conselho ser ignorado.

— Comodismo é uma coisa ardilosa. Pode ser difícil voltar para o caminho certo quando você começa a se entregar a impulsos assim.

Anthony não está falando do bolo. Josh solta o garfo, que bate ruidosamente no prato.

Elaine está muitíssimo incomodada.

— Anthony, por favor, deixe-o em paz.

— Venha comigo — digo a Josh e, para minha surpresa, ele se levanta obedientemente e me acompanha até um canto escuro da pista de dança.

— Será que você pode me explicar o que está acontecendo? Essa tensão é insuportável. Sinto muito, mas seu pai está sendo um grande cuzão. Ele é sempre assim?

Ele ergue a mão.

— Filho de peixe, peixinho é.

— Não, você não é assim. Ele está agindo como um grande insuportável e sua mãe está chateada. O discurso foi muito esquisito.

Toda vez que sinto vontade de proteger Josh, perceber isso me atinge no plexo solar. Seguro sua mão, que está fechada, e acaricio os nós de seus dedos.

Ele observa a minha mão.

— O jantar já terminou. Já enfrentamos tudo o que tínhamos que enfrentar. Para mim, isso é o que importa.

— Mas por que parece que todos estão olhando para você? Parece que todo mundo neste salão está olhando para você para saber se está bem. É como se quisessem dizer "aguenta aí, cara".

— Acho que vão pensar que não estou sofrendo demais.

Ele passa a mão em minha cintura e seu gesto lisonjeiro atinge minha corrente sanguínea junto às 2 mil calorias do bolo.

— Eles estão errados. Ninguém faz você sofrer como eu faço. —

Recebo um grande sorriso pelo meu comentário sagaz. – Você está bem? Por favor, conte para mim o que é esse "grande escândalo" sobre o qual todos estão comentando. Não consigo acreditar que o simples fato de você escolher não ser médico tenha causado tamanho furor.

É raro ver Josh procrastinar, mas dessa vez isso acontece.

– É uma longa história. Primeiro, preciso ir ao banheiro.

– Se você fugir pela janela, vou ficar muito irritada.

– Eu volto, prometo. E aí vou contar toda a história. Você aguenta um minuto?

– Eu tive que fazer amizade com metade das pessoas neste salão, lembra? Tenho certeza de que vou encontrar alguém com quem conversar.

Vejo-o se distanciar e faço a pose mais casual que consigo.

Para dizer a verdade, até agora não conversei com Mindy. Lá fora, ela sempre estava sendo levada de um lado a outro pelos fotógrafos, mas sorria para mim e tive a impressão de que é uma mulher legal. Agora está aqui perto, conversando animada com um casal mais velho. Quando eles se afastam, sorrio e aceno. Sinto-me mal por ela ter que ver desconhecidos em seu casamento.

– Olá, Mindy. Meu nome é Lucy. Sou a... acompanhante de Josh. Muito obrigada por me receber. A cerimônia foi linda. E adorei o seu vestido.

– É um prazer conhecê-la. Eu estava morrendo de curiosidade.

Seu sorriso se alarga e seus olhos se iluminam com um interesse sincero quando ela olha para mim.

– Você é a garota que derreteu o homem-gelo – continua.

– Ah! Hum! Não sei nada dessa coisa de derreter... o homem-gelo.

Faço o melhor para parecer articulada.

– Sabia que Josh e eu namoramos um ano? – ela relata, acenando com a mão como se isso simplesmente não importasse.

– Como é? Não.

Meu estômago se dobra no meio. E se dobra mais uma vez. Ela

encosta a mão nos cabelos e arruma os fios já perfeitos. São loiros. Ela é alta, bronzeada, olhos castanhos. É a Loira Alta.

Minha boca deve estar no chão. Fico sem palavras. Agora tudo começa a fazer sentido. Imagine a humilhação de ter de ir ao casamento da sua ex-namorada. E se ela estiver se casando com seu irmão?

— Há quanto tempo você e Patrick se conhecem?

Tento manter minha voz controlada, mas acabo soando como o GPS do meu carro.

— Eu o conheci enquanto estava saindo com Josh, é claro. Quando aconteceu todo aquele problema no trabalho de Josh, a fusão das empresas, comecei a conversar com Patrick para tentar entender por que Joshua estava tão distante. Ele não é muito de conversar, como você bem sabe.

Olho para todos os desconhecidos que passaram a noite toda encarando Josh. Eles estão se perguntando como ele está enfrentando essa situação de ter de ver sua linda ex se casando com seu irmão. Um ano. Sem dúvida os dois dormiram juntos. Essa loira linda e perfeita se deitou na cama dele. Beijou sua boca. Engulo a bile.

— Patrick e eu simplesmente nos encaixamos. Foi uma loucura completa. Ficamos noivos há seis meses. Ainda me sinto mal por isso, mas Josh e eu não combinávamos. Eu achava seu humor um tanto assustador de vez em quando. Até hoje não sei sobre o que conversar com ele. Desculpe, estou sendo indiscreta. Por favor, não comente com ele que eu disse isso.

Sinto-me prestes a explodir em lágrimas e Mindy me observa, cada vez mais alarmada. E prossegue:

— Sinto muito, Lucy, pensei que ele tivesse contado para você. Josh está tão feliz ao seu lado. Eu jamais poderia imaginar que um dia se sentiria tão apaixonado. Comigo nunca foi assim. Acho que faz sentido. Homens intensos costumam se apaixonar loucamente quando enfim encontram a mulher certa.

Forço um sorriso, mas não sai nada convincente. Não posso ser a responsável por arruinar a alegria de Mindy em seu casamento, mas, por dentro, estou desmoronando. Como pude ser tão idiota a ponto de pensar que ele estava andando por aí comigo, me exibindo, a troco de nada? Eu sou um apoio moral enquanto ele participa do casamento da ex-namorada. Se isso não for a definição de um encontro alugado, não sei o que seria.

– Ai, Lucy, desculpe se eu a chateei, especialmente se vocês estiverem começando o relacionamento agora. Mas Josh é todo seu.

Consigo esboçar uma risadinha. Na verdade, ele não é.

– Patrick ficou especialmente surpreso. Quer saber o que ele disse? Algo como: "Nunca vi Josh com essa expressão de quem realmente tem um coração."

– Ele tem coração.

Um coração esquisito, mas um coração de qualquer forma.

Uma pessoa que parece ser um cerimonialista aponta para Mindy, e ela assente.

– O coração dele é todo seu – ela afirma enquanto dá tapinhas em meu braço. – Agora vou jogar o buquê. Vou mirar em você.

Ela passa pelos convidados, tão elegante e linda quanto eu jamais serei.

Recebo um abraço por trás. Um beijo na nuca, diluído por meus cabelos. O efeito ainda é tão forte que tenho que engolir em seco. O DJ começou a chamar as mulheres solteiras para se agruparem na pista de dança. Sinto meu estômago revirando e minhas mãos suando. Preciso sair daqui.

– Oi. Onde estão todos seus amigos novos?

Ele começa a me levar na direção das mulheres dispostas a competir pelo buquê.

– Não, Josh. Não posso fazer isso.

As pessoas estão nos observando. Estou prestes a fazer uma cena, mas sei que não posso me permitir. As lágrimas e o pânico incham dentro de mim. Josh, que costuma perceber as coisas, não nota nada dessa vez.

– Onde está o seu espírito competitivo?

Ele me dá um último e firme empurrão e sou lançada em meio

a um monte de mulheres histéricas, variando de uma criança com vestido de estampa de flores a uma mulher com mais de 50 anos que parece alongar os tendões. Todo mundo olha para o buquê. De fato, é lindo. Todas nós o desejamos.

De soslaio, vejo a mãe de Josh. Ela sorri para mim, mas esse sorriso não demora a sumir, abrindo espaço para a preocupação. Vai saber como está meu rosto agora. Mindy olha para mim e percebo seu arrependimento sincero por ter me chateado. Josh se ajeita para enxergar melhor e troca olhares com sua mãe. Ela aponta para ele, que baixa a cabeça. Então, Elaine lhe diz alguma coisa. Josh olha diretamente para mim.

Isso já é demais.

– Aqui vamos nós! – Mindy exclama, virando-se de costas para nós e fingindo que vai jogar.

O buquê é um arranjo de lírios rosados.

Quase nem percebo as flores batendo em meu peito. Elas caem nos braços posicionados da menina com vestido de flor, que grita toda alegre. Todo mundo está balançando a cabeça e rindo da minha falta de coordenação. Todo mundo se vira para quem está ao lado e diz: "Ela podia ter pegado."

Fico decepcionada por não pegar o buquê.

Educadamente dou risada; pouco a pouco, sigo rumo ao outro lado da pista de dança, passando pelos espectadores. Agora estou correndo. Preciso sair deste lugar. Sei que ele virá atrás e mim, então, em vez de escolher o lugar mais óbvio (o banheiro feminino), sigo pelo corredor por onde os garçons entram e me vejo no jardim ao lado do hotel.

Alguns rapazes de camisa branca e gravata estão fumando e mexendo em seus celulares. Eles me analisam com cara de tédio. Acelero o passo até estar trotando, correndo; as pontas dos meus saltos praticamente não têm tempo de tocar o chão. Quero correr até chegar à água. Quero pular dentro de um barco e navegar até uma ilha deserta.

Somente então serei capaz de analisar e enfrentar o que acabou de acontecer.

Eu tenho sentimentos por Joshua Templeman. Sentimentos irreversíveis, idiotas e imprudentes. Por que outro motivo essa situação machucaria tanto? Por que tudo em mim doeu na hora de segurar o buquê e vê-lo sorrir? Sinto um tremor ao lado da água.

Os passos se aproximam rápido demais. Engulo minha impaciência e abro a boca para dispensá-lo.

Porém, deparo-me com a mãe de Joshua.

CAPÍTULO 24

– Ah, oi – consigo dizer. – Só... só vim tomar um pouco de ar.

Elaine olha para mim, abre sua bolsa e puxa um pacote de lenços de papel. Fico confusa até levar um dos lenços ao olho e ele sair úmido.

Permanecemos ali, olhando para a água brilhando escurecida sob o pôr do sol. Estou chateada demais para me dar conta de que me encontro prestes a desabafar com a mãe dele. A essa altura, qualquer ouvido solidário serve para mim. Afinal, eu nunca mais voltarei a vê-la.

– Ele nunca me contou a história com Mindy.

Ela fica incomodada e franze a testa para o gramado.

– Josh devia ter contado. Você não precisava descobrir desse jeito.

– Agora tudo faz sentido. Não acredito que fui tão idiota. O jeito que ele vem agindo é inacreditável...

– Como se estivesse apaixonado por você.

– Sim. – Minha voz chega a falhar. – Ele certa vez me disse que é bom ator. Não consigo acreditar.

Ela não diz nada, mas apoia a mão em meu ombro. Cada centelha daquela esperança idiota parece se apagar neste momento.

– Não acho que ele estivesse jogando – Elaine arrisca antes de sua boca se repuxar.

A palavra "jogar" só intensifica a dor em meu estômago.

— Ah, sinto muito, mas a senhora não tem ideia de como ele é bom em joguinhos. Em nossa relação profissional, jogamos todos os dias, de segunda a sexta-feira. De todo modo, essa deve ser a primeira vez que ele faz isso comigo num fim de semana.

Elaine olha atrás de mim e posso ver a silhueta de Josh percorrendo a lateral do prédio, todo agitado. Ela faz uma negação com a cabeça e seu filho para onde está.

— Por que você veio hoje? — ela pergunta com uma curiosidade sincera.

— Eu devia um favor a ele. Josh me disse que eu estava vindo para oferecer apoio moral. Eu não sabia de nada, mas vim mesmo assim. Pensei que tivesse a ver com o fato de ele ter abandonado o curso de Medicina. E agora descubro que a ex-namorada está se casando com o irmão? Estou no meio de um drama.

Elaine segura meu cotovelo para me ajudar a estabilizar a postura. Quando volta a falar, tem um sorriso de provocação no canto da boca:

— Converso com ele aos domingos, e sei de coisas a seu respeito desde que ele a conheceu. Uma menina linda, com os olhos mais azuis, os lábios mais vermelhos, os cabelos mais negros. Ele a descreve como uma personagem saída de um conto de fadas. Só nunca chegou a uma conclusão sobre se você seria a princesa ou a vilã.

Fecho os punhos e esfrego as mãos nos cabelos.

— Vilã. Eu me sinto a maior idiota do mundo por sequer acreditar que um dia ele pudesse ser tão...

Não consigo terminar minha fala.

— Você é a garota que ele chama de Moranguinho. Quando ouvi seu apelido pela primeira vez, já percebi tudo. Vou lhe dizer: meu filho nunca olhou para ninguém da forma como olha para você.

Estou começando a ficar irritada com essa mulher adorável. Está totalmente claro que sua posição é tão enviesada que não posso levar seu julgamento a sério. Ela não consegue acreditar que o filho faria algo ofensivo. Abro a boca para falar, mas Elaine imediatamente me silencia.

— Ele namorou Mindy. Fico muito feliz por tê-la como nora. É um amor de pessoa. Mas Mindy não tem nada de Cinderela.

— Ela é adorável, mas não é um assunto meu.

— A questão é que Mindy nunca desafiou Josh. Você o desafia desde que vocês se conheceram. Você o deixa furioso. Nunca teve medo dele. Dedicou tempo para tentar entendê-lo, para ser mais forte do que ele nas questões do trabalho. Você *percebe* a presença dele.

— Eu tentei não ser assim.

— Nem Josh nem o pai dele são homens fáceis de lidar. Alguns são uns amores. Patrick, por exemplo. Racional, sereno, sempre com um sorriso no rosto. Josh também tem um apelido. Senhor Gentileza. É verdade. Ele realmente é assim. Mas só uma mulher forte é capaz de gostar de Josh, e acho que essa mulher é você. Patrick é um livro aberto; já Josh é um cofre trancado a sete chaves. Mas ele vale a pena. Você não vai acreditar em mim, e não posso culpá-la esta noite. O pai dele também é assim.

Elaine acena para Josh se aproximar e ele começa a andar em nossa direção.

— Por favor, pegue leve com ele. Você podia ter pegado o buquê — ela me censura. — Se tivesse ajeitado os braços.

— Não podia, não.

Elaine beija minha bochecha e me abraça com uma familiaridade tão grande que chego a fechar os olhos.

— Um dia, você vai pegar. Se decidir ficar, teremos um café da manhã com a família às 10h no restaurante. Eu adoraria ver vocês dois.

Em seguida, ela volta para dentro, seguindo pelo caminho onde Josh está.

Os dois começam a conversar. Ótimo. Ela está avisando o inimigo sobre o que esperar. Sinto-me tão cansada de ficar neste lugar, perto desta água, sob este céu. Sento-me em um banco de concreto e tento afundar o coração de volta no peito. Até a mãe de Josh pensou que ele estivesse apaixonado.

— Você descobriu a coisa toda com Mindy.

Nos 15 metros que teve de percorrer para me encontrar, Joshua certamente poliu seus argumentos.

— Exato. Meus parabéns. Você sem dúvida conseguiu me enganar.

— Enganar você?

Joshua se senta ao meu lado e tenta segurar a minha mão, mas eu a afasto.

— Pode deixar as bobagens de lado. Você ficou desfilando comigo na frente de Mindy e da família dela. Talvez devesse ter contratado alguma mulher mais bonita do que eu.

— Você acha, mesmo, que é por isso que está aqui?

Ele tem a audácia de parecer abalado.

— Tente se colocar em meu lugar. Eu o levo ao casamento do meu ex-namorado e fico o tempo todo colada em você. Faço-o sentir-se especial. Importante. Faço-o sentir-se lindo. — Há um tremor em minha voz. — E aí você descobre tudo, e de repente se pega questionando se alguma coisa foi real.

— O fato de você estar aqui não tem nada a ver com Mindy. De forma alguma.

— Mas ela é a Loira Alta com quem você terminou depois da fusão, não é? Foi sobre ela que conversamos hoje cedo na cama. Foi ela a responsável por seu coração partido. Por que não simplesmente me contou hoje de manhã?

Levo as mãos ao rosto e apoio os cotovelos nos joelhos.

Ainda sentado, Josh vira o corpo para o lado.

— Nós estávamos na cama e você começava a olhar para mim como se não me odiasse. E ela não é a responsável por partir meu coração.

Eu o interrompo:

— Eu suportaria ser uma acompanhante de alguém, mas você devia ter deixado as coisas claras para mim desde o início. O que você fez foi coisa de cafajeste e, francamente, estou furiosa comigo mesma por não ter previsto que você seria capaz de algo assim.

A urgência de Josh é crescente. Ele apoia a mão em meu ombro e me vira gentilmente para que eu possa encará-lo. Olhamos um nos olhos do outro.

— Eu queria você aqui porque sempre quero você comigo. Não estou ligando se ela acabou de se casar com Patrick. Para mim, essa é uma história que ficou no passado. Como eu poderia ter contado hoje cedo para você? Essa história arruinaria aquele momento. Eu sabia como você reagiria. Justamente assim.

— Você está certíssimo, eu reajo assim. — Como um dragão cuspindo fogo aos prantos. — Eu não perguntei de forma bem direta se havia algum assunto delicado sobre o qual eu devesse saber de antemão, para estar preparada? Você podia ter me contado no escritório. Dias atrás. E não hoje.

— Você jamais teria concordado em vir sob essas circunstâncias, caso tivesse sabido antes. E se recusaria a acreditar que esse fim de semana poderia ser qualquer coisa além de uma atuação. Seja qual fosse a sua reação, não seria boa.

Contrariada, admito a mim mesma que ele provavelmente está certo. Mesmo se Josh acabasse me convencendo a vir, eu teria inventado uma carreira e uma história de vida imaginária e sem dúvida estaria usando cílios postiços.

Joshua encosta a ponta de um dedo em meu punho.

— Eu estava com o foco em outras coisas, acredite se quiser. Nos arranjos de flores da minha mãe, no humor do meu pai. Na sua taxa de glicose. Contar essa história para você acabou se tornando algo secundário. — Ele olha para a água e solta o nó da gravata. — Mindy é uma boa pessoa, mas eu não trouxe você aqui para mostrar a ela que superei o término. Para mim, o que ela pensa pouco importa.

— Não acredito que você consiga ser tão tranquilo com toda essa situação.

Não consigo detectar qualquer emoção em seus olhos enquanto ele continua contemplando a água.

— Ela jamais seria minha esposa, entenda isso. Nós éramos pessoas erradas juntas.

Ouvir sua voz dizendo "minha esposa" me faz ficar paralisada demais. Olhos congelados, sem piscar. Pupilas dilatadas como moedas. Terror, pânico e possessão secam minha garganta. Não quero examinar por que me sinto assim. Preferiria pular na água e começar a nadar.

Ele me olha de soslaio, com o rosto tenso.

— Agora que garanti que você não está aqui porque é parte de alguma vingança planejada, poderia explicar por que motivo se sente tão incomodada? Além da minha mentira por omissão e de as pessoas nos encararem? Pessoas que você nunca mais vai ver na vida?

Essa pergunta já está muito perto de invadir meus novos e confusos sentimentos. Preciso de vários minutos para tentar criar uma resposta que soe pelo menos em parte convincente. E não consigo. Então, levanto-me e saio andando rápido de volta para o hotel, e Josh tem de apertar o passo para me acompanhar.

— Espere.
— Vou tomar um ônibus para casa.

Tento fechar a porta do elevador na cara de Joshua, mas ele consegue entrar facilmente. Aperto o botão para nos levar ao nosso andar e procuro meu celular para dar uma olhada nos horários dos ônibus. Não tenho ideia de que horas são agora, mas logo noto que tenho várias chamadas não atendidas. Josh tenta falar, mas eu ergo a mão e, exasperado, ele cruza os braços.

Distraidamente, dou uma olhada nas ligações. Danny tentou falar comigo algumas vezes durante a tarde. Tenho algumas mensagens de texto com questionamentos do tipo: "Alguma preferência de fonte?" "Pode deixar que eu escolho, então." "Me liga assim que conseguir."

O elevador bipa.

Josh parece prestes a perder a sanidade. Conheço bem essa sensação.

— Me deixa em paz — ordeno com toda a dignidade que consigo antes de sair rumo ao fim do corredor, onde duas poltronas estão posicionadas ao lado da janela.

Durante o dia, este deve ser um belo lugar para ler um livro. Ao anoitecer, enquanto os últimos raios de sol se despedem do céu, é o lugar perfeito para passar raiva.

Sento-me ali e ligo para uma empresa de ônibus. Há um traslado que sai às 19h15 e eles vão passar pelo hotel para pegar outra pessoa. Os deuses estão sorrindo para mim.

Voltar ao quarto significaria terminar as coisas com Josh, e me sinto desgastada. Acabada. Preciso procrastinar.

Danny atende no segundo toque.

– Oi – cumprimenta com um tom um tanto irritadiço.

Nada mais frustrante do que um cliente que não atende, imagino. Especialmente quando você está fazendo um favor.

– Oi, desculpa por não poder atender. Estava em um casamento e deixei o celular no silencioso.

– Não tem problema. Acabei de terminar.

– Muito obrigada. Deu tudo certo?

– Sim, quase tudo. Agora estou em casa, verificando tudo no iPad, repassando as páginas. A formatação ficou boa. De quem é o casamento?

– Do irmão de um insuportável.

– Você está com Joshua?

– Como adivinhou?

– Tive essa sensação. – Danny dá risada. – Não se preocupe, seus segredos estão seguros comigo.

– Espero que estejam.

A essa altura, eu não dou a mínima. Aliás, bem mereço ser humilhada nos corredores da B&G.

– Quando você volta? Eu queria mostrar o produto final.

– Amanhã, em algum momento. Ligo para você quando chegar, aí podemos nos encontrar.

– Se você puder vir na segunda-feira à noite, fica perfeito para mim. Eu guardei a planilha que pediu. Ali, descrevo quanto tempo demorou e também os custos tanto de um designer *freelance* quanto de um funcionário assalariado.

– Estou impressionada. Talvez eu deva levar uma pizza para agradecer.

– Sim, por favor. – A voz de Danny fica meia oitava mais grave. – Então, o que você usou nesse casamento?

– Um vestido azul.

Vejo o reflexo de Josh atrás de mim na janela e tomo um susto. Ele puxa o celular da minha mão e vê para quem estou ligando.

– Aqui é Joshua falando. Não volte a ligar para ela. Sim, estou falando sério.

Encerra a ligação e guarda o aparelho no bolso.

– Ei! Pode ir devolvendo.

– Nem fodendo. Você tinha que ligar justamente agora para esse cara? Seus olhos estão mais sombrios, mais afiados.

– É assunto de trabalho.

Ele puxa minhas mãos e me faz levantar. Uma porta se abre perto de nós, próxima demais dos outros quartos para nos permitirmos dar início às nossas guerras de grito costumeiras. Nós dois repuxamos os lábios e voltamos ao nosso quarto. Tento não bater a porta.

– E então? – Josh cruza os braços.

– Era assunto *de trabalho*.

– Claro. Uma ligação profissional. Jantar? O que você está vestindo?

Ele desliza seu olhar furioso por mim como se estivesse considerando a ideia de arrancar minha pele. Eu me identifico com esse sentimento. Quero dar um soco em sua cara. A energia e o ar estão deixando o ar no quarto quase tóxico. O problema com Josh é que, mesmo quando está furioso, ele ainda é lindo. Talvez ainda mais do que o de costume. Os olhos enegrecidos, o maxilar tenso. Os cabelos bagunçados e a mão no quadril, puxando a camisa azul de modo que fique mais justa. Isso dificulta um pouco ficar nervosa com ele, pois tenho que me esforçar para não notar. É uma conquista com a qual sempre lutei, desde que o conheci. Mesmo assim, sou perseverante.

– Você não tem direito nenhum de vir me dar sermão. Eu sabia que esse evento seria um desastre assim que entrei no seu carro. – Tiro os sapatos e os chuto para o outro lado do quarto. – Eu vou embora. Tem um ônibus saindo daqui a pouco.

Pego minha bolsa e ele ergue a mão, me fazendo parar.

– Entre Danny e Mindy, nós dois tivemos revelações de ciúme hoje, não acha? Eu vou ficar louco se você não me ouvir, pelo menos uma vez.

Ele tira as abotoaduras e as joga na cômoda. Em seguida, puxa as mangas da camisa, murmurando para si mesmo:

– Esse cara é mesmo um cuzão. O que ela está vestindo? O cara está pedindo para morrer.

A expressão em seu rosto me faz questionar se eu também estou prestes a morrer. Tento me posicionar atrás da poltrona, só para me dar a ilusão de que tenho espaço, mas ele aponta para o espaço entre seus sapatos de couro.

– Não se esconda. Venha aqui.

– É melhor que seja algo bom.

Cruzo o quarto para me posicionar diante dele e levo as mãos ao quadril, só para parecer maior. Ele dedica alguns longos momentos para decidir o curso de sua ação.

– Dois assuntos importantes primeiro. Danny e Mindy. – Parece estar assumindo o controle de uma reunião da equipe. Quase consigo visualizar uma tela com slides atrás de Joshua. – Você sente alguma coisa por Danny? Pode vir a amá-lo um dia?

Seus olhos parecem os do mais cruel assassino em série do mundo.

– Eu liguei para Danny para resolvermos um assunto profissional. Algo que tem a ver com minha *entrevista*. Você já sabe disso! Desculpa por não querer entregar meus segredos à pessoa contra quem estou competindo.

– Responda à minha pergunta.

– Não e não. Ele está me ajudando com uma coisa que vou usar na apresentação. Está desenvolvendo um trabalho como designer, e agora é *freelance*. Danny está me fazendo um favor enorme, trabalhando durante o fim de semana. Mas eu não me importaria se nunca mais o visse.

Seus olhos insanos se acalmam ligeiramente.

— Bem, eu também não dou a mínima para Mindy. Foi por isso que ela me deixou e foi ficar com meu irmão.

— Você podia ter me contado. Lá no seu apartamento, no seu sofá. Eu teria tentado entender. Fomos quase amigos naquele dia.

Percebo que há algo mais me incomodando: o fato de ele não ter confiado em mim para contar.

— Eu finalmente tinha conseguido levá-la para se sentar no meu sofá, e aí você acha que eu ia contar que fui um namorado tão horrível a ponto de ela decidir ficar com meu irmão? Isso não favoreceria nem de longe minha imagem. Oras, você teria alguma vontade de ficar ali comigo depois de ouvir isso?

Percebo uma cor forte em suas bochechas. Está extremamente constrangido.

— Por que motivo eu estou aqui? Apoio moral, lembra?

Vejo-o tentar responder, e não conseguir, várias vezes.

— Se tem alguém que partiu meu coração, esse alguém não foi Mindy. Foi meu pai. — Encosta a mão no rosto. — Você sempre esteve certa dizendo que preciso de apoio moral. Não se trata de nenhuma conspiração. É a Medicina. Eu ter desistido, falhado, decepcionado. Você está aqui porque eu sinto medo do meu próprio pai.

— O que seu pai fez?

Quase não consigo perguntar. Quando penso no assunto, penso em meu próprio pai. Um ser divertido, bom, animado desde que eu era pequena, sempre me surpreendendo com Smurfs e beijos com a barba pinicando. Sei que existem pais ruins. Quando vejo a expressão no rosto de Josh, peço a Deus que ele não tenha tido um pai ruim.

— Ele me ignorou a vida toda.

Parece que é a primeira vez que ele diz essas palavras. Olha para o chão, extremamente infeliz. Arrasto-me para perto dele. Sua dor faz meu coração pesar.

— Ele agredia você? Forçou-o a cursar Medicina?

Josh encolhe os ombros.

— A família real britânica tem uma expressão para isso. O herdeiro e o sobressalente. Eu sou o sobressalente. Patrick é o primogênito. Meu pai não é o tipo de pessoa que divide seus esforços, se é que você me entende. Além do mais, eles planejavam ter só um filho. Eu fui uma surpresa.

— Você foi desejado. — Seguro sua abotoadura amarrotada e estremeço desajeitada. — Veja o quanto sua mãe o ama.

— Mas, para meu pai, eu não estava nos planos. Patrick sempre foi seu foco, e veja a situação agora. Patrick é o melhor filho, é como se fosse o único filho, deixando o papai todo orgulhoso no dia do casamento.

Ele não me olha nos olhos. Estamos pisando em um território antigo, profundo e doloroso.

— Nada que eu fiz valeu sequer uma menção. Meu pai não pagou um centavo da minha faculdade, mas minha mãe pagou. Estudei pra caramba, como se merecesse uma punição. Nada disso serviu para agradá-lo.

A amargura em sua voz parece deixá-lo sem ar.

Minha raiva sai pelos poros e não consigo fazer nada além de abraçá-lo com toda a força que meus braços guardam.

— Pensei que, se eu conseguisse me tornar médico, talvez...

— Ele perceberia que você existe.

Exatamente como a mãe dele falou.

— E enquanto isso, Patrick, o filho de ouro que é incapaz de errar, fazia tudo parecer fácil. Patrick, ele é tão gentil. Tão bondoso. Faz qualquer coisa por qualquer um. Chega ao ponto de acordar no meio da noite e ir até a cidade para me ajudar a cuidar de você. Cara, dava para ser mais bondoso do que isso? Para mim, fica impossível odiá-lo. E eu quero odiar meu irmão. Quero muito.

— Ele é seu irmão. — Ficamos de braços dados. — É claro que faz qualquer coisa por você.

— Então tem o filho perfeito, e tem eu. Eu posso ser o melhor de vez em quando, mesmo que seja para ser o melhor idiota. Eu nunca vou ser gentil. Você precisa ter em perspectiva o que foi crescer com um pai como ele. Eu tive que me tornar assim.

Penso em Josh andando pela B&G, tentando esconder sua timidez e insegurança atrás daquela máscara.

— Detesto ter que lhe dizer isso, Josh, mas, por baixo de toda essa fantasia, você também é bondoso.

— Eu não tenho interesse nenhum em ser o segundo lugar em nada. Nunca mais vou ser o segundo lugar.

Sua voz respinga a determinação. Penso na promoção e uma parte profunda do meu cérebro suspira: "Ai, porra!"

— É por isso que você sempre me odiou? Eu sou gentil demais e você sempre odiou isso.

Puxo a manga do meu vestido para ajeitá-la.

— Ver você oferecer seu coração a pessoas que só queriam se aproveitar de sua bondade, isso me matava. Me dava vontade de te defender, de te proteger. Mas eu não podia, porque você me odiava, então tive que fazê-la aprender a se defender sozinha.

— E a minha bondade não deixou você me odiar?

A expectativa por sua resposta me deixa patética.

Ele encosta o polegar em meu queixo e inclina meu rosto.

— Sim.

— Bem, que história triste.

Josh beija minha bochecha e sei que é um pedido de desculpa. Suspeito que vou aceitá-lo.

— Não me leve a mal. Eu não vivi uma infância traumática nem nada assim. Sempre tive uma casa para morar e tudo o mais. E minha mãe é a melhor do mundo — ele conta, agora com afeição na voz. — Não posso reclamar.

— Sim, pode, sim.

Joshua me olha surpreso.

— Ninguém deve ser ignorado ou tratado de modo a se sentir insignificante. Você conquistou muitas coisas na sua carreira e deveria se orgulhar de si próprio. — Enfatizo as últimas palavras. — Pode reclamar o quanto quiser. Eu sou Team Josh, lembra?

O JOGO DO AMOR/ÓDIO

— É mesmo? — Ouço parte da tensão derreter. — Nunca pensei que ouviria essas palavras saindo dos lábios de Lança-Chamas. Não depois desta noite.

— Nem você, nem eu. Então, o que aconteceu depois que você foi aprovado em Medicina? Seu pai sem dúvida notou sua existência quando isso aconteceu.

— Minha mãe ficou superanimada. Ela deu uma festa. Uma festa grande, acho que todo mundo que me conhecia foi convidado. Foi na nossa casa da praia. Em retrospectiva, achei uma festa ótima. Mas meu pai não foi.

— Ele não apareceu?

Abraço-o, descansando a bochecha em seu peito. Sinto suas mãos deslizarem por minhas costas, como se *ele* tentasse me acalmar.

— Pois é. Ele não se deu ao trabalho de trocar o turno no hospital, e minha mãe pediu para ele trocar. Simplesmente não foi à festa. Quando Patrick foi aprovado, meu pai deu a ele o Rolex do nosso avô. Quando foi a minha vez, ele nem perdeu tempo indo à festa. Meu pai sempre soube que não nasci para ser médico. E o fato de eu ter forçado a situação só me tornou patético.

— Então o fato de ele não ter ido à festa significa que você não conversa direito com seu pai há cinco anos? Você percebe que isso magoa sua mãe? Ela está o tempo todo com os olhos cintilantes, como quem se esforça para não chorar.

— Naquela noite, fiquei incrivelmente bêbado. Eu me vi sentado sozinho na areia, perto da água, esvaziando uma garrafa de uísque. Sozinho e melodramático. Atrás de mim havia uma casa cheia de gente, mas ninguém notou que o convidado de honra não estava lá.

Ele parece um pouquinho alegre, mas sei que por baixo dessa camada existe uma dor intensa. Lembro-me de tê-lo olhado durante uma reunião de equipe, mil anos atrás, e me perguntado se ele se sentia sozinho. Agora sei a resposta.

— E aí você ficou sentado lá? Bêbado? O que fez? Entrou em casa e criou todo um drama?

— Não, mas percebi que algo pelo que eu tinha lutado tanto, a aprovação de meu pai, não tinha vindo. Talvez eu seja como ele. Para que tentar? Para que ligar? Naquele momento, decidi que deixaria de tentar. Eu aceitaria o primeiro emprego que aparecesse.

Ele me solta um pouquinho e, quando me abraça outra vez, esfrega a mão em meu ombro como se fosse eu quem precisasse ser reconfortada.

— Deixei de fazer qualquer esforço para me relacionar com ele, e foi como se a maior fonte de estresse da minha vida tivesse sumido. Parei, simplesmente parei. Pensei: quando ele quiser ser meu pai, vai demonstrar.

— E não aconteceu?

Josh continua falando como se sequer me ouvisse:

— A única coisa que me incomoda é que, quando fui fazer MBA à noite porque trabalhava durante o dia na Bexley, ele não ficou nada impressionado. Como se simplesmente não tivesse nenhuma opinião sobre aquilo. Como se eu não fosse sequer notado a ponto de conseguir decepcioná-lo. Mas eu decepcionei. Várias e várias vezes ao longo da vida. Para ele, minha carreira é uma piada.

Fico surpresa com quão furiosa estou ficando. Penso em Anthony, seu rosto permanentemente repuxado com aquela expressão de sarcasmo.

— É ele quem está perdendo por não conhecer você. Por que seu pai é assim?

— Não sei. Se eu soubesse, talvez pudesse mudar a situação. Ele sempre foi assim comigo e com a maioria das pessoas.

— Mas Josh, é isso que não entendo. Você é tão mais qualificado do que seu trabalho na B&G requer.

— Nós dois somos — ele responde.

— Por que você continua lá?

— Antes da fusão, eu quase pedia demissão todo santo dia. Mas eu já tinha a fama de ser o desistente na família.

— E depois da fusão?

Ele desvia o olhar e percebo o canto de sua boca começando a se curvar em um sorriso.

– O trabalho tem alguns fatores positivos.

– Você gosta demais de brigar comigo.

– Sim – admite.

– E como você foi parar na Bexley?

– Em um ataque de raiva, eu me candidatei a vinte empregos. Foi a primeira oferta que recebi. Ser o servo leal de Richard Bexley.

– E você nunca deu a mínima? Eu queria tanto trabalhar em uma editora que cheguei a chorar quando fui contratada.

Ele tem a elegância de parecer sentir-se culpado.

– Acho que você acharia injusto eu ser promovido agora.

– Não. O processo é baseado no mérito. Mesmo assim, Josh, você precisa saber: esse é meu sonho. A B&G é meu sonho.

Ele não diz nada. O que poderia dizer, afinal? Eu prossigo:

– Então você realmente não me trouxe aqui para provar a Mindy que superou e que está com uma nerd bonitinha?

Conheço seu rosto melhor do que o meu próprio e não consigo detectar nenhum traço de mentira. Quando ele responde, não há falsidade em sua voz.

– Eu não poderia encará-lo sem você. Sou motivo de vergonha. Abandonei a faculdade de Medicina, tenho um trabalho administrativo, perdi uma mulher para meu irmão. Não sou nada para ele. Por mim, Mindy e Patrick podem ficar casados cem anos e ter dez filhos. Boa sorte para os dois.

Eu me permito dizer:

– Certo. Acredito em você.

Ficamos um instante em silêncio antes de Josh voltar a falar:

– O pior é que eu fico me perguntando como eu estaria agora se tivesse continuado o curso de Medicina.

– Eu tenho tantas coisas dentro de mim que também desconheço. É como se fosse prefeita de uma cidade que nunca vi na vida.

Minhas palavras o fazem sorrir.

— Se você soubesse das milhares de coisas que acontecem e podem acontecer toda vez que você respira, não suportaria viver. Uma artéria pode se fechar e não abrir mais, uma veia pode estourar, você pode morrer. A qualquer momento. Nessa sua cidadezinha, milagres acontecem o tempo todo.

Ele beija a minha têmpora.

— Puta merda — eu o agarro.

— Você não acreditaria no número de pessoas que vão dormir à noite e nunca mais acordam. Pessoas normais, saudáveis, que sequer são velhas.

— Por que está me dizendo isso? Você pensa nessas coisas?

Uma pausa demorada se instala.

— Costumava pensar. Hoje em dia, não tanto.

— Acho que eu preferia os tempos em que acreditava que eu era toda feita de ossos brancos e melecas vermelhas. Por que estou pensando na morte esta noite?

— Entende agora por que eu não costumo jogar conversa fora? E sinto muito por meu pai tê-la assustado falando do bolo. Ele tem inveja por não poder se dar esse prazer. Acho que eu não comia bolo há uns cinco anos. E estava uma delícia.

— Porcos imundos, nós dois. Quer ir lá embaixo e ver se sobrou bolo?

Ele me olha com uma esperança contida.

— Você não vai embora?

Lembro-me do meu plano de pegar um ônibus e ir para casa.

— Não, eu não vou embora.

O fato de ele ainda estar sentado na cômoda ajuda. Significa que, quando me aproximo e seguro seu rosto, posso alcançá-lo só ficando na ponta dos pés. Significa que consigo sentir faíscas no ar que separa nossos lábios, seu suspiro de alívio mais doce do que açúcar do bolo do casamento. Seu pulso salta sob a ponta de meus dedos. Participamos de um jogo muito complicado para chegarmos a esse momento.

O fato de ele ainda estar sentado na cômoda ajuda, porque assim posso trazer seus lábios para perto dos meus.

CAPÍTULO 25

Quando o beijo, sua expiração é demorada e seus pulmões esvaziam completamente. Quero enchê-los de ar outra vez. Somente depois que alguns minutos passam, alguns minutos durante os quais tenho a impressão de estar em um sonho, percebo que estou me comunicando com ele neste beijo. *Você é importante. É importante para mim. Isso aqui é importante.*

Sei que Josh entende, pois há um leve tremor em suas mãos enquanto ele desliza a ponta de um dedo pela costura de meu vestido, por meus ombros, até a nuca. Ele também me diz coisas. *É você que eu quero. Você é sempre linda. Isso aqui é importante.*

Josh brinca com o zíper do meu vestido por uma pequena eternidade, até puxá-lo para baixo, emitindo aquele barulho como se uma agulha estivesse se esfregando em um disco. O beijo se torna mais intenso e eu me coloco entre seus joelhos. Nem cavalos selvagens conseguiriam me afastar deste homem e deste quarto. Vou beijá-lo até morrer de exaustão. Quando sinto o leve toque de seus dentes em meus lábios, percebo que não estou sozinha neste beijo.

Deixo o vestido cair e dou um passo para deixá-lo de lado. Inclino-me para pegá-lo. O constrangimento prevalece e me escondo atrás dessa sensação até parecer tão bobinha a ponto de não ter escolha senão me abrir. Tive que usar uma espécie de corpete cor de pele debaixo do vestido, uma peça que mais parece um maiô, para acentuar minhas curvas, e esse corpete tem ligas presas à meia-calça. Definitivamente não é o Dorminhocossauro.

Josh parece ter tomado um soco no estômago.

– Minha nossa – sussurra.

Entrego-lhe o vestido e levo a mão ao quadril. Seus olhos devoram cada linha, cada curva de meu corpo enquanto suas mãos cuidadosamente dobram meu vestido ao meio. Minhas pernas são ridiculamente curtas e agora não tenho o benefício dos saltos, mas o jeito que ele me contempla faz meus joelhos tremerem.

– Você está quieto, Josh.

Deslizo o dedo por baixo da alça dessa peça ridícula que estou usando e fico parada. Vejo sua garganta engolir em seco.

Levo minhas mãos ao seu pescoço, aperto levemente, depois solto. Ele é tão sólido e pesado, há calor exalando de seus músculos sob meu toque. Dou um passo mais para perto e encosto o rosto em sua garganta, sentindo seu cheiro. Fecho os olhos e imploro a mim mesma para jamais esquecer esse momento. *Por favor, lembre-se disso quando tiver cem anos.*

Suas mãos deslizam por minha cintura para segurarem minhas nádegas e, quando começo a beijar sua garganta, ele aperta com mais força.

– Tire a camisa. Vamos – ordeno com uma voz rouca e dificultosa.

Joshua começa a desabotoar a camisa e parece atordoado. Quando se liberta do tecido, posso ver suas costas refletidas no espelho da cômoda.

– Você ainda está com hematomas da partida de paintball. Eu também estou.

Minha mão livre apalpa seu peito e eu me liberto do beijo. Seus músculos são todos unidos como peças de Lego. Pressiono a ponta dos dedos em sua pele, para vê-los ceder. Suas mãos deixam minha bunda, mas a ponta dos dedos deslizam pelo tecido da minha meia-

-calça. Para me conter e não soltar um gemido constrangedor, beijo-o outra vez, empurrando-me para mais perto.

— Eu tinha planejado tudo — ele enfim encontra outra vez sua voz, empurrando-me cuidadosamente na direção da cama. Afasta o cobertor e, sem fazer muita força, me faz deitar nos lençóis. — Era para ser um pouco mais romântico do que em um quarto de hotel.

Josh pensando em romance? Meu coração não aguenta. Ele captura minha boca em um beijo — um beijo tão cuidadoso que eu poderia chorar.

— Está vendo? — diz contra a minha boca. — Eu não odeio você, Lucy.

Sua língua toca a minha, arriscando, tímida. Ele solta o peso do corpo sobre os cotovelos, prendendo-me com seus bíceps, o que traz à tona a memória de sentir seu corpo pressionando o meu contra uma árvore, me protegendo, me encobrindo.

Eu sempre estive cobrindo você.

Suspiro e ele inspira.

— É isso...

Alongo e repuxo meu corpo sob seu peso.

— Você é grande. Isso me deixa excitada.

— E você é tão pequenininha que me faz imaginar todos os jeitos como podemos nos encaixar. Só consigo pensar nisso desde o dia em que nos conhecemos.

— Ah, claro. Aquele dia fatídico em que você me analisou da cabeça aos pés e depois voltou a olhar pela janela.

Ele está mordiscando minha garganta do jeito mais suave imaginável. Desliza o dedo junto aos meus e agora estamos de mãos dadas. Como viemos parar aqui? Neste lugar tão doce depois de a chama da raiva nos queimar? É tão doce, tão completamente doce e gentil, Josh.

— Se fizermos isso esta noite, não vou deixar você ficar toda esquisita comigo. — Seus olhos são solenes enquanto se prepara para prosseguir: — Você vai ter um daqueles surtos infames?

— Não sei. Muito possivelmente.

Tento fazer soar como uma piadinha, mas ele não acha a menor graça.

— Eu queria saber o quanto tenho de você. Quanto eu tenho?

Ele está outra vez beijando minha garganta, seus dedos presos aos meus.

— Até as entrevistas você terá tudo – digo contra sua pele, e ele deixa escapar uma respiração trêmula, como se eu tivesse lhe oferecido um "para sempre", e não só um "alguns dias".

Começamos a nos beijar outra vez e a fricção da minha coxa em sua virilha o estimula a roçar em um ritmo mais forte. Sua boca é molhada, macia, deliciosa. Assim que Joshua para, mesmo que seja só para respirar direito, eu o puxo de volta.

Depois de uma eternidade, ele enfia a mão na alça em meu ombro. Desliza seus dedos lascivamente ali, puxando o tecido, soltando-o de modo a emitir o mais leve estalo. E repete o gesto.

— O zíper fica na parte lateral – explico.

Para ser sincera, não estou explicando, mas implorando.

Josh me ignora completamente e desliza o dedo entre meus seios.

— É o menor espaço que já vi entre dois seios.

Afunda a cabeça ali e mordisca.

Estamos fazendo tudo tão lentamente que não me surpreenderia se abrisse os olhos e visse a luz do dia. Josh é sempre tão completamente diferente do que eu espero. Suave, e não durão. Lento, e não rápido. Tímido, e não impetuoso. Meus namorados anteriores e suas preliminares de quem estava com panela no fogo são memórias distantes agora que estou vivenciando o prazer intenso de me deitar debaixo do corpo de Josh.

Ele desliza a mão em meus cabelos e o roçar de suas unhas em meu escalpo me dá arrepios. Então, lambe os dedos. Recolhe-se de modo a ajoelhar entre meus pés, aparentemente tentando me ver melhor. Para mim, funciona. Vejo os músculos de seu abdômen flexionando e acabo emitindo um gemido.

— Como você consegue ter esse físico?

— Não tenho nada melhor para fazer, então vou à academia.

— Agora tem.

Eu me sento e arrasto a boca por aqueles músculos, e faço o que sempre quis fazer: seguro suas nádegas. E são fabulosas.

Suas mãos deslizam por meus cabelos e eu começo a me esfregar em seu abdômen. Não consigo me conter. Encontro alguns pelos, ergo o olhar e descubro que ele tem pelos no peito, uma linha que desce e desaparece na cintura da calça.

— Olhos de tesão — ele me comunica trêmulo.

— Sem brincadeiras, eu quero sentir o seu cheiro. É maravilhoso, sempre é maravilhoso.

Levo meu nariz junto de sua pele e inspiro o mais profundamente que consigo. Josh começa a rir. Olho para ele e abro um sorriso.

Seus dedos descansam no zíper na lateral do meu corpo.

— Eu estou totalmente coberta de hematomas — vou logo avisando.

Murcho a barriga, olhando para o seu abdômen.

— Você fica linda quando está tímida. Eu vou devagarinho.

Ele solta uma das alças, que cai em meu braço. Faz a mesma coisa com a outra. Mordisca o lábio.

— Vou me sentar. Assim me sinto alto demais.

Ouço o farfalhar do tecido enquanto ele se ajeita contra a cabeceira, então me posiciono entre suas pernas e me aninho junto a ele. Suas mãos se abrem em meus ombros e meus olhos se fecham enquanto ele começa a massagear. É a massagem mais doce e mais bem-feita que já recebi. A maioria dos homens já estaria arrancando as roupas a essa altura, mas Joshua não é a maioria dos homens.

— Você se sentava desse jeito quando estava doente.

Ele continua massageando e a fricção é explosiva. Afasta meus cabelos e leva a boca à lateral do meu pescoço. A essa altura, mal consigo lembrar meu próprio nome.

Desliza a mão na seda e segura meu seio nu. Lentamente, suavemente, seus dedos beliscam.

— Isso, assim — geme, trazendo sua boca junto à minha.

Ouço o ruído que emito. O tipo de gemido duro que as pessoas costumam soltar em situações de dor extrema. Mas agora me sinto próxima do orgasmo.

— Imagine todas as coisas que vamos fazer — diz, quase para si mesmo.

— Não quero imaginar. Quero sentir.

Meus pés se agitam inutilmente, esfregando-se nos lençóis, como se eu estivesse sendo eletrocutada.

— Você vai sentir. Mas esta noite não é o suficiente, já sei disso. Sempre avisei: eu preciso de dias. Semanas.

Mal percebo o zíper deslizando. Ele está me puxando levemente para fora do lençol de seda. A sensação de sua mão enorme me acariciando é sublime. Estou sendo mimada e agradada, minha pele se aquece, sou totalmente admirada. Quando consigo abrir os olhos, sua respiração sai quente em minha orelha e o tecido creme está puxado até a cintura. Ele solta minha meia-calça e se aproxima para me olhar nos olhos.

— Hum.

Engancha os dedos na lateral do tecido em meu quadril, puxa-o até as pernas, e agora, à exceção da meia-calça, estou nua.

Vejo sua perna ainda coberta com a calça, o que só torna minha nudez mais vulnerável. Ergo o joelho, tentando me esconder, mas é inútil. Ele emite alguns ruídos suaves, lenientes, atrás de meu ouvido. Sua mão enorme acaricia meu quadril, minhas coxas, cintura. A outra mão acompanha.

— Lucy — parece ser tudo o que consegue dizer. — Lucy, como eu vou conseguir parar esta noite? Sério, como?

Fico toda arrepiada. E estou me perguntando a mesma coisa. Deixo a cabeça pender para o lado e nos beijamos.

Estou rouca e sem ar.

— Eu vou morrer hoje à noite. Por favor, tire as calças.

— Quero essa frase bordada em um travesseiro — diz, e eu dou risada até arfar.

— Você é muito engraçado. Sempre achei. Nunca pude rir, mas sempre tive vontade.

— Ah, então essa é uma das suas regras. — Josh desliza para fora da cama e leva a mão ao botão da calça. — Então o objetivo do jogo é não dar risada?

— O objetivo é fazer a *outra* pessoa rir. Venha, estou ficando com frio.

Na verdade, estou ficando impaciente. Ele puxa as cobertas e os lençóis sobre o meu corpo quando tremo, então observo-o se mexendo todo lascivo enquanto abre o zíper da calça.

— Eu tenho as minhas próprias regras. E o objetivo do jogo é outro para mim.

Ver Josh tirar as calças atinge um patamar inédito. Está usando uma cueca preta que mal cabe em seu corpo.

— Conte. Por favor.

Ele tira a cueca e eu fico boquiaberta. Nem os meus sonhos mais quentes puderam me preparar para o que está diante de mim agora. Estou prestes a dizer que ele é glorioso quando apaga a luz e nos agarramos na escuridão.

— Não! Josh, isso não é justo. Acenda a luz. Quero olhar para você.

Tento levar o braço ao abajur, mas ele desliza sob os cobertores e sinto o calor do seu corpo junto ao meu. Nós dois arfamos sem conseguir acreditar. Pele com pele. E o calor.

Não sei onde precisamente ele está. Está em cada centímetro do meu corpo. Acho que sinto sua respiração bater em meus cabelos, mas viramos um pouquinho e, quando ele suspira, está perto da minha caixa torácica. É desconcertante e erótico, e eu quase sou puxada para fora da minha própria pele quando ele desliza a mão em minhas costas.

A outra mão está me livrando da meia-calça, acariciando minhas pernas. Josh toca meu tornozelo e com cuidado belisca a curva da minha cintura. Sinto mãos por todo o meu corpo.

— Você é tão macia que chega a ser ridículo. Em todo lugar que toco, minha mão se encaixa. Eu estava mesmo certo.

E ele demonstra o que está dizendo. Garganta. Seios. Tórax. Quadril. Em seguida, prova que sua boca também se encaixa perfeitamente. Minha pele esquenta a cada beijo e fricção. Josh lambe a fina camada de suor que começa a brotar em mim e ouço um gemido distante que logo percebo ser meu. Eu gemendo, implorando. Ele percebe e não demonstra qualquer sinal de piedade. Pressiona sua boca perfeita em todas as áreas de pele que deseja. Centímetro a centímetro, me estuda como se eu fosse um mapa. E tudo bem com isso, mas agora eu preciso explorar o corpo de Josh. Quando ele está desfrutando da parte superior das minhas costas, meus gemidos de súplica começam a sensibilizá-lo.

— Por favor, eu preciso tocar em você.

Josh cede e me vira de lado, então deslizo as mãos por seu pescoço até os músculos enormes em seus braços. Aperto. Mordo. Uso as duas mãos para explorar um bíceps, sentindo o peso do músculo. É um prazer enorme estar tocando outra pessoa. A seda, essa pele. Minhas palmas chegam a formigar só com o toque. Minha boca se encaixa em todos os lugares que posso beijá-lo. Meus olhos estão se ajustando e posso ver o brilho dos seus olhos enquanto me permito desfrutar do tempo necessário para testar cada novo músculo, tendão e articulação que encontro pelo caminho.

Na penumbra, deslizo meu corpo contra o seu, sentindo seus suspiros, e puxo-o para que se deite em cima de mim.

— Eu sou muito pesado. Vou esmagar você.

— Tudo bem, eu tive uma vida feliz.

Ele dá uma risada rouca e contente e me obedece, pressionando-me tão firmemente no colchão que perco metade do ar em meus pulmões.

— Ah, tão bom. Tão pesado. Estou amando.

Depois de um minuto, ajoelha-se, pois estou pouco a pouco morrendo. Estendo a mão no espaço entre nós e seguro sua rigidez intrigante. Josh me deixa apalpar e brincar até sua respiração irregular me convencer de que ele está se desfazendo, e é por minha causa. Não consigo pensar de que outra forma conseguiria vencer. Mas então sinto sua boca em meu quadril e ele logo começa a beijar minhas coxas.

Só consigo rir – tanto por causa das cócegas provocadas por sua barba por fazer quanto pela memória de nossa discussão sobre o uniforme da empresa toda uma vida atrás. Ele beija minhas coxas com reverência, sussurrando palavras que não consigo discernir claramente. Parecem ser palavras de elogio; a respiração quente vem pontuada por lambidas, mordidas e mais beijos. Eu jamais suportaria a pressão suave de sua boca, e sei bem qual é seu propósito. Minhas pernas se abrem e eu olho para a escuridão no teto.

O primeiro toque faz tudo girar. O tipo de golpe de língua que você dá em um sorvete derretendo. Inspiro tão forçosamente que quase bufo, e Josh beija a parte interna da minha coxa. Uma recompensa. Não consigo expressar com palavras humanas.

O segundo golpe é um beijo, e penso em seu beijo do primeiro encontro: casto, leve, sem língua. A promessa de tudo o que está por vir. Abraço um travesseiro e chego à conclusão de que ele nunca mais, nunca mais, vai ter um primeiro encontro com outra mulher.

O terceiro golpe é mais um beijo, mas esse deixa de ser casto e se torna sacana tão paulatinamente que mal percebo essa transformação. Ele tem todo o tempo do mundo e, a cada minuto, meu corpo ao mesmo tempo relaxa e fica tenso. Encontro minha voz e consigo emitir um barulho nítido e tortuoso.

– Acho que no manual do RH não existe nenhuma regra com relação a isso.

Sinto-me estremecer e gemer.

– Desculpa – ele me diz. – Você está certa.

Josh não para, mas continua alardeando as regras do RH por vários minutos.

Estou tremendo e cada vez mais próxima da explosão que sei que habita o horizonte. Para ser franca, fico surpresa por ter me segurado por tanto tempo. Baixo a mão, afundo meus dedos em seus cabelos e puxo.

— Não estou aguentando. Por favor. Preciso de mais. Mais, mais.

Afasto-me, puxo seu corpo pelo braço com uma força sobre-humana. Ele suspira indulgente e se ajoelha, e enfim ouço o papel metálico rasgando.

Suas próximas palavras soariam autoritárias, mas ele as pronuncia de maneira trêmula, quase sem ar, o que só mina seus esforços.

— Finalmente vou possuir você.

— *Eu* vou finalmente possuir *você* – rebato.

Ele se abaixa e fico surpresa quando o abajur acende. Atordoada, fecho os olhos e, quando se abrem, Josh está olhando para mim. Suas pupilas escuras provocam sentimentos estranhos em meu coração.

— Oi, Moranguinho.

Nossos dedos se entrelaçam acima da minha cabeça.

A primeira pressão que ele faz é suave, e meu corpo aceita, e depois aceita mais. Sua têmpora está colada à minha, e ele emite ruídos desesperados, como se sentisse dor, como se estivesse tentando sobreviver a esse momento. Involuntariamente estremeço e sua rigidez me invade fundo. Minha cabeça quase bate na cabeceira, e dou risada.

— Desculpa – ele pede.

Beijo sua bochecha.

— Não peça desculpas. Faça outra vez.

CAPÍTULO 26

— A gente nunca fez o Jogo de Encarar com você dentro de mim. Seu quadril flexiona levemente e seus cílios começam a bater.

Eu esperava prazer e pressão, considerando que ele é enorme e eu, pequena, mas é a emoção que agora se aperta em minha garganta a ponto de eu mal conseguir falar. São seus olhos, a expressão presente neles quando Josh começa a mexer o quadril levemente, com cuidado. Não há nenhum impacto brusco, nenhum empurrão a ponto de me fazer ranger os dentes. Ele se movimenta com um controle mensurado. Este é o momento mais picante da minha vida. Não consigo processar cada sensação. Um sentimento que mais parece o de um surto começa a tomar meu peito.

Não consigo manter a compostura diante de seus olhos. Olhos apaixonados. Olhos intensos, ferozes, destemidos. Ele quer que eu me entregue por completo. Não vai aceitar nada menos do que isso.

— Você estava certo... Por algum motivo, nós dois encaixamos. Ah, está tão gostoso! – mal consigo falar. – Estou começando a surtar.

— Bom, não é? – Ele me analisa com bom humor nos olhos. – Sempre sei ser mais do que apenas gentil.

Ele solta meus dedos, desliza a mão por baixo das minhas coxas e me ergue a um centímetro da cama.

— Gentil é bom, gentil é bom — balbucio.

Em seguida, um gemido me escapa.

Joshua Templeman realmente sabe o que está fazendo.

Meus olhos viram. Sei que viram porque ele abre um leve sorriso e volta a movimentar o quadril. Os cobertores caem da cama e agora é como se eu estivesse na primeira fila, olhando para seus músculos maravilhosos e para seu rosto.

— Eu não sou gentil — ele responde.

Lentamente, começamos a nos alongar um na direção do outro, e a fricção só cresce. Nunca senti nada assim. O que só confirma que nenhum dos caras com quem fiquei fizeram direito. Até agora.

Ele está franzindo a testa, concentrado. Deve ser o ângulo que Josh criou que o faz me invadir e tocar o ponto perfeito em meu interior.

— Ahh!

Ele atinge esse ponto outra vez e o prazer é tão intenso que um soluço se enrosca em minha garganta. E outra vez. E outra vez. Nunca na vida joguei esse jogo.

Não tenho forças para erguer o braço e tocar seus ombros. Cada vez que seu corpo desliza para dentro do meu, sou levada para mais perto de uma coisa que sei que vai me matar.

— Está cansado?

Tento demonstrar compaixão, mas ele responde acelerando o movimento.

Minha pele começa a ser banhada em suor. Minhas mãos tentam agarrar os lençóis. Se eu estiver sendo um peso morto, isso não parece incomodá-lo. Só consigo empurrar os ombros contra o colchão e tentar sobreviver a cada momento.

— Eu estou morrendo — alerto. — Josh, eu estou morrendo.

Josh ergue meu tornozelo e o apoia em seu ombro. Abraça minhas pernas e estuda meu rosto com interesse enquanto aumenta o ritmo de suas estocadas. Suas sobrancelhas se repuxam. O Jogo de Encarar acontece em sua melhor forma quando Josh toca o ponto G que por toda a vida pensei que eu não tivesse. Agora, ele existe.

— Ahh! Ahh! Josh!

Quando ele ri em resposta, eu quase me desfaço.

E aqui está o meu problema. Isso não acontece. Primeiro, fazer sexo com alguém é embaraçoso e as pessoas se alternam para tentar descobrir do que o outro gosta ou desgosta. Não tem essa coisa de foder sacanamente e tentar *atrasar* seu orgasmo. Mas eu estou tentando. E ele sabe disso.

— Lucy, pare de se segurar.

— Eu não estou segurando nada — protesto em resposta, mas, diante da minha mentira, ele aumenta sua força.

Balbucio um "obrigada".

— De nada — ele responde, erguendo-me um pouco mais.

Não sei como não está cansado. Vou enviar um cartão de agradecimento para o personal trainer dele. Isso se minha mão ainda conseguir segurar uma caneta. Mordo o lábio. Não posso deixar isso chegar ao fim. E explico a ele.

— Para sempre. Continue fazendo isso para sempre — imploro. Estou quase em prantos. — Não pare.

— Você é teimosa, não é, Moranguinho?

— Não posso deixar isso chegar ao fim. Por favor, Josh. Por favor, por favor, por favor...

Ele pressiona a bochecha em minha panturrilha em um gesto cheio de afeição.

— Não vai terminar — ele me garante.

Percebo que já começa a se perder um pouco. Seus olhos estão claramente embaçados e posso vê-lo apontando-os para o céu, implorando por alguma coisa. Sua pele linda brilha dourada com a luz do abajur.

O que vem em seguida é uma estocada profunda e cuidadosa como as outras, mas dessa vez eu me desfaço.

Não é uma coisa doce e domada que se espalha por mim. Meus dentes batem, eu me agarro a ele e aperto todo o meu corpo. O som de angústia que me escapa provavelmente acorda todo o hotel, mas não consigo segurar. É violento. Quase chuto o maxilar de Josh, mas ele segura meu pé e me abraça. O prazer ferve, meu corpo se repuxa, se aperta, me faz tremer e eu me pego totalmente louca por Joshua Templeman. Ele está certo. Isto aqui não será o suficiente. Preciso de dias. Semanas. Anos. Milhões de anos.

Estou caindo, caindo completamente, e olho para cima enquanto ele também cai.

Inclina-se contra a minha perna e sinto-o tremendo com o orgasmo. Olha para mim, olhos de repente tímidos, e eu ergo a mão para acariciar seu rosto.

Abaixa-me com cuidado. Não consigo sequer contemplar a ideia de deixá-lo se afastar. Abraço-o na altura dos ombros e levo minha boca em sua sobrancelha. Meu peito tem aquela sensação de limpeza de quem correu uma maratona. Ele deve estar sentindo que participou de uma competição de triátlon.

E olha para mim.

— Como Você Está? — sussurra levemente.

— Sou um fantasma. Estou morta.

— Eu não sabia que seria legal — brinca enquanto começa a se afastar de mim.

Peço e imploro e digo *não, não, não*. Sou uma viciada, completamente perdida, esperando a próxima dose enquanto a última ainda corre em minhas veias. Meu corpo tenta se agarrar a Josh, mas ele beija minha testa e se desculpa.

— Sinto muito, preciso ir — diz, andando na direção do banheiro.

Observo-o de costas e me afundo nos travesseiros.

Melhor sexo da minha vida. Melhor bunda que eu já vi.

— Isso é um fato? — ele diz do outro cômodo.

Parece que falei em voz alta.

Uso o antebraço para esconder os olhos e tento controlar a respiração. Sinto o colchão ceder e ele puxa as cobertas sobre minha pele fria e apaga a luz do abajur.

— Agora você vai ficar mesmo insuportável. Mas caramba, Josh. Caramba! — Minha voz sai arrastada.

— Caramba você — ele responde, e sou puxada para o conforto de seus braços.

Encosto minha bochecha nele, deliciando-me em seu suor.

— Vamos criar um plano de jogo para quando acordarmos. Não vou suportar se você ficar toda esquisita comigo.

— Bem, diga bom-dia educadamente, e aí faremos outra vez.

Soo como quem acabou de sofrer um derrame.

Durmo com o ouvido em seu peito, ouvindo-o rir.

De algum modo, sobrevivo até o amanhecer. Estou lavando as mãos quando me olho no espelho.

— Caramba!

— O que foi?

Abro um pouquinho a porta. O quarto está iluminado pelos raios de sol que atravessam as pesadas cortinas.

— Eu me esqueci de tirar a maquiagem. Agora estou parecendo o Alice Cooper.

A maquiagem escura manchada faz meus olhos parecerem azuis e leitosos.

— Outra vez? Você nunca ficou parecida com Alice Cooper antes?

— Sim. Na manhã depois que passei mal, quase gritei ao me ver.

Escovo os dentes e prendo os cabelos em um coque.

— Gosto de você um pouco desarrumadinha.

— Bem, então você gostaria de mim agora.

Estou no chuveiro e tentando, em vão, abrir o embrulho do sabonetinho quando ouço a porta abrindo e ele se juntando a mim, calmamente, como se fizéssemos isso todos os dias. A luxúria me deixa elétrica; é a mais estranha mistura de alegria e medo.

— O sabonete é tamanho Moranguinho — brinca, mordendo a embalagem para abri-la.

Puxa o sabonete do tamanho de uma moeda e o segura entre o indicador e o polegar.

— Eu vou me divertir com isso.

Fico tão impressionada com a imagem de sua pele dourada e aveludada sendo atingida pela água que não consigo fazer nada além de contemplá-lo por alguns minutos. Minha língua já desliza no canto da boca, como se eu fosse um cão esfomeado. A água escorre por cada músculo, fazendo aquele corpo brilhar ainda mais.

Seus pelos nascem no centro do peito, vão sumindo em direção aos mamilos e descendo em uma linha fina na direção do umbigo. Depois de ser bombardeada com um milhão de outdoors com homens depilados usando só cueca, quase esqueci que eles têm pelos. Acompanho o caminho da água até os pelos engrossarem, até a imposição da ereção. Tudo está molhado. Veias maravilhosas o suficiente para fazerem meus joelhos perderem a força. Ele esteve dentro de mim. Preciso senti-lo aqui outra vez. Preciso senti-lo tantas vezes, até perder as contas.

— Você está...

Balanço a cabeça. Tenho que fechar os olhos para lembrar como articular as palavras. Esse homem é demais. Não posso ter capturado essa criatura enorme dentro do box no banheiro de um hotel, e ele está me observando com aqueles olhos que tanto amo.

— Ah, não, eu sou horrível — sussurra, dissimulando uma tragédia, e sinto o sabonete sendo pressionado em minha clavícula, girando um pouco até se tornar mais pegajoso.

— Meu personal trainer tinha certeza de que esse disfarce ajudaria com as mulheres. Que perda de tempo e energia.

Forço meus olhos a se abrirem, e eles parecem estar dopados de ópio. Percebo isso quando Joshua dá risada.

Levo o polegar à linha formada por seu sorriso.

— Você é lindo. Maravilhoso. Nem acredito que você existe.

Afasto-me até estar com as costas nos azulejos, para ver melhor, e agora é a vez de Joshua observar cada centímetro do meu corpo. Meus braços doem com o esforço que tenho de fazer para não usá-los para me esconder. Seus músculos perfeitos me fazem parecer tão esguia. Seus olhos escurecem enquanto ele me analisa da cabeça aos pés.

– Venha aqui – convida baixinho.

Seguro sua mão quando ele a estende.

Que jeito de começar o dia! Tomando banho com meu colega de trabalho e nêmesis.

Assim que esse pensamento toma forma, sei que está muito desatualizado. Não posso continuar mentindo para mim mesma. Ele me puxa para longe do azulejo gelado e me leva na direção da ducha, verificando a temperatura antes de me colocar debaixo da água. Depois, passa o braço por trás de mim e me dá o que só pode ser descrito como um abraço. Pressiono-me firmemente em sua ereção e sinto-o gemer.

– Como Você Está? Não se sente esquisita? Prestes a ter um ataque?

Joshua passa o sabonete debaixo do meu seio, em minha caixa torácica. Ergue meu braço para inspecioná-lo, e então comparamos o tamanho de nossas mãos.

– Não, eu estou bem. Por que não nos preocupamos com a possibilidade de nos sentirmos estranhos? A maioria das mulheres se preocupa em criar uma situação para os homens saírem cedo para malhar, assim elas podem escapar. E, neste caso, não seria tão difícil assim.

– Eu estava pronto para isso muito antes de você – conta.

Parece saber que não quero molhar os cabelos, então nos faz virar ligeiramente. Suas mãos escorregadias deslizam por meu quadril.

– Ah, é?

– Sim.

– Há quanto tempo?

– Muito tempo.

– Nunca suspeitei.

– Eu sou muito discreto.

Ele está se divertindo com nossa troca de palavras.

Pego o sabonete, que já está próximo de se desfazer. Seguro-o na palma da mão, o que me dá uma boa desculpa para apalpar seu corpo enquanto sua língua lambe as gotículas de água em meu maxilar.

Olhamos um para o outro, nariz com nariz, olhos apenas entreabertos, e tudo gira. Os cantos do box não passam de ar frio, mas, debaixo da ducha, ficamos cada vez mais quentes, até eu ter certeza de que estou quase suando. É o beijo.

Os minutos e horas se desfazem quando estou beijando Josh Templeman. Não há o sol no céu, nenhuma caixa de água que pode esvaziar, nem hora de fazer check-out. Ele usa todo o tempo necessário comigo. É um homem raro, que alcança quase o impossível. Beija-me no momento presente.

Isso é algo com o que sempre tive dificuldade em relacionamentos passados: desligar o cérebro. Mas aqui só existimos nós dois. Nossos lábios encontram o ritmo, o vai e vem de um pêndulo que deslizava fazendo a mais delicada das curvas, outra vez, e outra vez, até não haver nada mais para mim neste mundo, nada além do corpo dele, do meu e da água caindo em nós e destinada a se transformar em uma nuvem no céu.

Ele faz palavras como "intimidade" parecerem inadequadas. Talvez seja sua maneira de usar o polegar para inclinar meu rosto enquanto os outros dedos se abrem atrás dos meus ouvidos, em meus cabelos. Quando tento sugar uma lufada de oxigênio, Joshua me abastece com o seu ar. Minha cabeça vira para o lado, onírica e pesada, e ele segura meu maxilar. Olho para ele e uma explosão de emoções se expande dentro de mim. Acho que percebe em meus olhos, porque abre um sorriso.

Nada como ter suas mãos em meu corpo para me lembrar de como são grandes. Ele as apoia em minhas costelas, depois desliza as palmas para me mostrar o quão perfeitamente caibo nelas. Quando não consigo aguentar mais, ele me vira para a parede e seus dedos se abrem como asas em minhas costas.

Suas unhas me arranham levemente e ele sussurra ao meu ouvido. Está me dizendo que sou linda. A tortinha de morango mais deliciosa. Sou o sabor que jamais sairá de sua boca. E que quer que eu tenha certeza, toda a certeza do mundo, antes de tomarmos qualquer decisão.

O JOGO DO AMOR/ÓDIO

Enquanto lambe a água de meus ombros, leva uma de suas palmas enormes entre as minhas coxas. Sinto meu pé deslizar um centímetro no piso. Dois centímetros. Estremeço e ele coloca um braço em minhas clavículas.

Posso jurar que meu gemido ao sentir o primeiro toque ecoa à nossa volta. Começa a me acariciar e eu estendo a mão para trás, segurando seu membro em retribuição. Nossos gemidos conjuntos criam um barulho cavernoso ao ricochetearem nos azulejos.

— Dê tudo para mim — implora, falando ao meu ouvido.

Eu repito as palavras para ele. Não tenho nada além de músculos quentes e molhados tocando em mim, por todo o meu corpo, sua boca mordiscando o lóbulo da minha orelha e suas estocadas fortes em minhas mãos de tamanho inadequado. Josh parece não se importar com o fato de minhas mãos serem tão pequenas; aliás, já está começando a urrar.

Eu tenho meus problemas. Como tentar não fazer tanto barulho para as pessoas lá fora do quarto não ouvirem. É surpreendentemente difícil, considerando a quantidade maravilhosa de fricção que ele está investindo em mim. *Shhh,* Josh quase dá risada. Aperto a mão um pouco mais em seu membro. Nós dois ficamos tensos e gritamos quase juntos.

Dessa vez, é um desabrochar. Sua bochecha se apoia no azulejo acima de mim e, sem dizer nada, olhamos um para o outro enquanto trememos. É estranho ver nossos corpos se separarem. Tenho a sensação de que é fácil me acostumar a viver com esse homem.

Não existe um jeito adequado de terminar um momento assim. Como se faz para voltar à realidade? Este hotel precisa de uma placa comemorativa.

— Caramba! Já está quase na hora do café da manhã! Temos que nos apressar. Eu tenho que arrumar a mala.

— Vamos pular o café da manhã. — Suas mãos brincam com a curva da minha cintura e quadril.

Para cima, para baixo, para um lado, para outro.

— Sua mãe está esperando. Vamos lá.

— Não — ele rosna infeliz, e suas mãos deslizam em meus ombros.

— Não — retruco antes de sair do chuveiro, fugindo de seu toque.

Enrolo a toalha no corpo e vejo as horas no relógio no criado-mudo.

— Vamos, temos quinze minutos. Corra.

— Vou reservar mais um dia de quarto. Podemos ficar horas aqui. Poderíamos viver aqui.

— Josh, eu gosto da sua mãe. E não sei se sou uma idiota por querer deixá-la feliz, nem sei se vou voltar a vê-la depois de hoje. Mesmo assim, notei que ela sente saudade de você. Talvez esse seja o meu papel nesse fim de semana, forçá-lo a estar outra vez com sua família.

— Que doçura. Me forçar a fazer coisas que não quero. E é claro que você vai voltar a ver a minha mãe.

— Certo. Deixe-me explicar: fui convidada para tomar café da manhã e eu vou tomar café da manhã. Estou morta de fome. Você e seu sexo arrancaram toda a minha energia. Já você... Bem, faça como quiser.

Consigo aplicar o rímel, além de Lança-Chamas em metade do lábio superior. Em seguida, ele se posiciona atrás de mim e analiso nosso reflexo no espelho.

As diferenças entre nós nunca foram tão claras nem mais eróticas. O contraste do meu corpo com a glória enorme e musculosa dele quase acaba com o meu propósito de ir ao café da manhã. Ele leva meus cabelos para um lado do pescoço e me dá um beijo. Olhamo-nos através do espelho e eu deixo escapar uma respiração irregular.

Quero dizer-lhe que sim, que reserve este quarto para todo o resto de nossas vidas. Que, se eu tivesse mais tempo, eu o convenceria a me amar. Perceber isso faz minha garganta fechar.

Teria de estar cega para não ver a luz da afeição em seus olhos quando ele me abraça e volta a beijar a lateral do meu pescoço. Teria de ter mil anos para esquecer o jeito como me beija. É o florescer de algo que um dia pode se tornar impressionante, mas tenho fortes dúvidas de se essa relação sobreviveria no mundo real. Essa bolha na qual estamos não é a realidade. *Quem me dera fosse, quem me dera vivêssemos aqui. Eu devia dizer tudo isso a ele, mas não tenho coragem.*

Fecho os olhos.

— Podemos tomar o café da manhã e depois acelerarmos em velocidade recorde rumo ao seu apartamento.

— Pode ser. Belo batom, a propósito.

Termino de passar batom e esfrego os lábios uma vez. Ele pega o lenço. Segura-o, admira.

— Parece um coração — conclui.

— O que acha de comprar uma tela em branco e eu beijá-la para você? É um jeito de se lembrar de mim.

Dou-lhe uma piscadela para manter o tom descontraído.

A resposta sarcástica que estou esperando nunca chega. Em vez dela, vejo-o dar meia-volta e sair do banheiro. Alguns minutos depois, quando eu saio trazendo comigo a *nécessaire* de maquiagem, ele está de calça jeans e camiseta vermelha.

— Nunca o vi usar vermelho. Por que será que todas as cores do arco-íris caem bem em você?

Ele coloca o celular ao lado da minha bolsa, junto à rosa branca que peguei de sua lapela.

— Até parece!

Fecha o zíper da mala e fica parado diante da janela, olhando para a água.

Procuro minha calça jeans e o suéter preto de casimira na mala, e fico contente por tê-los trazido. O ar lá embaixo está bem fresco, mais frio do que o de costume para mim. Estou me vestindo e ele não observa. Dou um saltinho para fechar a calça jeans e ele não se vira. Faço bastante barulho ao colocar perfume em meu decote, e sua narina sequer se abre mais do que o normal.

— Vai dar tudo certo no café da manhã.

— Sim, claro — responde com uma voz fraquinha.

Enfio os pés em um par de sapatilhas e decido deixar meus cabelos em um coque úmido e bagunçado. Vou atrás dele e abraço-o na altura da cintura, descansando a maçã do rosto em suas costas.

— Conte para mim qual é o problema.

— Eu só sirvo para uma noite e nada mais. Isso era tudo o que eu vinha tentando evitar. Eu estava tentando construir alguma coisa, e não criar essa sensação de que termina aqui.

— Não! Ei! Como foi que eu o fiz sentir-se assim?

Puxo seu cotovelo até ele olhar para mim.

— Você fala constantemente como se tudo já tivesse acabado. Uma marca de batom para eu me lembrar de você? Por que exatamente eu precisaria disso?

— Nós não vamos trabalhar juntos por muito tempo.

— Eu não a quero só por esse tempo. Passei por tanta coisa, deixei de lado tanta coisa, para tê-la só por uma noite? Não é o suficiente.

Ele está certo, é claro. O resultado da entrevista paira como uma foice sobre nós. Um golpe de impaciência toma conta de mim.

— Posso passar a noite na sua casa hoje? — É tudo o que consigo dizer. — Posso dormir na sua cama?

— Acho que sim — responde mal-humorado.

Puxo-o pela calça e o levo até sua mala.

Olho outra vez para a cama. Quanta coisa pode mudar em um único espaço? Talvez Josh esteja pensando a mesma coisa. Ele beija minha sobrancelha com tanta delicadeza que sinto lágrimas começando a se formar em meus olhos.

Dou uma olhada no recibo quando fazemos check-out. O preço desse quarto mágico de hotel é o equivalente a quase uma semana do meu aluguel. Ele assina como se fosse o Zorro. Minha bochecha encosta em seu peitoral perfeito.

— E teve uma estadia agradável?

A recepcionista bem-arrumada exibe um sorriso um pouco exagerado demais para Josh enquanto conclui o check-out. Parece ignorar totalmente a minha presença, ou talvez só esteja impressionada. Olho para seus cabelos bem-arrumados e loiros. Seu batom rosado é forte demais para seu tom de pele. Barbie de hotel.

– Sim, obrigado – ele responde distraído. – A pressão da água no chuveiro estava ótima.

Olho em seu rosto e percebo o canto de sua boca se repuxar, o leve sorriso destacando seus traços.

A recepcionista sem dúvida o está imaginando no banho. Seus olhos deslizam do bíceps de Josh para a tela do computador. Da tela para o rosto dele. Ela grampeia e dobra e procura o envelope perfeito para o recibo, muito embora o cliente no balcão ao lado não tenha levado seu recibo dentro de um envelope.

Ela mexe os dedos e faz uma dezena de outras coisinhas para poder observar áreas do corpo dele. Explica sobre o programa de fidelidade e que no próximo check-in Josh receberá uma garrafa de vinho como cortesia, provavelmente cortesia dela, sobre a cama. Pede para confirmar o endereço e o número de telefone.

Meus olhos estão estreitados, tamanha minha irritação. Josh não percebe e começa a beijar minha têmpora. Mas afinal, quem pode culpar essa mulher?

Um homem com um corpo desses, com um rosto desses, sendo tão insuportavelmente doce e gentil? Eu também quase cairia morta. É como ver um metaleiro abraçando uma criança ou um pugilista beijar seu amor na primeira fila de uma luta. Masculinidade bruta contrastando com gentileza é a coisa mais atraente em todo o planeta.

Josh é a coisa mais atraente em todo o planeta.

Percebo que o semblante da recepcionista endurece quando ela lança um olhar especulativo para mim. Abro a mão no peito de Josh para dizer que ele é meu. A mulher das cavernas ciumenta dentro de mim não consegue resistir.

– Podemos pedir seu carro?

– Sim – Josh responde ao mesmo tempo em que eu digo:

— Não. Não, vamos tomar café da manhã. Podemos deixar as malas aqui?

— Claro.

Ela lança um olhar para a mão esquerda dele, em busca de uma aliança. Em seguida, analisa a minha mão.

— Obrigada, senhor Templeman.

— Vou precisar colocar uma aliança de casamento falsa no seu dedo se voltarmos a este lugar — resmungo enquanto atravessamos o saguão a caminho do restaurante.

Josh quase tropeça.

— Por que está dizendo isso?

Passamos pelo salão de baile e vejo a equipe de limpeza recolhendo o que sobrou das bexigas rosadas de Mindy.

— A recepcionista queria pular em cima de você. Não posso culpá-la, mas entenda, eu estava ali do seu lado. Será que sou invisível agora?

Josh me olha de soslaio.

— Que primitivo.

Chegamos às portas duplas de vidro e ele se posiciona ao meu lado. Passo a cabeça pela porta e avisto toda a sua família. Ergo a mão para acenar, mas ele me puxa para trás e me censura. Fico sem entender nada.

— Podemos comer à vontade! — Meu deleite fica evidente na voz. — Veja esses croissants de manteiga e os de chocolate! Rápido, não restam muitos.

— Vou fazer um apelo pela última vez. Vamos voltar para casa agora mesmo. As coisas transcorreram muito bem ontem em minha relação familiar. Vamos evitar prejuízos.

— E fazer o quê? Dar o fora daqui cantando pneus, tipo Thelma e Louise?

— Todos eles adoraram você.

— Eu sou imensamente adorável. Vamos entrar, Josh. Croissants. Eu estou aqui com você. Ninguém vai feri-lo enquanto eu estiver por perto. Tenho comigo minha arma invisível de paintball. Leve-me lá para dentro, me ofereça carboidratos e depois me leve de volta para sua casa, para o seu quarto azul.

Ele beija meus lábios. Olho por sobre o ombro, para a recepção.

– Vamos, seja corajoso. Esqueça o seu pai e concentre-se na sua mãe. Seja um cavalheiro. Estou entrando.

Entro no salão e não sei se ele está me acompanhando. Se não estiver, a situação vai ficar um pouco constrangedora.

CAPÍTULO 27

Elaine, Anthony, Mindy e Patrick estão sentados à mesa perto da janela. Todos param de falar quando me aproximo. Aceno como uma boba. Todo mundo parece surpreso.

– Oi!

– Lucy! Olá! – Elaine se recompõe e olha para a mesa.

Ah, não há cadeiras livres. E não estamos nem cinco minutos atrasados. Claramente não esperavam que aparecêssemos. Josh está se aproximando, ainda bem.

– Rápido, rápido! – Começo a olhar as outras mesas.

– Mais cadeiras – Elaine pede.

Ela compreende perfeitamente. Se Josh chegar e vir que não tem cadeiras para nós, vai ficar muito irritado.

Anthony continua sentado no lugar reservado ao pai da família do noivo e lê seu jornal como se nada acontecesse. Não, espere. Não é um jornal, é uma publicação médica. Jesus Cristo! Ele não faz o mínimo esforço para demonstrar que reconhece que há outras pessoas no salão.

Há uma grande movimentação e eu consigo pegar cadeiras emprestadas da mesa ao lado. Quando Josh chega com um prato de croissants e uma xícara de chá, todos estamos sentados da forma mais casual possível, tentando entregar os pratos a quem eles originalmente pertenciam.

– Bom dia – todo mundo cumprimenta.

– Oi – ele diz com precaução, ajeitando o prato e a xícara à minha frente. – Peguei os últimos para você.

É um prato repleto de croissants e morangos. Josh usa a mão para acariciar a lateral do meu pescoço.

– Quanta doçura da sua parte. Obrigada.

– Vou pegar uma coisa – avisa antes de sair.

Elaine o observa. Em parte, está entristecida; em parte, bem-humorada. Em seguida, olha para Anthony.

Ofereço um sorriso a Mindy para dizer que não estou mais chateada. Minha pele provavelmente tem aquele brilho pós-orgasmo. Ela sorri para mim em resposta.

– Como está se sentindo, senhora Templeman?

Não penso demais sobre a pergunta, mas as palavras "senhora Templeman" me dão um choque. Talvez eu seja excepcionalmente empática, mas sinto como se uma bomba atômica tivesse sido lançada. As palavras ecoam em meus ouvidos, nas paredes, e vibram em meus ossos.

"Senhora Templeman." Muito primitivo, de fato.

– Um caco. Tão cansada que é como se eu estivesse sonhando. Mas de uma maneira positiva.

Ela oferece um sorriso enorme e olha para a toalha de mesa.

– Senhora Templeman, isso parece tão...

Cobre o rosto com a mão, suspira, ri e fica sem graça. Menos, Mindy.

– Desculpe-nos por termos pegado uma mesa menor – Elaine começa a se explicar, mas eu já vou negando com a cabeça.

– Não tem problema. Eu quase tive que laçar seu filho para trazê-lo aqui.

Finjo estar girando uma corda sobre a cabeça e as mulheres explodem em risos. Os homens permanecem em silêncio, lendo e comendo.

— Posso imaginar. A pequena peoa puxando-o atrás dela, ele bufando e todo nervosinho.

— Não sei por que Joshua faz tanto drama com tudo — Patrick interrompe com delicadeza antes de tomar um gole rápido de seu café.

Tenho a sensação de que é tão ocupado que faz todas as refeições em goladas e engolidas rápidas e escaldantes. Talvez seja uma característica dos médicos: engolir a comida em vez de apreciá-la.

— Ele é tímido. Deixe-o em paz.

Patrick franze a testa para as minhas palavras imprudentes, que mais soam como as de uma irmã, e depois dá risada. Ele olha para Josh.

— Tímido? Até parece!

Em seu rosto, noto que ele está processando essa informação, como eu a processei ontem. A timidez tem muitas formas diferentes de se expressar. Algumas pessoas são tímidas e compassivas. Outras, tímidas e duronas. Ou, no caso de Joshua, tímidas e protegidas por uma armadura de exército.

— Josh, Lucy, obrigada pelo presente — Mindy diz quando Josh toma seu assento.

Ela me olha nos olhos e sorri, claramente pensando que fui eu quem o escolheu.

— No fim, acabei não vendo o que foi que ele escolheu — respondo antes de dar uma enorme mordida no croissant.

Josh está com o braço na parte traseira da cadeira, a mão aberta em meu ombro.

— Um conjunto maravilhoso de taças de cristal para champanhe. E com as nossas iniciais gravadas! Além de duas garrafas de Moët.

— Bom trabalho, Josh.

— O casamento foi bonito — Josh elogia para Mindy.

Observo os olhos dele enquanto os dois se encaram. Provavelmente é a primeira vez que se veem assim desde que terminaram. Quase tremo, tamanha minha concentração na tentativa de tentar detectar qualquer sinal de mágoa, luxúria, ressentimento, solidão. Se eu tivesse bigodes de gato, eles estariam se repuxando neste momento.

— Obrigada — Mindy responde.

Olha novamente para sua aliança e depois para Patrick com uma devoção tão clara que só consigo observar Josh duramente. Se ele fosse reagir mal em algum momento, teria sido agora. Mas Josh sorri, olha para seu prato e olha para mim. Beija minha têmpora e eu me convenço.

— Como você conseguiu manter Lucy escondida da gente? — Mindy pergunta enquanto corta um pedaço de grapefruit.

— Ah, bem... Você sabe, eu a mantenho presa no meu porão.

— E não é tão ruim quanto parece. Ele criou um espaço bem confortável para mim lá.

Todos dão risada. Todos, menos Anthony, naturalmente.

E aí me dou conta de algo novo. Não estou me empenhando em nada. Isso explica porque me sinto tão confortável aqui, tomando um café com estranhos. Se gostarem de mim, ótimo. Se não gostarem, a vida segue seu curso. Mas tenho aquela mesma sensação de relaxamento de quando estou com a minha família. Se eu inclinar a cabeça um pouquinho para a direita, simplesmente deixo de ver Anthony.

Mindy comenta sobre alguns dos outros presentes que o casal recebeu. A aliança dourada de Patrick brilha com os raios leves de sol que passam pelas nuvens, e ele de vez em quando usa o polegar para tocá-la. Com doçura nos olhos, Mindy observa.

O café da manhã de Josh é composto por dois ovos escalfados, uma fatia de torrada integral e um punhado de espinafre cozido. Ele ingere tudo isso em duas engolidas. Olha para meu prato e, por debaixo da mesa, belisca minha barriga. Seu corpo é um templo; o meu a essa altura já se transformou em uma cabana de manteiga.

— Mais café?

Levanto-me e decido buscar mais uma porção de frutas. Não posso simplesmente ficar ali sentada e comendo massas. Ele segura meu punho e ergue o olhar na direção do meu rosto. "Fique aqui", é o que seus olhos me dizem. Dou alguns tapinhas em seu ombro e ele relutantemente solta a caneca.

— Eu já volto. Alguém mais quer alguma coisa?

Levo o tempo necessário fuçando na máquina de café. Tudo é um pouco constrangedor, e me ocorre que sou essencialmente uma intrusa neste lugar. A única à mesa que não carrega o sobrenome Templeman.

Enquanto luto com os pegadores plásticos para conseguir mais uma fatia de melancia, percebo as vozes endurecidas. Estou enchendo meu prato de uvas quando me dou conta. Puta merda!

Apresso-me de volta à mesa e nela apoio meu prato e a caneca de Josh. Mindy está congelada, olhos assustados, enquanto Patrick parece resignado.

— Mas o que quero saber é por que você jogou fora o seu curso de Medicina. Para concluir um MBA, basta ter dinheiro — Anthony censura ao parar de ler, ignorando totalmente o café da manhã e olhando duramente para Josh.

Sério, juro que não passei mais do que dois minutos longe da mesa. Como a situação fugiu tão rapidamente do controle? Acho que qualquer bomba nuclear não tem nada além de um botão vermelho, e não é necessário muito tempo para apertá-lo. Encosto a mão na nuca de Josh como se estivesse segurando a coleira de um cachorro prestes a atacar.

— Pelo amor de Deus! Se você entendesse um mínimo das coisas, saberia que é quase impossível concluir um MBA executivo enquanto se trabalha em período integral. E eu consegui concluir meu MBA entre os melhores alunos da instituição. Recebi quatro ofertas de trabalho e as empresas me ligam até hoje.

— Fico surpreso por você ter concluído o curso, se era tão difícil assim — Anthony rebate. — Pensei que seu hobby fosse desistir das coisas.

— Ei! — intrometo-me.

Ainda estou em pé e com uma mão na cintura.

— Lucy, eles só estão… — Elaine não sabe direito o que fazer. — Talvez você devesse conversar com Josh lá fora, Anthony.

As pessoas sentadas às mesas em volta estão todas com os talheres baixados, demonstrando variados níveis de interesse ou desconforto.

Josh dá uma risada torpe.

— Por quê? Para que possamos sair no braço? Ele bem que adoraria isso.

Anthony vira os olhos.

— Você precisa...

— Ser mais forte? É isso que está prestes a me dizer? A mesma coisa que diz sempre, desde que eu nasci? — Josh olha exasperado para mim. — Será que podemos ir agora?

— Acho que talvez vocês devessem tentar se entender.

Mas pode ser que essa discussão leve mais cinco anos.

— Ela é uma dessas que fazem a linha sentimental — Anthony diz a Elaine, e ironiza: — Que ótimo.

Os olhos de Josh estão perigosamente estreitados.

— Não se atreva a dizer nada sobre ela.

— Bem, foi ela quem não resistiu e se intrometeu.

— Quieto — Elaine censura Anthony. Está furiosa. — Eu só pedi para você ser civilizado e ficar de boca calada.

Olho para Anthony e ele me encara. Seus olhos estão cheios de escárnio enquanto me analisam da cabeça aos pés. Em seguida, bufa e olha pela janela, obedecendo a esposa de boca fechada.

Minha nossa! Eu não vou suportar isso duas vezes na vida, e certamente não vou suportar isso vindo de outro Templeman. Meu sangue agora ferve.

— Seu filho é incrivelmente talentoso e focado. Tem uma inteligência impressionante. É peça fundamental para manter aquela editora funcionando.

— Não me diga! O que ele faz lá? Cola selos com saliva? Atende telefonemas?

Nós nos encaramos e eu só consigo dar risada.

— Você acha mesmo que é isso que Joshua faz?

— Não vou ficar aqui sentado e recebendo um sermão seu, mulherzinha. Eu já vi a assinatura nos e-mails dele. Assistente do CEO. Não sei quem você pensa que é.

Ele está tentando restabelecer sua autoridade. Talvez eu me sente aqui e seja uma boa menina. O instinto de Josh de me proteger o está fazendo se levantar da cadeira, mas eu o puxo para que continue sentado.

Já entendi qual é a desse homem.

— Eu sou a pessoa que sabe mais sobre o seu filho. Mais do que você próprio. Ele é a pessoa a quem as equipes de finanças e vendas se reportam. Todo mundo morre de medo do seu filho lá. Certa vez, um homem de 45 anos veio me implorar para eu entregar alguns documentos em uma reunião para que não precisasse participar. Já vi equipes inteiras correndo de um lado a outro como formigas, verificando duas ou três vezes seus cálculos. E, mesmo assim, Josh encontrava erros. E, quando isso acontece, alguém sempre tem um dia bem estressante.

Anthony começa a balbuciar alguma coisa, mas eu logo o interrompo. Estou tão agitada que poderia estrangular esse homem. Francamente, eu poderia agarrar seu pescoço e apertar com toda a minha força.

Sou Lara Croft com armas erguidas e olhos furiosos, com desejo de retaliação.

— A única coisa que impediu a Bexley Books de implodir por completo antes da fusão foi Josh ter recomendado que a força de trabalho deles fosse reduzida em 35%. Eu o odiei por isso. Foi uma medida fria e calculista. E seu filho sabe ser frio e calculista, você nem imagina o quanto. Por outro lado, essa atitude de Josh também significou que 120 pessoas mantivessem seus empregos e pudessem pagar seus financiamentos. Então, nem se atreva a tentar dar essa impressão de que Josh não é nada. E sei também que seu filho participou ativamente das negociações da fusão. Um dos advogados me disse que Josh é, palavras dele, "um cara durão pra caralho".

Não consigo mais parar. É como se eu estivesse expurgando alguma coisa.

— O chefe dele, que tem o título de co-CEO, é um velho gordo e preguiçoso, tão desligado da realidade por seus remédios que deve ser incapaz de amarrar os próprios cadarços. É Josh quem faz aquela empresa seguir funcionando. Somos seu filho e eu.

Olho para todos eles. Josh está afundando os dedos na cintura da minha calça jeans.

— Sinto muito por estar provocando uma cena enorme aqui. E eu gosto de todos vocês. — Lanço um olhar para Anthony antes de prosseguir: — Menos de você. Passo mais tempo com ele do que qualquer outra pessoa, e devo dizer que você não sabe a joia que tem. Vocês têm Josh. Ele é um babaca, é difícil de lidar. Eu o odeio quase metade do tempo e ele me deixa louca, mas isso claramente é hereditário. Você me olhou exatamente do mesmo jeito que Josh me olhou quando o conheci. Da cabeça aos pés, depois olhou pela janela. Será que você sabe tudo a meu respeito? Sabe tudo a respeito dele? Acho que não.

— Eu estava tentando estimular meu filho. Algumas pessoas precisam de um empurrãozinho — Anthony se explica.

— Não se pode ter as duas coisas. Você não pode negligenciar seu filho o tempo todo e depois disso ainda querer questionar as escolhas dele.

Anthony leva a mão à testa e a esfrega ali como se tivesse uma dor de cabeça.

— Meu pai deu um empurrãozinho no meu irmão mais novo.

— E seu irmão gostou?

Ele olha para o lado. Imagino que não muito.

— Hoje em dia ele é médico, sinto lhe informar.

Anthony arregala os olhos para mim.

— Mas quero que saiba de uma coisa. Seu filho poderia ser médico, se quisesse. Pode ser qualquer coisa que quiser ser. Nada acontece por acaso. Nada disso acontece porque ele não é bom o suficiente. É a escolha dele.

Sento-me duramente. Mindy e Patrick olham um para o outro, totalmente boquiabertos. Caramba, todo o salão está boquiaberto. Ouço alguém bater palmas e parar rapidamente.

— Me desculpe, Elaine. — Tomo um demorado gole de chá, quase derrubando a bebida em minha blusa.

Minhas mãos estão tremendo.

— Não peça desculpas por defendê-lo assim — ela me diz baixinho.

Acho que com "assim" ela quer dizer "como uma leoa furiosa".

Encontro a coragem necessária para olhar para Josh, que parece estar totalmente em choque.

— Eu... — A voz de Anthony falha e eu o encaro, lançando aquele mesmo olhar sem emoção que apontei tantas vezes antes a seu filho. — Eu... é... — raspa a garganta e olha para seus talheres.

Minha audácia é impressionante:

— Sim, doutor Templeman. Quer dividir seus pensamentos?

— Eu realmente não sei muita coisa sobre o seu trabalho, Josh.

O queixo de todo mundo cai mais um pouquinho. O meu, não. Jamais darei essa satisfação a Anthony. Olho em seus olhos e mentalmente afundo uma faca de peixe em sua barriga. Arqueio uma sobrancelha.

— Eu... fiquei interessado em conversar mais sobre esse assunto com você, Josh.

Eu me intrometo:

— Agora que você sabe que ele é um homem bem-sucedido? Agora que sabe que ele quase certamente será promovido ao cargo de diretor de operações de uma das editoras mais importantes do país? Agora que você tem algo a contar para os seus colegas das partidas de golfe?

— Squash — Patrick me diz. — Ele joga squash.

Acabo de dar a Anthony o maior sermão de sua vida. Ele não consegue falar. E isso é maravilhoso.

— Você deveria amá-lo e sentir orgulho dele, mesmo se ele trabalhasse separando as correspondências da empresa. Mesmo se estivesse desempregado e louco e vivendo debaixo da ponte. Agora nós vamos embora. Elaine, foi um prazer. Adorei conhecê-la. Mindy, Patrick, meus parabéns outra vez e aproveitem a lua de mel. Desculpe pela cena que causei. Anthony, tudo isso é verdade. — Levanto-me. — Agora *nós* saímos cantando pneu como Thelma e Louise.

Josh se levanta e vai beijar o rosto de sua mãe. Ela tenta, em vão, agarrar o punho do filho.

— Mas quando vou voltar a vê-los? — pergunta, olhando para Josh e para mim.

Percebo o maxilar de Josh se apertando e quase posso ouvir um pedido de desculpas brotando em sua língua. Talvez ele simplesmente suma do radar da família Templeman. Minhas próximas palavras surpreendem até a mim mesma, especialmente considerando que eu basicamente acabei de me despedir deles pela última vez na vida.

— Se a senhora for para a cidade nos próximos tempos, podemos nos encontrar para um almoço. E depois assistir a um filme. Anthony, você também está convidado.

Seu queixo, ainda caído, parece balançar com a brisa. Eu continuo:

— Mas só se estiver pronto para agir civilizadamente e aproveitar a oportunidade de conhecer seu filho. Acho que já sabe que não vai mais poder ter ataques com Josh. Só eu posso ter meus surtos, porque ele adora os meus ataques.

— Você e eu vamos ter uma discussão. Lá fora. Agora — Elaine anuncia ao marido, já se levantando e apontando para as portas duplas que levam ao jardim.

Anthony mais parece um homem indo para a forca. Conheço uma leoa feroz quando a vejo. Seguro a mão de Josh e passamos pelo nosso público enfeitiçado.

— Não precisa pagar nada — o caixa me diz. — Senhora, isso foi melhor do que teatro.

Pego nossas malas com a recepcionista, e ainda bem que dessa vez quem está ali não é a loira luxuriante. É bem possível que, depois de tudo o que passamos no restaurante, eu arrancasse a cabeça dela. Andando juntos, marchando com passos coordenados, deixamos o lobby como dois advogados em busca de justiça em algum desses seriados de TV.

Peço ao manobrista para trazer nosso carro e dou meia-volta.

— Está bem, deixe comigo.

Acabo de fazer um escândalo incrivelmente constrangedor. Posso ver as pessoas cochichando sobre mim enquanto esperam seus táxis. Vou ser a estrela do relato de pelo menos vinte pessoas sobre "aquele incidente do restaurante".

Josh me ergue em seus braços.

– Obrigado – ele me agradece. – Muitíssimo obrigado.

Então nos beijamos e ouço alguns aplausos.

– Você não está bravo por eu tê-lo resgatado? Meninos não precisam ser resgatados.

– Este aqui precisava. E vou deixar você escolher qual quer ser: Thelma ou Louise – diz, colocando-me de volta no chão enquanto nosso carro chega.

– Você é o mais bonito, então acho que é Thelma.

Ele empurra o banco do motorista para trás. Percorremos meio quarteirão antes de Josh explodir em risos.

– Você disse ao meu pai que aquilo foi "real".

– Como se eu fosse uma roteirista péssima de TV que acha que é assim que as crianças falam.

– Mas eu me sinto mal pela minha mãe. Ela pareceu tão arrasada.

– Não se preocupe. Ela vai falar um monte de merda para ele.

– Eu não duvido. É por isso que ela e eu nos damos bem.

Ele reflete por um instante enquanto segue dirigindo.

– Depois de tudo isso que aconteceu, não sei como agir com meu pai.

– Nada é insuperável – afirmo, tentando acreditar em minhas próprias palavras.

Abro a janela um pouquinho para a brisa bater no meu rosto. O sol aquece minhas pernas e Josh está outra vez sorrindo.

Eu não me permito pensar que tudo isso vai terminar.

O caminho para casa costuma levar cinco horas, mas juro que Josh o percorre em três. Mas as horas não significam nada enquanto atravessamos o interior, deixando a brisa do mar para trás.

A memória é iluminada pelos raios de sol que atravessam as árvores. Enquanto fazemos nosso caminho, nada além de tons cobres e verdes tocam nossos braços, iluminando nossos olhos azuis – os dele, safiras; os meus, turquesas. Vejo meu rosto no retrovisor e quase nem me reconheço.

Eu mudei. Hoje, sou outra pessoa. Hoje é um dia importante.

Sempre vou me lembrar do caminho para casa como uma montagem em filme, um filme do qual participei. Cada detalhe foi vívido e intenso. Eu sabia que um dia acabaria precisando dessas memórias.

A montagem é dirigida por um francês. Ele teria preferido um conversível, mas as janelas estão abertas, então pelo menos temos vento. O dia está estranhamente ameno para essa época do ano, com cheiro de madressilva e grama recém-cortada.

A montagem é estrelada por essa menininha graciosa, que usa sua boca coberta de Lança-Chamas para sorrir para um homem lindo. Ele parece muito descolado com seus óculos de sol da moda e faz todo mundo imediatamente querer comprar óculos iguais.

O mocinho ergue a mão da mocinha e dá um beijo. Diz a ela alguma coisa sedutora e a faz rir. É o tipo de cena em que você quer apertar *pause* e comprar o que quer que estejam vendendo ali.

Felicidade. Uma vida melhor. Batom vermelho e óculos de sol.

A trilha sonora seria indie; partes iguais de acordes com letras esperançosas e amargas, aquelas que fazem seu coração doer por nenhum motivo específico. Mas, em vez disso, o filme é acompanhado por *hair metal* dos anos 1980 que encontrei no iPod, em uma *playlist* incriminadora chamada "Academia".

– Você realmente conseguiu esse abdômen maravilhoso ouvindo Poison e Bon Jovi? – resmungo, e ele não tem como refutar.

Somos só nós dois, janelas abertas, música alta, a estrada se curvando como uma língua à nossa frente.

E cantamos junto com as músicas. Letras de canções que não ouço há anos simplesmente rolam para fora de minha boca. Os dedos de

Josh fazem a percussão no volante. Neste momento, a vida é mais fácil do que só respirar.

Não paramos o carro, em momento algum. Se estacionarmos para uma pequena pausa, a realidade pode nos agarrar. Somos como dois assaltantes de banco. Crianças escapando do internato. Adolescentes apaixonados fugindo de casa.

Carrego uma garrafa de água e as balas de Josh na bolsa. Isso é o que dividimos, e é melhor do que um banquete.

Em algum momento, confessarei a mim mesma por que essa montagem significa tanto. Eu poderia tentar acreditar que é porque a manhã de segunda-feira se aproxima e porque há um único prêmio dependurado e balançando diante de duas pessoas dignas de recebê-lo. Talvez porque simplesmente me senti tão viva. Tão jovem e tomada pelo frio na barriga de quem tem a certeza de que sua vida está prestes a se transformar drasticamente.

É possível que tenha sido o frio na barriga por estar com esse homem e a adrenalina de ter enfrentado alguém tão assustador. A alegria de resgatar alguém. De ser forte. De estimular alguém, abraçá-lo, protegê-lo e defendê-lo como uma leoa.

Talvez tenha sido o cheiro da primavera no ar, os campos de trevos de quatro folhas pelos quais passamos. Rosas vermelhas junto a cercas. Banco de couro e a pele de Josh.

Não, foi outra coisa; foi perceber algo irreversível, permanente. Algo que gira em minha mente a cada volta dada pelas rodas do carro, a cada pulsar do sangue em minhas veias finas. A qualquer momento, uma pequena válvula pode estourar com a pressão do colesterol dos meus croissants. Posso morrer a qualquer momento.

Mas não morro. Eu durmo com a bochecha encostada ao banco aquecido e o rosto virado para ele, como sempre fiz. Como sempre estará.

Abro um pouquinho os olhos. Estamos em uma garagem.

– Chegamos – Josh anuncia.

O impossível invade minha mente. Devia ter pensado nisso o tempo todo. Meus olhos se fecham e finjo estar dormindo.

– Você precisa acordar agora – sussurra.
E beija minha bochecha. Um milagre.
Eu amo Joshua Templeman.

CAPÍTULO 28

Entramos em seu apartamento e ele coloca minha mala junto à sua no quarto, como se eu estivesse voltando para casa. Uso o banheiro e, quando saio, Josh, com a concentração de um cientista, está me preparando uma xícara de chá.

Olha em meu rosto.

– Ah, não. Não me diga.

Meu estômago quase salta para fora do corpo e me agarro à beirada do balcão. Ele sabe. Ele lê mentes. Meus olhos são como dois corações.

– Você está surtando – diz com toda a tranquilidade do mundo.

Não consigo fazer nada além de lançar um olhar desconcertante e mordiscar o lábio. Olho para a porta. Não consigo passar por Josh, ele é rápido demais.

– Sem chances. Suba no sofá – ordena já de cara fechada. – Vamos! No sofá!

Tiro os sapatos e me ajeito com o corpo curvado no sofá, abraçando minha almofada favorita.

Josh tem razão, eu estou mesmo surtando. É um surto gigantesco e já perdi completamente a voz.

Na privacidade da minha mente, converso comigo mesma.

Você ama esse cara. Você o ama. Sempre amou. Mais do que o odiava. Todos os dias, olhou para esse homem, conhece cada cor, expressão e nuance.

Todos os jogos dos quais participou foram para estabelecer contato com ele. Conversar com ele. Sentir os olhos dele apontados em sua direção. Tentar fazê-lo perceber a sua existência.

— Sou uma grande idiota — arfo.

Abro os olhos e quase dou um grito. Josh está em pé à minha frente, segurando uma xícara e um prato.

— Não consigo perdoar esse tipo de surto — afirma enquanto me entrega meu sanduíche.

Coloca a xícara na mesinha de centro. Desaparece por um minuto, depois volta com um cobertor cinza.

É como se ele soubesse que eu tive uma espécie de choque. Então me cobre totalmente e me entrega um travesseiro a mais. Vai saber como está meu rosto agora. Evitei me olhar no espelho do banheiro.

Meus dentes começam a tremer e estendo a mão para pegar o sanduíche, que, por sinal, está com uma aparência ótima. Definitivamente não é um sanduíche feito de qualquer jeito. Está até cortado na diagonal, meu jeito favorito.

Mastigo como um esquilo que usa as patinhas para segurar o alimento. Meus olhos estão brilhando e minhas bochechas coradas.

— Você não me disse uma única palavra desde que a acordei. Parece em estado de choque. Suas mãos estão trêmulas. Pouco açúcar no sangue? Pesadelos? Enjoou no carro? — Josh deixa de lado seu prato com o sanduíche intocado. — Ainda está cansada? Dor no estômago?

Começa a massagear meus pés envolvidos pelo cobertor. Quando volta a se expressar, fala tão baixinho que mal consigo ouvir:

— Você já se deu conta do erro que cometeu ao escolher ficar comigo?

— Não — arfo ainda enquanto mastigo.

Fecho os olhos. A linha de preocupação em sua testa está me matando.

— Não?

O JOGO DO AMOR/ÓDIO

Eu me sinto terrível. Estou arruinando o que era uma linda bolha de energia, criada durante o caminho de volta para casa.

– Hoje é domingo – respondo depois de pensar muito.

– Amanhã é segunda-feira – ele rebate.

Tomamos um gole de nossas xícaras. O Jogo de Encarar começou e estou cheia de perguntas; quero muito fazê-las, mas não tenho ideia de por onde começar.

– Verdade ou Desafio – ele propõe.

Josh sempre sabe a coisa certa a dizer.

– Desafio.

– Covarde. Tudo bem, eu a desafio a comer todo o pote de mostarda picante que tenho na geladeira.

– Eu esperava um desafio mais sensual.

– Vou buscar uma colher para você.

– Verdade.

– Por que está surtando?

Josh dá uma mordida no sanduíche.

Suspiro tão profundamente que meus pulmões chegam a doer.

– Eu não estava pronta para o que aconteceu entre nós, e agora tenho alguns sentimentos e pensamentos assustadores.

Joshua estuda meu rosto em busca de algum sinal de que estou mentindo. Não encontra nenhum. O que expus é uma versão abreviada, mas, mesmo assim, uma verdade.

– Verdade ou Desafio?

– Verdade – ele responde sem nem piscar.

Há uma luz fraca do entardecer entrando pelas janelas e posso ver traços em tom de cobalto em seus olhos. Preciso fechar os meus por um instante até a dor provocada por sua beleza se tornar mais amena.

– O que significam as marcas na sua agenda? – lanço a pergunta que de repente invade minha cabeça.

Da última vez, ele não respondeu. Duvido que responda agora.

Josh sorri e olha para seu prato.

– É uma coisa meio juvenil.

– Eu não esperaria nada diferente vindo de você.

– Eu registro se você está usando vestido ou saia. V ou S. Faço uma marca sempre que discutimos, e faço uma marca quando a vejo sorrir para outra pessoa. Além disso, registro toda vez que tenho vontade de beijá-la. Os pontinhos são só meus intervalos de almoço.

– Ah, por que isso?

Sinto uma pontada no estômago.

Josh passa um instante refletindo.

– Quando se recebe tão pouco de alguém, você precisa se satisfazer com esse pouco.

– Há quanto tempo faz isso?

– Desde o segundo dia de B&G. O primeiro dia foi meio confuso. Sempre quis reunir algumas estatísticas. Sinto muito. Dizer isso em voz alta me faz parecer louco.

– Quem me dera ter pensado em fazer algo desse tipo. Talvez você se sinta melhor sabendo disso, sabendo que sou igualmente louca.

– Você decifrou o código das camisas bem rápido.

– Por que você as usa em sequência?

– Queria descobrir se você notaria em algum momento. E, assim que percebeu, começou a ficar irritada.

– Eu sempre notei.

– Sim, eu sei.

Josh sorri e eu também. Sinto-o segurar meu pé e voltar a massagear.

– Aquelas camisas em dias específicos da semana são estranhamente desconfortantes. – Relaxo no sofá e olho para o teto. – Independentemente do que acontecer, sei que vou chegar ao escritório e me deparar com branco, *off-white*, creme, amarelo-claro, amarelo-escuro, azul bebê, azul cerúleo, cinza, azu-marinho, preto... – vou falando e contando nos dedos.

– Você esqueceu que a pobre camisa amarelo-escura foi deixada de lado e substituída. Enfim, em breve vai deixar de ver as minhas camisas ridículas. O senhor Bexley me disse que, depois das entrevistas, a comissão deve ter uma resposta já na sexta-feira.

— Então a resposta já sai no dia seguinte, logo depois da entrevista?! — Pensei que talvez fossem demorar uma ou duas semanas para chegarem a uma conclusão. Vou descobrir se serei promovida ou se serei desempregada já na próxima sexta-feira? — Estou com enjoo.

— Bexley disse ao pessoal da comissão que, se eles não tiverem chegado a uma conclusão cinco minutos depois das entrevistas, então eles não passam de um bando de idiotas inúteis.

— É melhor ele não tentar influenciá-los. O processo tem de ser justo. Droga, até agora não pensei em como será me reportar diretamente ao senhor Bexley, sem você para dar uma força. Josh, aquele homem tem olhos de raio-X.

— Eu quero cegá-lo com ácido.

— Você guarda um frasco de ácido na sua gaveta?

— Você saberia se eu guardasse. Afinal, andou bisbilhotando a minha mesa e a minha agenda.

Há um tom de censura em sua voz, mas seus olhos continuam amigáveis enquanto ele desliza o polegar no peito do meu pé e me faz ronronar.

— Você vai pedir demissão se eu ficar com o trabalho? — questiona com delicadeza.

— Sim. Sinto muito, mas tenho que fazer isso. Num primeiro momento, foi meu orgulho que me fez afirmar que eu sairia da empresa. Mas agora é claramente a única opção. Quero que saiba que, se eles decidirem que você é mais qualificado para esse cargo, vou me demitir feliz. Juro que vou ficar feliz por você. Sei melhor do que ninguém o quanto você trabalhou por essa promoção. — Arqueio o corpo um pouquinho e suspiro. — Você seria o meu chefe. De fato, seria extremamente picante dar uns amassos no chefe toda vez que uma oportunidade surgisse, mas sem dúvida acabaríamos sendo pegos.

— Mas e se você for promovida?

— Não posso esperar nem exigir que você se demita, mas também não poderei ser sua chefe. Eu lhe daria tarefas impróprias e Jeanette acabaria sofrendo um ataque cardíaco.

— E se fosse seu chefe, eu faria você trabalhar pra caralho. *Pra. Caralho.*

— Hum, eu teria sonhos sacanas todas as noites.

— Você disse aos meus pais que eu provavelmente seria o diretor de operações. Estava falando sério? Ou era só mais uma coisa na sua lista de elogios a mim? Não tem problema nenhum se não estivesse falando sério.

— Se eu fosse parte da comissão da seleção, colocaria nossos currículos lado a lado e você provavelmente me superaria. É tão competente no que faz! Sempre admirei seu jeito de trabalhar.

Esfrego a mão no peito e tento aliviar a dor.

— Não necessariamente. Tem outros fatores além dos currículos em jogo. As entrevistas, por exemplo. Você é encantadora. Não há uma única pessoa no mundo que não a adore desde o primeiro momento.

— Veja só quem está falando! Eu já o vi em ação quando estava se esforçando. É quase um político dos anos 1950, o mais polido dos homens.

Josh dá risada.

— Mas você ama a B&G. E todo mundo lá me detesta. Você tem essa vantagem. Além disso, tem aquela arma secreta à qual Danny tem dedicado seus fins de semana.

— Sim.

Desvio o olhar.

— Tem a ver com e-books. Não sou nenhum idiota — Josh declara.

— Por que não pode ser idiota pelo menos uma vez na vida? Só umazinha. Quero manter um segredo de você.

— Você está guardando um segredo de mim agorinha mesmo. Ainda não conversamos sobre o motivo do seu surto.

— E nem vamos conversar.

Puxo o cobertor sobre a cabeça para me esconder.

— Quanta maturidade! — comenta e segura meu outro pé, apertando os dedos e massageando com o polegar. — Você não consegue guardar segredos de mim por muito tempo. Eu a conheço bem demais. Vou fazê-la confessar.

— Bem, aparentemente minha vida é um e-book aberto. — Suspiro, ainda debaixo do cobertor. — Por favor, não acabe comigo, Josh. Por favor. Toda a minha apresentação depende disso.

— Acha mesmo que eu faria algo assim com você?

— Não. Bem, talvez.

Espero uma resposta violenta. Ele não diz nada, apenas continua massageando meu pé.

Empurro o rosto para fora do cobertor.

— Por que você não sorriu para mim assim que nos conhecemos e falou que era um prazer me conhecer? Teríamos sido amigos esse tempo todo, desde o começo.

A sensação é de que tudo é uma tragédia. Perdi tantas oportunidades e agora não temos muito tempo mais.

— Jamais teríamos sido amigos.

Tento baixar meu pé, mas ele continua segurando-o erguido.

— Então aqui existe um ponto de tensão — comenta, apertando o arco do meu pé.

— Sempre quis ser sua amiga. Mas você não sorriu para mim. E desde aquele dia, sempre tentou me superar em tudo.

— Eu não podia. Se me permitisse sorrir em resposta e ser seu amigo, provavelmente me apaixonaria por você.

É o fato de essa fala estar toda no passado que mata minha alegria interna. Porque ele não sorriu, e não está apaixonado. Tento afastar esse pensamento.

— Você me disse que, depois do beijo no elevador, jamais seríamos amigos.

— Na ocasião, eu estava nervoso. Eu estava levando você para um encontro com Danny, e você estava linda pra caramba.

— Pobre Danny! É uma pessoa tão legal. Você vai ter que pedir desculpas por ter desligado o telefone na cara dele. Danny não tem sido nada além de gentil comigo, e eu só o fiz passar por encontros ruins e perder um sábado trabalhando.

— Ele teve a oportunidade de beijá-la. — Enquanto diz isso, Josh parece querer destruir planetas. – E não está fazendo esse trabalho só porque tem um coração bom.

– Em outras circunstâncias, ele seria um excelente namorado.

Josh lança um olhar de assassino em série para mim.

– Outras circunstâncias.

– Bem, estou supondo que você vá me acorrentar em seu porão e me manter como sua escrava sexual.

Essa conversa mais parece uma corda bamba. Um passo em falso e Josh vai saber de tudo. Vai descobrir que estou apaixonada, e aí vou cambalear e cair. Para piorar, não há nenhuma rede de segurança lá embaixo.

– Eu nem tenho porão.

– Uma pena para mim.

– Vou comprar uma casa com porão para nós.

– Entendi. Posso acompanhá-lo quando for procurar casas?

Abro um sorriso, apesar da sensação péssima que corre em meu sangue. Adoro a energia que criamos juntos quando conversamos assim. É a mais intensa sensação de prazer saber que ele sempre terá a resposta perfeita. Nunca conheci ninguém assim, com assuntos e beijos tão viciantes.

– Verdade ou Desafio? – ele lança depois de um instante.

– Não é a minha vez.

– Sim, é.

– Verdade.

Não tenho escolha. Ele vai me desafiar outra vez a comer aquela mostarda picante.

– Você confia em mim?

– Não sei. Quero confiar. Verdade ou desafio?

Ele pisca.

– Verdade. De agora em diante, tudo é verdade.

– Você já morou com alguma namorada neste apartamento?

– Não. Nunca morei com ninguém. Por que quer saber isso?

– Seu quarto é meio feminino.

Josh sorri para si mesmo.

— Você é tão besta às vezes.

— Obrigada. Devo ir para casa? Não tenho nada aqui para vestir para ir trabalhar amanhã.

— Não sei se acredita, mas tenho minha própria máquina de lavar e secar roupas.

— Que ultramoderno! — Vou até seu quarto e me ajoelho no chão para abrir o zíper da mala. — Espero que Helene não perceba que estarei com a mesma roupa.

— Eu diria que a única pessoa na B&G que repara tanto em você é a mesma que vai lavar essas roupas.

Sento-me sobre os calcanhares e analiso seu quarto. Josh colocou o Smurf que lhe dei ao lado da cama. Também estão ali as rosas brancas, agora já com pétalas murchas. Ele não tinha vaso, então usou um pote de vidro. Fecho os olhos. Por um instante, não consigo me mexer.

Eu amo tanto esse homem que é como se uma agulha me perfurasse e me golpeasse, fazendo mais buracos, costurando o amor dentro de mim. Jamais conseguirei me libertar desse sentimento. O amor certamente é azul-claro.

Quando seus pés aparecem na passagem da porta, pego minhas roupas sujas e as abraço.

— Nem pense em olhar minha calcinha.

Sento-me em sua cama. Deslizo a mão pelas cobertas, tateando os fios sedosos. Afundo o punho em seu travesseiro. Ele sonha. Ele vive. E vai fazer tudo isso sem mim. Josh me encontra sentada aqui, com a cabeça apoiada nas mãos.

— Moranguinho — chama, e sei que seu pesar é sincero.

É a mais estranha das situações. Preciso confiar nele. Justamente na única pessoa em quem não devia acreditar, mas estou quase explodindo enquanto tento guardar o meu amor em segredo. E isso me machuca.

— Converse comigo — pede. — Quero saber por que está chateada. Deixe-me ajudá-la a resolver isso.

— Eu tenho medo de você.

Tenho medo que descubra meu maior segredo, meu mais novo segredo.

Josh não parece ofendido.

– Eu também tenho medo de você.

Quando nossas bocas se tocam, é como se fosse o primeiro beijo. Agora que tenho seu amor azul-claro correndo dentro de mim, a intensidade se torna opressiva demais. Tento me afastar, mas ele me mantém ali.

– Seja corajosa – diz. – Vamos, Lucy.

Meu coração está na boca e encontra seu hálito quando nos beijamos outra vez. Percebo meu corpo tremendo quando Josh consegue saborear meu medo.

– Ah... – continua. – Acho que estou começando a entender qual é o problema.

– Não, não está.

Viro o rosto de lado. O sol está se pondo neste dia confuso e a luz que passa por suas cortinas é perolada e linda. Todo esse instante congela e, com a data de hoje carimbada, é registrado em minha memória.

Josh me beija como quem me conhece. Como quem me entende. Ergo a mão para afastá-lo, mas ele entrelaça os dedos aos meus. Mordo-o e ele sorri diante de meus lábios. Deslizo o joelho para cima só o suficiente para me distanciar, mas ele segura a minha perna.

– Você fica linda quando está com medo – garante.

Não consigo dizer nada enquanto ele esfrega a boca em meu ouvido. E suspira. Meu mundo se estreita um pouquinho mais. Quando Josh beija meu pulso, sei que está pensando em todos os meus pequenos milagres internos e a primeira lágrima se forma em meu olho. Ela escorre pela bochecha, pelo pescoço.

– Agora estamos chegando a algum lugar – declara enquanto lambe a minha lágrima.

Encosto a mão em seus cabelos e puxo-o para junto de mim enquanto ele dá beijinhos suaves em meu pescoço. Cada um desses beijos me deixa mais apaixonada. Quando encosta a mão em meu torso, estremeço.

– Deixe o doutor Josh dar uma olhada – pede, arrancando minha blusa e camiseta com um único movimento.

Desliza sua mão firme por minha garganta, pelo sutiã, entre meus seios, em minha barriga. A luz aqui é difusa e ele consegue enxergar cada veia e hematoma da partida de paintball enquanto me analisa. Seus cílios são tão perfeitos a ponto de me fazer sentir a próxima lágrima brotar.

Amo tanto esse homem que não vou conseguir aguentar muito tempo mais. Esse amor me faz brilhar. Estou emitindo faíscas. Ele dificulta ainda mais a situação ao falar enquanto seus dedos acariciam minha pele ferida.

– Sinto muito por você ter se machucado tanto por minha causa. Eu devia tê-la protegido de mim mesmo. Não dei a devida atenção a isso porque sou do tipo que ataca antes de ser atacado. Você estava do outro lado, e ali ficou por dias, semanas, meses, e aguentou como nenhuma outra mulher aguentaria.

Tento falar, mas ele me cala ao negar com a cabeça. E prossegue:

– Cada minuto de cada dia, fiquei ali, apenas olhando-a. O que fiz com você foi o pior erro da minha vida.

– Não tem problema – digo com certo esforço. – Sério, tudo bem.

– Tem problema, sim. Não sei como você me suportou. E peço desculpas.

Josh leva a boca ao hematoma em minha costela.

– Eu perdoo. E não esqueça que eu também fui uma megera com você.

– Mas não seria se eu tivesse sorrido em resposta naquele dia.

– Bem que eu de fato queria que você tivesse sorrido. – Minha voz me trai e falha.

Eu poderia ter dito "eu queria que você me amasse". Seguro a respiração. Com o cérebro inteligente de Josh, sei que está unindo os pontos segundos depois de mim. Tento sair da cama, mas ele se arrasta facilmente sobre mim e apoia minha cabeça no travesseiro.

— Não faria a menor diferença. Eu amei você desde o primeiro momento.

Estou caindo para trás, em sua cama. Ele passa o braço em volta da minha cintura. Sacudo o corpo ao perceber que Josh me pegou.

— Você ama o quê? Você... me ama?

— Lucinda Elizabeth Hutton. A própria.

— Eu.

— Lucy, herdeira da dinastia Morangos Sky Diamond.

— Eu.

— Pode me mostrar sua carteira de identidade para eu ter certeza?

Seus olhos estão iluminados e o sorriso que tanto amo aparece estampado em seu rosto.

— Mas eu te amo — digo e ouço minha voz incrédula.

Josh dá risada.

— Eu sei.

— Como é que você sempre sabe de tudo? — pergunto enquanto bato o pé no colchão.

— Eu descobri há alguns minutos. Seu coração estava se partindo.

— Não consigo esconder nada de você. Isso é o pior da nossa relação.

Tento encostar meu rosto no travesseiro.

— Não precisa esconder nada de mim.

Ele encosta os dedos no meu queixo e me beija.

— Você é assustador. E me machucou.

— Acho que sou um pouco assustador, mas nunca mais vou voltar a feri-la. E, se alguém feri-la, vai descobrir o verdadeiro significado de assustador.

— Você me odeia.

— Nunca odiei. Nem por um segundo sequer. *Sempre* amei você.

— Prove. É impossível provar.

Fico satisfeita por ter lançado o desafio insuperável. Ele se vira de lado e descansa a bochecha em meu bíceps. Meu coração está acelerado.

— Qual é a minha cor favorita?

— Essa é fácil. Azul.

O JOGO DO AMOR/ÓDIO

– Que tipo de azul?

– Azul! – Aponto para a parede de seu quarto. – As paredes, sua camisa, meu vestido. Azul-claro.

Ele me puxa para que eu me sente, depois vai até a beirada da cama. Abre a porta do guarda-roupa e vejo todas as camisas dependuradas naquela sequência precisa de cores.

– Josh, seu besta.

Começo a rir e aponto, mas ele segura meus tornozelos e me puxa até a beirada da cama. Há um espelho de corpo inteiro e eu me vejo ali, finalmente sentada na cama de seu quarto azul. As paredes são do mesmo tom dos meus olhos. Acho que meu raciocínio está um pouco lento.

– Mas esse é o azul mais lindo do mundo!

– Eu sei. Santo Deus, Lucinda. Pensei que você sacaria assim que entrasse neste quarto.

Ele se senta atrás de mim na cama, com um joelho erguido, e eu me aninho em seu corpo perfeito.

– Parece que sou incapaz de reconhecer algumas coisas. Ei, Josh.

– Diga, Moranguinho.

– Você me ama.

Pelo espelho, vejo-o rindo da minha voz confusa e maravilhada.

– Desde o primeiro momento que a vi. Desde o momento que você sorriu para mim. Senti que estava caindo em um penhasco. E essa sensação nunca foi embora. Tenho tentado arrastá-la comigo, mas fiz isso da maneira mais terrível e idiota possível.

– Fomos tão horríveis um com o outro. – Sinto-o estremecer, sinto suas mãos me acariciando. – Quero dizer, como podemos começar de novo?

– É hora de um jogo novo. O Jogo do Começar de Novo.

Abro um sorriso. Olhos iluminados, deslumbrantes, cheios de esperança e certeza de que essa fusão será a coisa mais animadora, apaixonada e desafiadora a acontecer comigo.

– Muito prazer, sou Lucy Hutton.

— Joshua Templeman. Por favor, pode me chamar de Josh.

Vejo seu sorriso brilhante voltado para mim e começo a chorar. Lágrimas escorrem por meu pescoço.

— Josh...

— Quando essa palavra sai da sua boca, ela soa como o paraíso.

— Josh, por favor. Somos colegas há apenas um minuto e você já está flertando comigo. Deixe-me dependurar meu casaco.

Ele abre meu sutiã.

— Permita-me.

— Obrigada.

Estamos jogando o Jogo de Encarar no espelho e seus olhos começam a adotar um tom cruel. Suas mãos agarram a minha pele clara.

— Eu cresci em uma fazenda de morangos. O nome da fazenda é uma homenagem a mim.

— Eu amo morangos. Ando tão carente que os como o tempo todo. Posso chamá-la pelo apelido de Moranguinho? Assim fica claro que eu te amo.

— Você me ama! Mas a gente se conheceu há um minuto.

— Eu amo. Sinto muito, mas sou rápido. Espero que não esteja sendo direto demais ao dizer isso, mas seus olhos são incríveis, Lucy. Eu me derreto quando você pisca.

— Você é tão sereno. E quer saber? Eu também te amo. Muito. Toda vez que seus olhos azul-escuros se voltam para mim, sinto como se tomasse um leve choque.

Estendo a mão para arrancar sua camiseta. Ele me ajuda e logo a tira.

— Desde que o conheci, o que aconteceu há poucos minutos, estava me perguntando o que você escondia por baixo daquela camiseta. Meu Deus, seu corpo! Mas eu o quero por sua mente e seu coração, e não por esse disfarce impressionante.

Josh olha para o teto.

— Acho que vou pintar meu quarto neste fim de semana. Provavelmente vou ficar irritado durante todo o processo. E vou aproveitar para me livrar da minha namorada atual, uma loira alta e chata chamada Mindy Thailis. Ela não é você e isso acaba comigo. Só torna o fato de eu dormir sozinho como um celibatário neste quarto azul-Lucy ainda mais romântico.

Josh me puxa entre os cobertores e me abraça. Minha bochecha encosta em seu bíceps e ele beija a lateral do meu pescoço. Estou tremendo.

— Parece um bom plano. Vai valer a pena. Vai valer muito a pena, não acha? Então me diga, qual é o objetivo do Jogo do Começar de Novo?

— O mesmo de todos os outros. Você me amar.

— O meu era fazê-lo sorrir. Que bobinha eu era.

— Eu morria de rir todos os dias voltando do trabalho para casa, se isso a faz sentir-se melhor.

— Acho que sim. Mas você venceu. Vou ter que lembrar para sempre que você venceu todos os jogos.

Tenho certeza de que estou fazendo beicinho. Ele me vira de barriga para baixo e começa a beijar minhas costas.

— Agora que sabe de tudo, você confia em mim?

Por um instante, esfregamo-nos um no outro; minha pele treme com o toque de seus lábios.

— Sim. E, se você conquistar essa promoção, vou ficar feliz por você.

— Eu já pedi demissão. Sexta-feira foi meu último dia. Jeanette foi lá e cuidou da parte burocrática. Agora estou de férias.

— Que história é essa? — arfo contra sua cama.

— Não quero nada que me impeça de ficar com você. Nada no mundo vale isso.

— Mas eu não tive a oportunidade de competir com você.

Não sei se devo rir ou gritar.

— Você ainda tem que fazer a entrevista e vencer os outros candidatos. Pelo que ouvi, um deles está mesmo a fim de competir. A tal comissão independente pode chegar à conclusão de que você é uma total incompetente.

Cutuco-o com o cotovelo, o que o faz rir.

— Mas você sempre vai saber que poderia ter sido promovido.

Quando brigarmos, tenho medo de que jogue isso na minha cara.

— Eu pensei em uma solução. Uma coisa tão maquiavélica que até mesmo você vai considerar a solução perfeita. E mantém toda essa bobagem de competição que tanto adoramos.

— Estou com medo de perguntar qual seria essa sua ideia.

— Sou o novo chefe da área financeira da editora Sanderson Print, a maior concorrente da B&G.

— Josh! Como é que é? Não!

— Pois é! Eu sou mesmo muito diabólico.

Ele beija a minha nuca e eu me afasto e me viro.

— Como conseguiu isso?

Sinto-me fraca.

— Eles estão insistindo há anos para eu procurá-los para conversar. Então fiz justamente isso, e disse que queria trabalhar para melhorar a situação financeira terrível deles antes de falirem de uma vez por todas. Eles disseram que tudo bem. Ninguém ficou mais surpreso do que eu, mas escondi tudo direitinho de todo mundo.

— Foi por isso que tirou aquele dia de folga, então?

— Exato. E também porque precisava comprar um carrinho de brinquedo para você. Eles demoraram um tempão para me apresentar uma proposta formal. Por isso nunca precisei de ajuda para vencê-la. Eu nunca quis vencê-la.

Esfrego a mão em seu braço, a curva gloriosa de seu braço.

— Então era isso...

— Tive que assinar algumas declarações envolvendo conflitos de interesses.

— Tipo?

Vejo seus olhos se repuxarem com a memória.

— Declarei que sou apaixonado pela futura diretora de operações da B&G.

Só consigo imaginá-lo contando isso com seu jeito frio e calmo ao pessoal da empresa.

— Você não fez isso! E eles aceitaram numa boa?

— Minha nova chefe achou bonitinho. Todo mundo é romântico. Tive que assinar um termo de confidencialidade. Se eu contar alguma coisa para você, serei processado. Ainda bem que sei fazer cara de paisagem.

— Caramba! E o senhor Bexley ficou muito bravo? Ele não é nada romântico.

— Furioso. Estava a ponto de chamar a segurança. Por sorte, Helene entrou na sala dele e acalmou os ânimos. Quando contei os motivos pelo qual estava saindo, eles se mostraram bastante compreensivos. Helene disse que sempre soube.

— Motivos?

— Eu ainda tinha um fim de semana para fazê-la me amar.

Arfo horrorizada.

— Você não me contou isso!

— Pois é. Você precisava ver o rosto da Jeanette!

— Você fez uma aposta enorme, Josh. Correu um risco e tanto.

— Ainda bem que valeu a pena.

Ele está encostando a boca à minha pele e suspirando. Suspirando como se eu fosse um sonho do qual jamais quer acordar. Está me absorvendo como se fosse um viciado.

— E tem certeza de que não vai ficar ressentido comigo no futuro? Você deixou de lado uma chance enorme, Josh.

— Vou passar o dia todo com a cabeça em números. Posso continuar minha cruzada para várias editoras da ruína, uma após a outra.

— Por favor, tente nunca mais fazer as pessoas chorarem. É hora de ser quem realmente é. O verdadeiro Senhor Gentileza.

— Não posso garantir nada. Mas esse emprego na Sanderson está mais de acordo com minhas qualificações. E a melhor parte é que vou voltar todas as noites para encontrá-la no meu sofá. A vida não poderia ser melhor, nem se eu tentasse.

— Toda noite? Bem, eu não posso no fim de semana prolongado. Vou passar a semana na Sky Diamond. Acho que você não estará ocupado nessa época.

— Me leve com você – pede entre um beijo e outro em meu ombro.

— Eu conheço o caminho. Já mapeei tudo. Voos e carros para alugar. Vou bajular seu pai. Já sei exatamente o que dizer.

— Não entendo todo esse seu amor por aquele lugar.

— Preciso ir até lá para poder recomeçar. Na fazenda, vou descobrir tudo a seu respeito.

— Você sem dúvida ama morangos.

— Eu te amo, Lucy Hutton. Tanto, você não tem ideia! Por favor, seja minha melhor amiga.

Estou tão terrivelmente apaixonada que decido tentar declarar em voz alta:

— Eu estou apaixonada por Joshua Templeman.

Sua resposta vem em um sussurro ao meu ouvido.

— Finalmente!

Afasto-me dele.

— Vou ter que mudar a senha do meu computador.

— Ah, é? E qual vai ser a nova?

— Eu-amo-Josh.

— Para sempre — ele acrescenta.

— Você descobriu a minha senha?

Ele me vira de costas e sorri, mostrando aqueles olhos de quem andou aprontando travessuras.

Não há nada mais que eu possa fazer. Quando a bandeira branca formada por seu lençol se ajeita em minha pele, o Jogo do Ódio chega ao fim. É um milagre. E é para sempre.

— Sim, verdade. Para Sempre. Que jogo vamos jogar agora?

Estudo-o e fazemos o Jogo de Encarar até seus olhos brilharem com uma memória.

— O Jogo do Ou Algo Assim realmente me intrigava. Pode me explicar como funcionava?

Ele joga o cobertor sobre nossos corpos, bloqueando todo o mundo. Está rindo, e essa risada é o meu som preferido em todo o planeta.

Depois, não há nada além de silêncio. Sua boca toca a minha pele.

O verdadeiro jogo está lançado.